JN100552

はじめに

本書のタイトルは『プロレス社会学のススメ』である。社会学＝ソシオロジーSociologyとは、社会を研究する学問だけれど、この本はもちろん学問の書ではない。ならば、プロレスのことだけを論じた本かといえば、それもやっぱりちがう。

社会学とはいったいどんなジャンルなのかを説明しようとすると、人間の〝行為〟とか〝集団〟とか、〝相互作用〟とか〝社会構造〟とか、そういう頭が痛くなるような単語をいくつも並べなければならないので、これはあまりよろしくない。社会学というジャンルが、大学などで「〇〇社会学」「△△と社会」なんていう授業をとったことがある人たちだけが理解あるいは共有できるむずかしい学問なのかというと、全然そうではなくて、ぼく自身は、社会学こそぼくたちの日常の思考といちばん近いサムシングではないだろうか、とそんなふうに考えている。

この本を読んでくださるであろう読者のみなさんと、本のなかで対談をしているプチ鹿島さんとぼく（と構成の堀江ガンツくん）とは〝プロレス〟という経験を共有している。ここでいう経験とは、プロレスのリングに上がったことがあるという意味ではなくて、プロレスを観る、プロレスを楽しむ、プロレスについて考える、といった経験である。プロレスを観て、考えて、そこから何かヒントをもらって自分の生活にそれを活かすという経験もきっとあるだろう。

「経験はわれわれにとって道具であると同時に目標でもありうる」というのは社会学の基本的な考え方のひとつで、ぼくたちは明らかに〝プロレス経験〟をかなり積み重ねてきている。

そして、社会学は「経験はわれわれに世間なるものを教えてくれるが、特定の他者とともに味わう連帯の経験は、生きていてよかったという歓びの源泉にもなる」とも説いている。〝特定の他者〟とは、プロレス経験を共有する他者、つまり自分以外のプロレスファンのことだ。

わかりやすくいえば、プロレスを好きな者とプロレスを好きな者の会話は〝はなしが合う〟し、それがプロレスではない話題であったとしても、〝プロレス経験〟そのものはそれがひとつの共通のフィルターになって、ある連帯を生み、やや大げさかもしれないけれど「生きていてよかったという歓びの源泉にもなる」。このメカニズムはひじょうにわかりやすい。

社会学がめざすものとは「社会とは何か」という問いで、生きているといろいろなできごとに出会ったり、思いもよらぬことを知ったり、考えたり悩んだりして、いつしか抱くことになる根本的な問いである。その「社会とは何か」という問いは、やがて「自分とは何か」「人間とは何か」「生きるとはどういうことなのか」という普遍的な問いに重なっていく。

ぼくたちは、プロレスを観て、プロレスを楽しんで、プロレスについて考えたり語り合ったりしながら――それを意識することもあれば、無意識にそうなっていることもあるけれど――「自分とは何か」「人間とは何か」「生きるとはどういうことなのか」を問い続けている。

本書は『KAMINOGE』に連載された対談シリーズを1冊にまとめたものだ。コロナ禍でスタートした連載だったため、ごく自然に「社会と自分とプロレス」について語り合うことができた。この本の対談相手の鹿島さんと（構成のガンツくんと）ぼくは、それぞれ年齢も、生まれ育った場所も、プロレスと遭遇した時代も、プロセスも、それこそふだんの仕事もまったく異なっているけれど、〝プロレス経験〟はしっかり共有していて、プロレスについての会話も弾んだし、プロレスではないことについての会話でも連帯を実感することができた。

　プロレスについてあれこれ論じたり、プロレスから学んださまざまなことを生きる糧（かて）にしたりして、きのうよりもきょう、きょうよりもあしたが、よりすばらしい日でありますように。

斎藤文彦

プロレス社会学のススメ　目次

第1回

プロレスにおける無観客試合

新型コロナウイルスの感染拡大の影響により、プロレスも観客を集めての大会の延期、中止を余儀なくされている。

オンライン上にて無観客試合の配信を行うことが精一杯という状況の中、アメリカWWEも年間最大のプロレスの祭典『レッスルマニア36』をフロリダ州オーランドのWWEパフォーマンスセンターで開催。その模様は2020年4月5日・6日（日本時間）にWWEネットワークを通じて配信されたが、例年8万人以上を動員する『レッスルマニア』が「観衆0人」というのはやはり歴史的事件だ。

果たしてプロレスにおける無観客とは？　観客のいないプロレスは成立するのか？　その命題を定義しようとしたら、1987年10月4日に行われたアントニオ猪木とマサ斎藤による〝巌流島の決闘〟にたどり着いた――。

（『KAMINOGE101』2020・5）

「プロレスはお客さんに見せるためにやるもの。それを無観客でやるということはジャンルとしての根本を問われている」（斎藤）

——今回から新連載ということで、フミさん、鹿島さん、よろしくお願いします！

鹿島　いや〜、以前この3人でニコ生の『NICONOGE』という番組をやらせてもらって凄く楽しかったので、それを『KAMINOGE』でできるっていうのはうれしいですよ！

斎藤　あの番組は本当に楽しかったですね！　どれくらいやりました？

鹿島　2年近くやったんじゃないですかね。『NICONOGE』は直近のプロレス話もおもしろかったけど、「NWAってそもそも何？」とかプロレスの根源的な部分を掘り下げていくのが本当におもしろくて。「これは活字として残したい」っていう話をガンツさんともよく話してたんですよ。

斎藤　それは大事なこと。しっかり活字で残して、まずプロレスを活字で親しんできた40代以上の層に届けたいし、いまの20代の中にもプロレスマニアの卵はきっといると思うから、ボクらが20年、30年かけてマニアになっていったように、いまの若い層にも「ここから始めよう」って伝えたいですね。

——プロレスは掘れば掘るほどおもしろいジャンルですからね。

鹿島　ボクはフミさんという〝プロレス図書館〟を広くシェアすべきだと常々思っていた

【NICONOGE】
プロレス誌『KAMINOGE（かみのげ）』とニコニコプロレスチャンネルが連動したインターネット番組。プチ鹿島がMCを務め、プロレスライターの堀江ガンツと斎藤文彦の3人のトーク回が人気を集めた。

【KAMINOGE】
玄文社が発行する月刊プロレス誌。かつて刊行されていた『紙のプロレス（通称・紙プロ）』の後継誌として「世の中とプロレスをするひろば」を標榜し、2011年に創刊。プロレスラーや格闘家だけでなく、タレントやお笑い芸人など、さまざまなジャンルの人たちがインタビューに登場するのが特徴。編集プロダクション「ペールワンズ」が制作し、編集長は同プロダクション代表のんで、この企画は本当にいいと思います。プロレスって、ただ試合を観るだけじゃなく、プロレスを通じて世の中の動きが見えてくる部分があるじゃないですか。

斎藤　もう世の中そのものですよ。

鹿島　だから**レッスルマニア**が、今年は無観客で行われたなんていうのは、いまの世の中を象徴していますしね。

斎藤　いま世界中が直面している新型コロナウイルスのパンデミック（世界的大流行）という問題は、ひとつハンドリングを間違えれば人類滅亡の危機に向かうようなことじゃないですか。大袈裟（おおげさ）じゃなくてね。いまボクらは人類がこれまで経験したことがない危機をリアルタイムで経験しているわけです。そしてプロレスもその影響をモロに受けている。

鹿島　プロレスに限らずエンタメ業界がすべて開催できない状況になっていて、いま各団体がどう立ち向かっていくのか、どうすべきなのかが問われてますよね。

斎藤　すでにＷＷＥは、レッスルマニアを挟んで無観客試合が1カ月以上続いているんです。ＷＷＥは世界一大きなプロレス団体なので、新型コロナウイルスのパンデミックにもやっぱり最初に反応した。２０２０年3月の段階でハウスショーのツアーをすべてキャンセルしたんです。

鹿島　ある意味ではトランプ大統領なんかよりもよっぽど対応が早かった（笑）。

斎藤　なぜかと言えば、レッスルマニアで**タンパのスタジアム**に8万人の大観衆が密集したら、それこそ〝3密〟ですからね。しかもアメリカ全50州にとどまらず、世界何十カ国

井上崇宏。

【ＮＷＡ】
1980年代半ばまでプロレス界で「世界最高峰」と謳われたＮＷＡ世界ヘビー級のタイトルを管轄するアメリカのプロモーター連合組織。

【レッスルマニア】
世界最大のプロレス団体ＷＷＥが、毎年春に開催する年間最大のイベント。1985年に第1回大会が開催され、2021年まで37大会が開催されている。1987年の第3回大会は、9万3173人という大観衆を集め、2010年のＮＢＡオールスターゲームが10万8713人を集め記録更新するまで、世界のインドアスポーツイベントで最高の観客動員を記録していた。名実ともに世界最大のプロレスイベント。

からプロレスファンが集まり、そこでウイルスに感染して、また世界中にそれを持って帰る可能性もあるわけだから。

――なるほど。国内のファン中心のアメリカ4大メジャースポーツよりも、レッスルマニアのほうがよっぽど世界的な感染爆発を起こす危険性があったわけですね。

斎藤　そしてMLB、NBA、NHLといったメジャースポーツがみんなシーズンを中止あるいは延期したことで、WWEも社会的な役割を果たさざるをえなかった。またWWEはプロレスの世界では唯一のパブリック・トレーディング・カンパニー、つまり株式を公開しているプロレスの会社なので、不祥事があれば株価がドーンと下がってしまう。だからメジャースポーツと同じくらい公共的な立場にあるんです。

鹿島　**新間寿さんひとりの判断で開催が決行される興行**とは、またちょっと違うわけですね（笑）。

――あれはあれで、我々も大好きですけどね（笑）。

鹿島　ボクは自分の得意なものを通じて世の中を見るとわかりやすいと思っていて、今回についてはWWEがどう判断したのか、これからどうするのかを見続けることで、社会も見えてくるんじゃないかと思うんですよ。

斎藤　WWEはレッスルマニアも**ロウもスマックダウン**も無観客でやっているわけです。だからこれはプロレス全体の話になりますけど「観客のいないプロレスが、プロレスとして成立するかどうか？」という大きな大きなテーマをボクらにぶつけてきているんです。

【タンパのスタジアム】
2020年4月に「レッスルマニア36」が開催されるはずだった、アメリカ・フロリダ州タンパのレイモンド・ジェームス・スタジアム。NFLのタンパベイ・バッカニアーズの本拠地として知られ、アメリカンフットボールでの収容人数は約6万5000人。「レッスルマニア36」では、約8万人の観客動員が予定されていたが、新型コロナウイルスの感染拡大により、WWEパフォーマンスセンターでの無観客開催に変更された。

【新間寿さんひとりの判断で開催が決行される興行】
2020年3月19日に後楽園ホールで行われた『初代タイガーマスク佐山サトル ストロングスタイルプロレスVol.5』

鹿島　ホントそうですね。野球やバスケといったプロスポーツ興行が無観客でやるのとは、また意味合いが違いますもんね。

斎藤　ほかのスポーツはお客さんがいてもいなくても、基本的にやることは一緒なんですよね。

鹿島　勝つことや、記録に集中すればいいわけですよね。

斎藤　でもプロレスはお客さんに見せるためにやるもの。それを無観客でやるということはジャンルとしての根本を問われているわけです。

――以前、マサ斎藤さんに**巌流島の決闘**の話を聞いたとき、「俺たちはお客の歓声を聞き、お客を盛り上げるために闘っている。でも巌流島ではその必要がない中で、何ができるのかが問われたんだ」って言ってたんですよ。

斎藤　それこそがまさに無観客試合の命題なわけですよね。だからいま巌流島がアメリカで話題になってるんです。無観客のプロレスを定義するために、１９８７年（昭和62年）の猪木vsマサ斎藤にたどり着いたということなんです。

鹿島　そこにたどり着いちゃいましたか！（笑）

斎藤　あの試合って無観客でありながら、テレビや雑誌、新聞といったメディアを通じて、ファンの目に届かせたわけじゃないですか。アメリカのアンテナが敏感な人たちが「あっ、これじゃん！」って気づいたんです。

と題された興行。当時、新型コロナウイルスの感染拡大により、さまざまなコンサートやスポーツイベント等が中止される中、同大会の新間寿会長から「リングの中で真剣に闘うプロレスの力を結集してコロナに立ち向かおうじゃありませんか」と、大会決行が発表された。

【ロウもスマックダウンも】
世界最大のプロレス団体WWEが制作するふたつの看板番組。毎週放送されるこの番組でストーリーが進行し、ビッグマッチであるPPV大会で完結する流れとなっている。この2番組に出演する選手がメインロースター（1軍）と呼ばれている。

【巌流島の決闘】
江戸時代の剣豪、宮本武

「現状を打開するためのヒントが33年前の巌流島にあるはずだと、クリス・ジェリコから連絡があったんですか！」（鹿島）

鹿島　猪木さんとマサ斎藤さんはあらためて凄いですね。33年前にやったことがいまに通じるという。

斎藤　じつはおととい、その件について**クリス・ジェリコ**からボクのところに連絡があったんです。

鹿島　えーっ！　クリス・ジェリコが猪木vsマサ斎藤について聞いてきたんですか？

斎藤　彼はいまWWEに対抗する**AEW**（オール・エリート・レスリング）という新興のメジャー団体にいます。そこでメインイベンターであると同時に「AEWを作っているのは俺」っていうプロデューサー的な感覚が凄くあるんですね。

鹿島　クリエイティブ面も担当している自負があると。

斎藤　AEWも毎週テレビ番組を制作しているんですけど、WWE同様にもう5週間、無観客を続けていて「どうするよ、これ？」ってみんなで激論しているわけですね。「無観客というのはプロレスとして成立しないんじゃないか」っていうのを、やってる本人たちが凄く感じちゃったんです。その中で無観客を成立させた試合として猪木vsマサ斎藤がいま注目されていて、クリス・ジェリコからも「巌流島について詳しく教えてくれ」っていう連絡が来たんです。

蔵と佐々木小次郎の決闘伝説にあやかり、1987年10月4日に山口県下関市の巌流島で行われたアントニオ猪木vsマサ斎藤の一戦。かがり火が焚かれる中、無観客で行われた異例の試合で、テレビ朝日で録画中継された。結果は2時間5分14秒、猪木のTKO勝ち。1991年12月18日に馳浩とタイガー・ジェット・シンも同所で無観客試合を行っている。

【クリス・ジェリコ】2000年代から2010年代にかけて、長くWWEのトップで活躍した超一流レスラー。2017年以降は新日本プロレスにも不定期参戦をはじめ、2019年にケニー・オメガらとともにアメリカの新興メジャー団体AEWと契約したことが発表された。ルーキー

鹿島　現状を打開するためのヒントが、33年前の巌流島にあるはずだと。いや〜、凄い！

斎藤　それでボクも記憶だけでしゃべるのではなく、当時の資料をあらためて調べてみたんです。巌流島の決闘は1987年10月4日の出来事なんですけど、その年の春、番組改編期で悪名高き**『ギブUPまで待てない!!ワールドプロレスリング』**が始まったんです。

鹿島　ありましたね〜。フミさんも構成作家として参加していたというプロレスバラエティ番組（笑）。

斎藤　そうなんです（笑）。その前に3月26日の大阪城ホールで**『INOKI闘魂LIVE PART2』**があって、猪木vsマサ斎藤のラウンド1が行われるんです。

鹿島　**海賊男**が乱入して暴動が起きたときですね。

斎藤　あそこからの1年が、猪木さんがフルタイムでシリーズ巡業について、選手とプロデューサーも兼ねた最後の1年なんです。

鹿島　猪木フルプロデュースの最後の1年ですか。

斎藤　そして翌4月27日、場所を両国国技館に移して猪木vsマサのラウンド2が行われて、この試合は途中からノーロープデスマッチになるんです。

――猪木さんが試合途中でロープを外したんですよね。最後はお互いの手首を手錠でつないだ、ノーロープ手錠マッチになるという。

斎藤　この〝ノーロープ〟っていうシチュエーションが、巌流島の伏線にもなっているわけですね。

時代の90年代には天龍源一郎率いるWARにもライオン・ハートの名で定期参戦。冬木軍の冬木弘道、邪道、外道らとともにライオン道を名乗ったこともある。

【AEW】
2019年に、NFLのジャクソンビル・ジャガーズやサッカープレミアリーグのフラムFCのオーナーとしても知られる、パキスタン系アメリカ人の大富豪、シャヒド・カーン、トニー・カーンの親子が設立した新興プロレス団体。WWEに次ぐメジャー団体と位置づけられている。

【『ギブUPまで待てない!! ワールドプロレスリング』】
1987年4月から9月まで、テレビ朝日系で毎週火曜日夜8時から放送

鹿島　なるほど！　もう特殊な試合形式に第2戦からなっていたと。

斎藤　そして巌流島の前にラウンド3もあって、それが第5回ＩＷＧＰ決勝戦（1987年6月12日・両国国技館）。

鹿島　あった！　試合後に新旧世代闘争が勃発する、歴史的なあの日ですね。

斎藤　あの試合で猪木さんはマサさんのバックドロップを、空中で身体をひねって浴びせ倒して、それでフォールを奪うという逆転カウンターを初めて見せたんです。

――いまでは多くの人がやる〝バックドロップ返し〟は、あのときが初公開なんですよね。

斎藤　しかもあのときのＩＷＧＰは、それまでの〝春の本場所〟としてのリーグ戦ではなく、現在のヘビー級王座に変わるときだった。そこで優勝して初代王者になった猪木さんが「誰でも挑戦してこい！」とマイクでアピールするわけですけど、そこでまた大きな動きがあって、ナウリーダーとニューリーダーの新旧世代闘争が勃発するわけです。

鹿島　長州さんが、藤波辰爾さんや前田日明さんに共闘を呼びかけ、それに対して猪木さんとマサさんが結託するわけですよね。

斎藤　ところが、あれだけ大々的に始まった世代闘争は、7〜9月の3カ月しか続かなかった。これはボクの単なる推測ですけど、いざやってみたら、猪木さんは新旧の〝旧〟にされることが凄く嫌だったと思うんですね。

――たしかに先日、猪木さんにインタビューさせてもらったとき、その話をちょっと振ったら、そんなニュアンスで話していましたね。「テレビ局も含めて、俺を降ろそうとしてい

されていた新日本プロレスの中継番組。長く新日本の試合を中継していた『ワールドプロレスリング』の視聴率低下から、テコ入れとして、当時人気絶頂だったタレントの山田邦子をMCにしたスタジオ収録を加えたバラエティ路線でリニューアルされたが、プロレスファンの反発が大きく視聴率はさらに低下。わずか3カ月でスタジオ収録は消滅し、半年で元の『ワールドプロレスリング』に戻された。

【INOKI闘魂LIVE PART2】1987年3月26日、大阪城ホールで開催された、アントニオ猪木デビュー25周年を記念したビッグイベントの第2弾。メインイベントのアントニオ猪木vsマサ斎藤が、謎の怪覆面「海賊男」の不可

た」って。

鹿島　旧勢力に仕立て上げられるのが嫌だったんでしょうね。

斎藤　あの世代闘争を続けていくと、その先には猪木vs長州や、みんなが願っていた猪木vs前田のシングルマッチが当然あったと思うんです。そして世代闘争の結末を考えれば、最後に猪木さんが敗れるという流れが容易に想像がつく。

鹿島　どんなスポーツでも起こる、新旧世代交代ですよね。

斎藤　でも猪木さんはその流れを嫌い、それを一夜にしてひっくり返しちゃったのが巌流島だったんじゃないか。

鹿島　そうか、そうか。巌流島は特番が組まれてたんですよね。たしか後楽園での長州vs藤波が生中継で、猪木vsマサは1日遅れの録画放送で。猪木さんとしては長州さんたちと直接対決するわけではなく、巌流島と長州vs藤波の試合内容で勝負してやるっていう。

斎藤　猪木、マサのふたりでニューリーダー全員をやっつけるみたいな。

鹿島　こっちのほうが数字（視聴率）が獲れるよっていう闘いでもあったんですかね。

斎藤　――猪木さんは「だったら違いを見せてやるよ！」ってことだったと言ってましたね。いまになってみれば、巌流島で無観客でやるってことを持ち出した時点で勝負あったんですね。

解な乱入による不透明決着となったことに観客が激怒。客席を破壊し火をつける暴動騒ぎとなり、警察官35人、消防車5台が出動する不祥事となった。なお、この大会が古舘伊知郎アナウンサーのレギュラー実況最後の大会であり、新日本プロレスのゴールデンタイムレギュラー中継最後でもあった。

【海賊男】
1987年、新日本プロレスの試合に度々乱入を繰り返していた謎のレスラー。ホッケーマスクを被り、海賊を思わせる衣装から「海賊男」と呼ばれた。1987年3月26日、大阪城ホールでのアントニオ猪木vsマサ斎藤に乱入し、マサに手錠をかけて控室に連れ去ったのが原因で、観客の暴動を誘発したことで知られ

「巌流島の決闘が実現した理由のひとつは『ギブUPまで待てない!!』のスタッフ、つまりバラエティ班が制作を担当していたからなんです」(斎藤)

鹿島　しかも巌流島でやるっていう企画は、もともと藤波さんが温めていたアイデアだったという話もあって(笑)。

斎藤　それを無観客で実行したのは猪木さんですからね。そもそも、猪木vsマサ斎藤をやる前は宮本武蔵と佐々木小次郎の決闘の舞台になったという巌流島が実在するって、あまり知られていなかったんじゃないですか?

――西日本の人はともかく、関東の人間だと『桃太郎』の鬼ヶ島と同様に、「実在するの?」っていう感じだったかもしれないですね。

斎藤　ボク自身、へえ、山口県の下関にあるんだ! って思いましたからね。

――ボク、数年前に旅行で巌流島に行ったんですけど、島内に巌流島の歴史が記された碑があって、そこに「1987年、アントニオ猪木vsマサ斎藤、プロレスの試合が行われる」って書かれていて感動したんですよ(笑)。

鹿島　めちゃくちゃ好意的じゃないですか!

斎藤　それが猪木さんの凄さですね。

鹿島　ちゃんと巌流島の歴史に名を残しているっていう。

斎藤　話を戻すと、猪木さんは巌流島の決闘をやることで、世代闘争というあれだけ大き

る。その後、海賊衣装のまま新日本の試合にも度々出場。その正体は、毎回違ったとも言われる。翌1988年から海賊男は、ビリー・ガスパー、ガリー・ガスパー、バリー・ガスパーを名乗り新日本に正式参戦したが、同年8月をもって自然消滅のような形で、新日マットから姿を消した。

【IWGP】世界中に乱立するチャンピオンベルトを統一し、真の世界王者を決めることを目的に、アントニオ猪木が提唱し、新日本プロレスが世界各国のプロモーターに呼びかけた一大イベント。正式名称はInternational Wrestling Grand Prix、略してIWGP。1983年に第1回IWGPリーグ戦が行われ、その決勝戦でアントニオ猪木がハルク・ホ

くて新しいドラマをあっさり消したんですよね。猪木vs長州、猪木vs前田になりそうな流れを消した。「冗談じゃねえ！」と。

鹿島　巌流島というのは、世代闘争を潰すためのアイデアだったのかもしれませんね。

斎藤　そして終わってみれば、１９８７年３月、４月、６月、10月って猪木vsマサを４回やってるんです。マサさんの当たり年ですよね。

――１９８５年（昭和60年）の猪木vsブロディばりに、１９８７年はビッグマッチが毎回のように猪木vsマサだという（笑）。

斎藤　巌流島の決闘が実現したもうひとつの理由として、あの巌流島があった特番まで『ギブＵＰまで待てない!!』のスタッフが番組を制作していたんです。10月のレギュラー放送から、スポーツ部制作の『ワールドプロレスリング』に戻るんですけど、巌流島まではバラエティ班の制作だったんです。

鹿島　なるほど！　巌流島でやるっていう突拍子もない企画はバラエティ班だったからこそ実現したと。たしかにスポーツ班だとちょっと違ってくるでしょうからね。

斎藤　ただ、バラエティ班制作でも猪木さんのスタンスは変わらなかったんですけどね。猪木さんって、〝敵を騙すにはまず味方から〟という人ですよね。だからプロデューサーにもディレクターにも試合については何も教えなかった。それで現場のスタッフも何が起こるかわからないから、当日は緊張してスタンバってたんです。

鹿島　そうだったんですね！　ちょっと話はズレますけど、ボクは『**川口浩探検シリーズ**』

ーガンのアックスボンバーにより舌を出して失神。病院送りとなった〝事件〟は一般紙にも掲載されるニュースとなった。リーグ戦は１９８７年の第５回大会を最後に廃止。以降は新日本プロレスのＩＷＧＰ実行委員会が管轄するＩＷＧＰヘビー級のタイトルとなった。

【川口浩探検シリーズ】１９７７年から１９８６年までテレビ朝日系列で毎週水曜夜７時半から『水曜スペシャル』の枠で不定期放送されていた、探検企画シリーズ。俳優の川口浩が隊長となり、世界各地の秘境に未知の生物や謎の解明を求めて探検した。内容はドキュメンタリーというよりも娯楽演出要素が強く、「やらせ」と揶揄されることも多かったが、子どもたちを中心に絶大な人のスタッフの話を聞いて、いま本にまとめてるんですけど。巌流島の翌年、新日本がゴールデンタイムを外れたあとの『88ワールドプロレスリング』は元『水曜スペシャル』のスタッフたちが制作を担当したらしいんですね。そこのプロデューサーが、ゴールデンの生放送から土曜夕方4時の録画放送になったのを逆手にとって、いろんな編集の妙を発揮していったんですよ。オープニングで『川口浩探検シリーズ』のナレーションだった田中信夫さんを使って、煽りVを作ったり。

――『川口浩探検シリーズ』同様に、『88ワールドプロレスリング』でもこれから起ることをダイジェストで見せていったという（笑）。

鹿島　あとは試合後のバックステージの会話や、インタビューなんかも撮ったりして。それが沖縄の「**飛龍革命**」につながるんですけど。その後、8・8横浜の藤波vs猪木がゴールデンタイムで特番が組まれて、生放送だったじゃないですか。でも『川口浩探検シリーズ』のスタッフで、生中継っていうのはいままでやったことがないんですよ（笑）。

斎藤　探検隊は加工されたものですからね（笑）。

鹿島　プロレス中継も、いままでは土曜の夕方だからいろいろ加工してバラエティっぽく見せてたのが、生放送だからどうしたらいいのかわからなくて。プロデューサーが猪木さんのところに行って「この試合はどうなるんですか？」って聞いたらしいんですよ（笑）。

斎藤　うわ〜、それはいけません（笑）。

鹿島　そうしたら当然、何も言わなかったんでしょうね。

気を誇った。2002年以降は同じテレビ朝日の『スイスペ！』枠で、俳優の藤岡弘、が新隊長となった『藤岡弘、探検シリーズ』も制作された。

【飛龍革命】新日本プロレスで旗揚げ以来長く続いたアントニオ猪木エース体制から世代交代を求め、1988年に藤波辰爾（当時・辰巳）が起こした事件。4月22日、沖縄県奥武山体育館大会のメインイベント終了後、控室で藤波が猪木に対し、「ベイダーとシングルでやらせてください」と、事実上のエース交代を直談判。猪木が「やれんのか!?」と張り手をかますと、藤波も張り返し、「やりますよ！」と自らの前髪をハサミで切り落としながら覚悟を示した。

斎藤　猪木さんは絶対に教えないでしょう。

鹿島　『川口浩探検シリーズ』のスタッフは、藤波vs猪木のあとにサザンオールスターズの『旅姿六人衆』をBGMに、猪木さんが全国を巡業で回るいいVTRを用意していたんですよ。そうしたら予想を超える60分フルタイムだったために、生放送枠は試合の途中で終わってしまったという。

——まさか60分フルタイムやると思っていないから、30分経過ぐらいで生放送は終わりなんですよね（笑）。

鹿島　結局、土曜4時のレギュラー放送枠で、フルタイムの編集版を流して、最後に『旅姿六人衆』のVTRも入れて評判はよかったんですけどね。だから、ああいう映像を最後に入れるというのもスポーツ中継を見せる新しいやり方だと思うんですけど、いまフミさんの話を聞くと、バラエティ班制作だったからこそ、巌流島みたいなことができたっていう。

斎藤　そういうことですね。それから、こぼれ話になっちゃうけど、巌流島は無観客だから興行収益ゼロだと思うでしょ？　でもそれは違うんです。巌流島のときは武士たちの合戦のように、〝アントニオ猪木〟と〝マサ斎藤〟のノボリがズラーッと並んだんです。そこには「ベースボール・マガジン社」とか「東京スポーツ新聞社」とか、あの試合の報道各社の名前が入れられたんですけど、じつはあれは1本10万で各社2本ずつ割り当てられた、いわば有料の広告だったんです。

鹿島　なるほど！　あの試合を取材する媒体は、同時にノボリで広告出稿もしなきゃいけなかったと（笑）。

斎藤　あの巌流島にノボリを立てて、マスコミ各社を協賛させるという発想が凄かった。坂口征二副社長マジックです。

鹿島　いざというときの坂口マジック！（笑）。

斎藤　あのときは一般マスコミも含めて50社近くが取材に来ていたから、各社に広告ノボリが２本で20万、それが50社だから１０００万円興行ですよ！

鹿島　凄い！（笑）。そうやってお金を生むっていうのは、いまも参考になりますよね。いまはいろんなエンターテインメントで、無観客でどう収益を確保するのかっていうのが大きなテーマになっていますから。

斎藤　だから猪木vsマサは、いまでいうところのクラウドファンディングみたいなことを先取りしていたんです。余談ですけれど。

「無観客は普段の試合とは求められているものが違う。そこでセンスが問われるし、逆にやれることが増えるかもしれない」（鹿島）

鹿島　いやー、貴重な話ですよ。巌流島は無観客試合をやるだけじゃなく、無観客試合をビジネスにする先駆者でもあったと。

斎藤　そうなんです。そして試合に関しても、無観客でありながら、猪木さんの中では〝脳内観客〟はちゃんと存在しているんですね。

鹿島　テレビを通じて、何百万人に向けて闘っていて。それがいま、ＷＷＥやＡＥＷといった海外でもあらためて注目されていると。

斎藤　クリス・ジェリコは頭がいいから、「無観客で何を見せるのか?」ということをしっかりと考えていて、彼自身もマニアだから猪木vsマサ斎藤の巌流島が意味するところを知りたかったんです。無観客という物理的状況は、コロナ禍が収束するまでおそらく今後もしばらく続くだろうから。

鹿島　今後のためにも、無観客でも視聴者を満足させる方法論を見つけなきゃいけないわけですね。

斎藤　ガンツくんなんかは、無観客レッスルマニアの感想をＳＮＳに書いていたけど、どっちらけの印象だったわけでしょ?

――いや、観客がいないだけですべての動きや発言がわざとらしく見えたんですよ。「この人たち、何やってんだろ……?」って思ってしまうくらいで。

斎藤　観ている側が妙に我に返ってしまったわけですね。

鹿島　観客がいないってそういうことですよね。

斎藤　だからＷＷＥの言葉を使えば、**ＷＷＥスーパースター**がリングの中で闘い、**ＷＷＥユニバース**と呼ばれるお客さんが全方位３６０度からリアクションをすることで、プロレ

【ＷＷＥスーパースター】
世界最大のプロレス団体ＷＷＥ所属選手の総称。ＷＷＥでは「プロレスラー」とは呼ばず「スーパースター」で統一している。

【ＷＷＥユニバース】
ＷＷＥにおけるファン、観客の総称。世界規模でファンを持つＷＷＥでは、「プロレスファン」「ＷＷＥファン」とは呼ばず、「ＷＷＥユニバース」で統一している。

【大谷晋二郎の顔面ウォッシュ】
プロレスリングＺＥＲＯ１所属の大谷晋二郎が得意とする、対戦相手をリングのコーナーにもたれかかるように座らせ、シューズの側面で相手の顔面をこする挑発技。観客の拍手を煽り、一度蹴ったあと、「もう一回コール」を要求するなど、観

スが成り立っているということです。

鹿島　観客のリアクションありき、なんですよね。

斎藤　やってみたら無観客というシチュエーションで試合ができる人とできない人とが、ハッキリ分かれちゃった感がありました。たとえばダニエル・ブライアンのようなレスラーは普通に試合をしても成立するんです。もともとレスリングの攻防を展開して、それをお客さんが集中して見るというタイプの選手だから。

鹿島　UWFなんかと同じで、固唾を呑んで見るという。

斎藤　一方で、たとえばローマン・レインズは、相手をコーナーに詰めて、連続クローズライン（ラリアット）というのがひとつの見せ場なんですけど、あれはお客さんが1から9までを数えなきゃいけないんです。それで9で一度ワンモーションを入れてから10発目を殴るっていう技なんですけど、それが無観客だとまったく成立しないんですね。

――日本でいえば、**大谷晋二郎の顔面ウォッシュ**と一緒ですね（笑）。

斎藤　それから「**いっちゃうぞバカヤロー！**」とかね（笑）。

鹿島　図らずも**第三世代**は無観客で苦労するという。天山さんがモンゴリアンチョップをやっても、誰も「シュー、シュー」言わないわけですもんね（笑）。

斎藤　だからこれを機に、プロレスの見せ方そのものが変わることを余儀なくされるんだと思います。

――巌流島の猪木vsマサって、猪木さんは普段はあんなにケレン味がある人なのに、アピ

客とのコール&レスポンスで盛り上げる。

【いっちゃうぞバカヤロー！】
新日本プロレスの小島聡がダイビング・エルボー・ドロップを仕掛ける前に叫ぶ決め台詞。対戦相手をコーナーに振り、ランニングエルボーを打ち付けてからマットに倒し、観客と一緒に「いっちゃうぞバカヤロー！」と合唱する。

【第三世代】
天山広吉、小島聡、永田裕志、中西学、大谷晋二郎、西村修、ケンドー・カシンら、新日本プロレスで90年代初頭にデビューした選手の総称。現在は天山、小島、永田らに対して使われる。

ールゼロなんですよね。

鹿島　ああ、たしかに。

――ガッツポーズとか一切せず、〝闘いに没頭しています〟っていうことしかやらないんですよ。

斎藤　そこの皮膚感覚が猪木さんは凄いですよね。

鹿島　だから無観客と普段の試合では求められているものが違うっていうことをわかった上で、センスが問われるわけですね。

斎藤　無観客になると、プロレスが猪木的なものに戻るのかもしれない。そうじゃなかったらレッスルマニアでやった**アンダーテイカーvsＡＪスタイルズの墓場マッチ**とか、さらにぶっ飛んだ**ジョン・シーナvsブレイ・ワイアット**の幻覚世界のような作り込まれた映像。あれなんか、すでに行き着くところまで行っちゃってる感があった。

――あれをプロレスと呼んでいいのか、という（笑）。

斎藤　だからアメリカでもあれには賛否両論という感じで、日本のファンに感覚的に近い純粋なプロレスファンはもう怒っちゃった。

鹿島　まあ、そうでしょうねえ（笑）。

斎藤　「もうＷＷＥを観るのはやめた！」みたいなね。でも究極的にはこれからのプロレスは加工された映像に近づいていくんじゃないかっていうのはありますね。

鹿島　観客がいないんだったら、逆にやれることが増えるかもしれませんしね。**マッスル**

【アンダーテイカーvsＡＪスタイルズの墓場マッチ】２０２０年４月４日と５日（アメリカ現地時間）の２日間、無観客で開催されたＷＷＥの祭典「レッスルマニア36」初日メインイベント。「墓掘り人」「デッドマン」というキャラクターのアンダーテイカーが、墓地でＡＪスタイルズと対戦。生放送ではなく、映画のように編集された試合映像で、世界中の視聴者の賛否両論を呼んだ。

【ジョン・シーナvsブレイ・ワイアット】２０２０年に行われた「レッスルマニア36」２日目に行われた試合。悪霊キャラクターのブレイ・ワイアットが、ジョン・シーナを幻想世界に引きずり込み、過去へタイムスリップする映像が

坂井的なものが求められるかもしれないし。

斎藤　アンダーテイカーの試合は、スティーブン・セガールの映画みたいな感じだった。墓掘り人じゃなく、わざわざアメリカン・バッド・アスのスタイルでハーレーに乗ってきたりしたのは、やっぱり針の穴を通すようなセンスで考えられた演出だったんでしょうね。それで、闘いが終わると『仮面ライダー』のエンディングのように、もう一度バイクに乗って走り去って行く（笑）。

――バイクで走り去る後ろ姿の映像で終わるんですよね（笑）。

斎藤　短編映画として考えれば、あれはあれでよかったと思います。あの地中に埋められたままのAJスタイルズはあのあとどうするのっていう素朴な疑問は残りますけど。

――あれを観たとき、バラエティ番組みたいにスタジオパートがほしいなとは思っちゃいましたね。「おいおい、AJ生き埋めにされちゃったよ！　どうすんだよ！」みたいにコメンテーターがしゃべるという（笑）。

鹿島　やっぱり『ギブUPまで待てない‼』ですよ！

――いまこそ『ギブUPまで待てない‼』を復活させるときだと（笑）。

鹿島　だから、これからWWEがどうしていくのかっていうのは、番組作りも含めて注目すべきですよね。

試合の大半を占め、「もはやプロレスとは言えないのではないか？」との声も上がった問題作。

【マッスル坂井】
DDT所属のプロレスラーで、現在は家業である坂井精機株式会社の代表取締役社長兼、覆面レスラーのスーパー・ササダンゴ・マシン。2004年からDDTの別ブランドとしてエンターテインメントプロレス興行「マッスル」を主宰。マッスルは通常のプロレス興行とは異なり、台本の存在を明らかにし、同じ演目で追加公演を行うなど、きわめて演劇に近いプロレスを展開して、業界に一石を投じた。

すよね。

「潮崎豪と藤田和之の30分の睨み合い、あれは無観客のひとつのプレゼンテーションだったのではないかと思います」（斎藤）

斎藤　無観客という物理的状況はしばらくは続くと思います。ということは、観客のいないロウやスマックダウンが日常の風景になっていくこともたしかなんですね。それが半年続くのか、1年続いちゃうのか。3カ月くらいでは、現実の社会的な状況は変わらないですよね。

鹿島　収束の糸口も見えていない感じですからね。

斎藤　それでも番組は作り続けなきゃいけない。同じ悩みを新日本も抱えていて、**土曜深夜の『ワールドプロレスリング』**では、**LA道場**から来たアメリカ人ヤングライオンの特集を流したりしている。興行がない中での番組作りをしなきゃいけないから。

――いまは総集編続きですよね。「高橋ヒロムが選ぶ名勝負」とか。

斎藤　新日本は無観客試合すらやっていないので、いまは過去のアーカイブや、試合以外の映像でなんとかつないでいる感じ。その一方で、〝無観客の名作〟が日本でもすでに1試合生まれてるんです。潮崎豪と藤田和之のシングルマッチです。

鹿島　あー、開始から30分間、睨み合いだけをしていたノアの試合ですね。

斎藤　あれは画としてもたないだろうと思ったら、もっちゃったんですよね。

鹿島　無観客ならではですよね。

【土曜深夜の『ワールドプロレスリング』】
テレビ朝日で毎週土曜日深夜25時から30分枠で放送されている新日本プロレスの試合中継。現在、地上波キー局で放送されている唯一のプロレス試合中継。

【LA道場】
新日本プロレスがアメリカ・ロサンゼルスに設立した、プロレスラー養成施設。２０１７年４月９日のオカダ・カズチカ戦の直後、急性硬膜下血腫で緊急搬送されて以来、長期欠場を続ける柴田勝頼が２０１８年３月、ヘッドコーチに就任している。

斎藤　あの30分の睨み合いは、観客がいて野次とか声援とかが飛び交う中だったらできなかった。そして観客がいないから、南側客席とかバルコニーとかエレベーター前とか、後楽園のすべての場所を使って乱闘して、それをカメラが追っていくっていう映像。あの試合は無観客のひとつのプレゼンテーションだったのではないか。そして、あれは藤田が怪物だからできたと思うんです。

――総合から来た外敵みたいな感じだし、普段から観客を盛り上げるような試合をしていないからこそ、逆説的に無観客に向いていたという。

鹿島　なるほど！　皮肉なことに、観客がいると「何をやってるんだ？」と思われてるレスラーのほうが無観客だと映えるかもしれない（笑）。

斎藤　そうかもしれない。無観客で空中殺法をやられても、無音状態のままですから。

――客受けするものが逆にシラける可能性もあると（笑）。

鹿島　こんなことを言ったらあれだけど、下手な感じとか、強いんだけど観客ウケしないレスラーのほうがいまは合ってる可能性がありますよね。

斎藤　変な話、藤田選手はホンモノの怖さを感じさせる人ですよね。技じゃなくて殴る蹴るとか、身体的な強さとかに妙に説得力がある人。

――じゃあ、全日本も諏訪魔が三冠王者になったのはタイミングがよかったかもしれないですね（笑）。

鹿島　たしかに時代の要請かもしれない（笑）。

斎藤　あの宮原健斗vs諏訪魔の三冠戦（3月23日・後楽園ホール）は、現場で観た人は「年間最高試合だ」ってことを言いますよね。ボクはネット配信の全日本プロレスTVで観てたんですけど、そこまでの名勝負には感じられなかった。だから、あの三冠戦はお客さんを入れてやった試合ですけど、やっぱり生で観るのと画面を通して観たプロレスとは違うものなのでしょうね。

鹿島　それが無観客なら、なおさら顕著になるという。

斎藤　そう考えると無観客が日常化すれば、プロレスが全然違うものになる。

鹿島　凄い時代になっちゃったなー。

斎藤　もう無観客、動画配信の時代が始まってるってことですよね。だからこそボクらは猪木vsマサの巌流島を掘り下げないと、行くべき道が見えてこない。問題意識もなく、いままでやっていたとおりのプロレスをやっちゃう人もいると思いますけど。

鹿島　それだと伝わり方として、これまでのプロレスには及ばなくなりますよね。

斎藤　それに気づいたクリス・ジェリコは、先週からAEWのテレビ中継で自ら解説者になっちゃった。無観客でもなんとかして視聴者におもしろさを伝えるために。

鹿島　それで猪木vsマサ斎藤の巌流島も研究しているわけですもんね。

斎藤　それがヒントだって気づくクリス・ジェリコのセンスも凄いし、30年以上経ってから巌流島が再評価される猪木さんもやっぱり凄いです。

鹿島　猪木vsアリが総合格闘技の原点で、猪木vsマサが観客がいないエンタメの原点みたいな感じになってますもんね。いや〜、おもしろいなあ。ではフミさん、次回もよろしくお願いいします！

斎藤　そうですね。この対談シリーズでは先が見えない現代と、それと同時に普遍的なテーマや価値観を掘り下げていきましょう！

第2回

WWE史から学ぶ“社会集団”としての組織論

新型コロナウイルスの世界的な感染拡大により、依然プロレス界は動きを大幅に制限されている。

しかし2020年4月中旬になって、アメリカフロリダ州はWWEを「重要なビジネスである」とみなし、大会継続を許可。WWEは無観客ながらテレビ生放送の再開を果たしたことで、ついに小さな一歩を踏み出し始めた。

世界最大のプロレス団体であるWWEは、思えばこれまでも団体の存続を揺るがすような危機に幾度となく直面してきた。今回は、その危機をいかに乗り越え、現在の繁栄を築いているのか検証してみたい。

（『KAMINOGE102』2020・6）

「湾岸戦争が起こっている真っ只中に、サージャント・スローターがイラクに寝返ったというストーリーをやって世間はもの凄くバッシングしたんです」（斎藤）

――今回の新型コロナウイルスの世界的感染拡大は、プロレス界にも大きな危機をもたらしていますけど、**ＷＷＥ**ってこれまでも数々の危機を乗り越えて今日があるわけじゃないですか。

斎藤　そのルーツにあたるＷＷＷＦの旗揚げが１９６３年ですから、団体としてはもう60年近く続いているわけです。

――ですから今回は「世界最大の団体ＷＷＥがこれまでのさまざまな危機をどう乗り越えてきたのか？」というお話ができたらと思います。

鹿島　フミさんが真っ先に思い浮かぶ、ＷＷＥの危機やスキャンダルというと、何になりますか？

斎藤　やはり90年代前半の「ステロイド問題」とその裁判でしょうね。これは米司法省が立件し、**ビンス・マクマホン**が在宅起訴されて、実際にいろんなレスラーや関係者を巻き込んだ公判になりましたから。

鹿島　それこそ団体存亡の危機ですね！

斎藤　ただ、最終的には無罪になったので、いまもビンスが最高権力者として君臨するW

【ＷＷＥ】
世界最大のプロレス団体。ワールド・レスリング・エンターテインメントの略称だったが、現在は社名もＷＷＥ（ダブリュ・ダブリュ・イー）で統一されている。ニューヨーク株式市場に上場している世界でただひとつのプロレス企業。マクマホン・ファミリーがオーナー。１９６３年の団体発足からＷＷＷＦ、ＷＷＦ、ＷＷＦＥ、ＷＷＥと名称が変更されて現在に至る。

【ビンス・マクマホン】
ＷＷＥオーナー。１９４５年８月24日、ノースカロライナ州出身。本名ビンセント・ケネディ・マクマホン。祖父ジェス・マクマホン、父ビンセント・ジェームス・マクマホンから数えて三代目プロモーター。82年、先代ビンスから興行会社キャ

WEがあるわけです。ステロイド問題はWWEの会社としてのスキャンダルですが、プロレスというジャンルで考えると、1985年の第1回レッスルマニアで〝業界のタブー〟を犯したことが、そもそも大きな問題だったんですね。

鹿島　ジャンルの根底を揺るがすようなことをやったわけですか。

斎藤　第1回レッスルマニアのメインイベントは、ハルク・ホーガン&ミスターTvsロディ・パイパー&ポール・オーンドーフでした。『特攻野郎Aチーム』に出演していたミスターTをゲストとして出すだけではなく試合をやらせた。そうすると「プロレスってなんなの?」っていう素朴な疑問というか根本的な命題に当然ぶつかるので、いわゆる〝プロレス村〟の中から「なんてことをしてくれたんだ!」という非難の声が凄くあがったんです。

鹿島　**ハッスル**が芸能人をリングに上げたり、『**メモリアル力道山**』(2000年3月11日・横浜アリーナ)で猪木さんがタッキー(滝沢秀明)と試合をしたときのような騒動が、第1回レッスルマニアの時点で起きていたと(笑)。

斎藤　ハッスルから数えると、その時点で20年近く前ですよ。

鹿島　凄いな~。あと以前、フミさんにうかがいましたけど、レッスルマニア4ではすでにドナルド・トランプが絡んでいたという。

斎藤　レッスルマニアの4と5が、トランプ・プラザというドナルド・トランプが経営するカジノホテルで開催されたんですね。だからプロレスファンは大統領になるはるか前からトランプのことを知っていたんです。

ピタル・レスリング・コーポレーションを買い取り、タイタン・スポーツ社に社名変更。84年から全米マーケット制圧計画に着手。アメリカ国内だけでなくレスリング・ビジネスのグローバリゼーションを実現した大プロモーター。

【ハッスル】
総合格闘技イベント「PRIDE」を運営していたドリームステージエンターテインメントが、橋本真也率いるZERO-ONEと手を組み2004年から始めたプロレスイベント。高田延彦扮する「高田総統」と、小川直也、橋本真也が中心となり、「ファイティング・オペラ」を標榜し、エンターテインメント色の濃いプロレスを展開。レイザーラモンHG&RG、インリン・オブ・ジョイ

鹿島　大統領選でのトランプの演説を見て、「この感じ、どっかで見たな」と思ったら、WWEにおけるビンスのキャラそのままだったという。

斎藤　実際にトランプは、2007年の『**レッスルマニア23**』でリングに上がってビンスと対峙しましたからね。ウマガとボビー・ラッシュリーに代理戦争をさせて。

鹿島　ビンスもトランプも〝ヅラ疑惑〟があって、負けたほうがつるっ禿げにされるという、最高の敗者髪切りマッチですよね（笑）。大統領選のとき、日本のワイドショーでもさんざんあの映像が使われていましたよ。

――ビンスとトランプの接点というのは、そもそもどこから生まれたものなんですか？

斎藤　まず共通点としては、ビンスもトランプもお父様から引き継いだ事業をバカでかくしたことですね。

鹿島　それがエンターテインメントか不動産かの違いで。

斎藤　そうですね。そしてビンスも不動産は嫌いじゃないし、トランプもエンターテインメントは好きだしっていう共通点もあった。

鹿島　要は波長が合うわけですよね。

斎藤　歳もほぼ一緒だし（ビンスが1歳上）、セレブ同士、友達になったんでしょう。そして1988年、1989年という、日本で言えば〝昭和の終わり〟に、レッスルマニアを2年連続でニュージャージー州アトランティックシティーのトランプ・プラザで開催した。でもトランプ・プラザって、レッスルマニアの会場としてはそんなに大きくないんですね。

トイ、和泉元彌など、多くの芸能人もリングに上がり人気を博したが、スポンサーの撤退などから経営が悪化し、2009年末に崩壊した。

【メモリアル力道山】
力道山関係者を中心に結成された力道山OB会&プロレスが主催し、2000年3月11日、横浜アリーナで第2回大会が開催されたプロレスイベント。男女さまざまなプロレス団体が参加したほか、この2年前に引退したアントニオ猪木がリングに上がり、ジャニーズのトップアイドルだった滝沢秀明とジャージ姿でエキシビションマッチを行い、賛否両論含んだ話題となった。

【レッスルマニア23】
ビンス・マクマホン対ドナルド・トランプの〝代

本来、数万人規模で行うところ、1万数千人収容のアリーナなので。

鹿島　日本で言えば、1・4東京ドームを両国国技館でやるみたいな。

斎藤　そんな感じでした。でも、きっと興行収益的には何万人も入れたのと同じくらい、トランプ財閥からマクマホン・ファミリーに支払われたんじゃないですか。あれでトランプ・プラザが有名になりましたからね。

鹿島　WWEには金銭的なメリットがあり、トランプとしてもレッスルマニアを宣伝媒体にするというメリットがあったわけですね。

斎藤　そうですね。トランプはもともと出たがりの人ですし。

鹿島　あとレッスルマニアは、90年代頭に**湾岸戦争**を題材にしたこともありましたよね？

斎藤　あれは世間からもの凄くバッシングされました。

鹿島　それこそWWEにとってもひとつの危機というか、スキャンダルになりましたよね。

斎藤　実際に戦争が起こっている真っ只中に、鬼軍曹のサージャント・スローターがイラクに寝返ったというストーリーをやってしまいましたから。

――「サダム・フセインに魂を売った元アメリカ軍人」というキャラクターで（笑）。

鹿島　それも凄いことですよね（笑）。

斎藤　アメリカではプロレスは人気がありますけど、〝たかがプロレス〟と思われている部分もやっぱりあったりする。だからさまざまな人がいろんな計算違いをして、天下のビンス・マクマホンも戦争のパロディをやってもそんなにバッシングは受けないだろうと判断

理戦争〟がラインナップされた〝レッスルマニア〟第23回大会（2007年4月1日＝ミシガン州デトロイト、フォード・フィールド）。ライブの観客数は8万103人。興行収益は538万ドル。PPV放映は全世界125万世帯、アメリカ国内では75万世帯が有料受信した。トランプは2016年のアメリカ合衆国大統領選に初出馬で初当選した。

【湾岸戦争】1991年1月、アメリカを中心とする多国籍軍がイラクを空爆したことにより始まった戦争。WWEは〝レッスルマニア7〟（1991年）のメインイベント、サージャント・スローター対ハルク・ホーガンを〝プロレス版・湾岸戦争〟としてプロデュースしようとし

してしまったと思うんです。

鹿島　ある意味、〝プロレスだから〟許されると思ってしまったと。

斎藤　でも世間的に許されませんでしたね。それはたぶん、現在進行形の戦争だったからです。アメリカはベトナム戦争以降も小さな武力行使、武力介入はしていますけれど、「暁の開戦」をしたのは対イラク戦争で、あのときはCNNが初めて戦争の実況中継をしたから、映像が生で伝わってきた。アメリカ兵がボディバッグ、つまりご遺体となってアメリカに運ばれてきて、お棺の上にアメリカ国旗が乗ってるのに、同時進行でプロレスがそのパロディを毎週放送していたら「それはねえだろ！」ってことだったと思うんですね。

鹿島　本当の意味でシャレにならなかったわけですね。

「落ち目のときに読み間違えるというのは、猪木にも共通するところがありますね。海賊男が乱入して暴動が起きたり」（鹿島）

斎藤　当初『レッスルマニア7』はロサンゼルスの5万人以上入るスタジアムで開催する予定だったのが、チケットの売れ行きがピタリと止まってしまったため、1万5000人クラスのインドア会場に急きょ場所を変更したんです。

鹿島　トランプ・プラザでやったのとは、まったく違う意味で小さめの会場になってしまったと（笑）。

たが、マスメディアの大バッシングを受け、そのストーリーラインを大幅に軌道修正した。ビンス・マクマホンの計算がはずれた一例。

斎藤　アメリカ人って、いざとなると凄い愛国心をモロに出す場合がありますから。
鹿島　そうですよね。「パトリオット」という言葉もプロレスで覚えましたから。
斎藤　だから湾岸戦争ネタは、アメリカ人にとってはやってはいけないパロディだったんでしょうね。
鹿島　アメリカのプロレスは、過去の戦争はさんざんギミックに使ってきたわけじゃないですか。日本人レスラーが田吾作タイツを穿いてヒールをやるのも太平洋戦争の残り香であって。ただ、リアルタイムでそれをやってしまうとNGだったという。
――ナチスの亡霊ギミックはよくても、それはダメなんですね。
鹿島　時が経って、亡霊になればOK（笑）。
斎藤　タイミングとしてはホーガン政権が長すぎて、だんだん人気が落ちてきていた時期でもあったんですね。
鹿島　なるほど。じゃあ、そこに刺激の強い起爆剤を入れようとしたら、読み間違えたと。
斎藤　ビンスはそれ以前からホーガンの人気下降には気づいていた。それもあって、前年の1990年の『レッスルマニア6』では、アルティメット・ウォリアーがホーガンに勝って、新しい時代のチャンピオンになったわけですが、ウォリアー政権は半年でコケちゃったんです。
鹿島　思いの外、人気が出なかったと。
斎藤　それでまたホーガンを呼ぶしかないとなって、その人気のテコ入れとして安易に戦

【ナチスの亡霊】

第二次世界大戦後、アメリカのプロレス界に悪役の定番として登場したナチス・キャラクター。タイツやマントにスワスティカ〝カギ十字〟がプリントされ、グーステップの行進リズムで歩くのが特徴だった。元祖はカール・フォン・ヘス。その後、フォン・ブラウナー兄弟、フォン・スタイガー兄弟、フォン・エリック兄弟、70年代はバロン・フォン・ラシク、キラー・カール・クラップらが活躍したが、80年代には〝絶滅〟。ポリティカル・コレクトの現代は復刻不可のステレオタイプである。

争をいじってしまった感はありましたね。

鹿島　単純に〝点〟で見ると「なんで湾岸戦争のパロディなんてやったんだ?」ってなりますけど、線で考えると、なぜビンスが読み間違えたかが見えてきますね。

――落ち目のベビーフェースを上げるために、ビッグヒールが必要だったという。

鹿島　ただ、ちょっとビッグヒールすぎちゃったという（笑）。

――初期ＦＭＷで、**大仁田厚がホセ・ゴンザレスに〝刺された〟**っていうアングルを作ろうとしてヒンシュクを買ったのと同じですね（笑）。

鹿島　ありましたね～（笑）。

斎藤　あの時もブルーザー・ブロディが刺殺されたという、現実の事件の記憶が生々しいから、みんな拒絶しましたよね。

――ビンスも大仁田の失敗に学ぶべきだった、という（笑）。

鹿島　あと落ち目のときに読み間違えるっていうところは、猪木さんにも共通するところがありますよね。海賊男が乱入して暴動が起きたりとか（笑）。

斎藤　猪木さんも、何をやってもなんとなく空振ってた時期がありましたよね。やっぱり人気が落ちてきたときに慌ててやっちゃうことって、ダメなことが多いんですね。そういう意味では猪木さんが歩んだ道と、ホーガンが歩んだ道は、凄く似ていると思います。

――そしてＷＷＥでホーガン政権が終わるきっかけとなったのが、冒頭に出てきたステロイド事件なんですよね?

【大仁田厚がホセ・ゴンザレスに〝刺された〟】
ＦＭＷ時代の大仁田が、プエルトリコで〝ブロディ刺殺犯〟ゴンザレスにナイフで腹を刺されるという設定で写真撮影されたアングル。実際に起きた殺人事件をモチーフにしたストーリーだったが、社会通念をかんがみてあまりにも不適切との判断から、その後、お蔵入りした。

斎藤　そうなんです。あの事件がきっかけで、ＷＷＥではホーガンに代表されるマッチョなスーパーヘビー級の時代が終わりました。

鹿島　そもそもステロイドは、何がきっかけであれだけ大きな問題になったんですか？

斎藤　ステロイドに関しては、１９８８年の法改正で医療目的以外では所持をしてもいけないし、処方箋なしに売ったり買ったりすることも重罪になっちゃったんです。

鹿島　法改正があったわけですか。

斎藤　それで実際、ＮＦＬのスタープレイヤーや、メジャーリーグのホームラン王あたりでもステロイド使用を疑われた人はいっぱいいたんです。でも、メディアはなぜかプロレスに来ちゃうんですね。

鹿島　叩きやすいところに来たと。

斎藤　スケープゴートというか、プロレスはどうせ一般の視聴者層からはバカにされているから、叩いてもいいじゃん、みたいなところはあったかもしれない。プロレスは裸のスポーツですから、ホーガンの身体を見ると、「あれがステロイドじゃなくて何が……」という感じにどうしてもなってしまう。

鹿島　ユニフォームを着ている他のスポーツと違って、「見るからにステロイド」みたいに思われがちなんですね。

斎藤　そこからは日本のワイドショーネタと一緒です。ＷＷＥでゲイのエグゼクティブにセクハラされたことを告発する元レフェリーが出てきたり、ＷＷＥの元スタッフや、デビッド・シュルツのような途中でクビになった選手たち。それから人間発電所ブルーノ・サンマルチノなど、ステロイドが大嫌いな大御所が、1991～1992年を境にトーク番組にどんどん出演しちゃったんです。「いま明かされる、WWEのバックステージで起こってること」みたいな感じですね。

鹿島　WWEの内部にいた人たちが、告発する側に回ってしまったと。

斎藤　司法が動く前に、マスコミにそういうスキャンダルがドバーッと出て、それが2～3年も続いちゃったんですね。

「証言台に立ったリック・ルードたちは『ステロイドは打ったけれど、ビンスに言われて打ったんじゃない』と証言したんです」（斎藤）

鹿島　そんなに長く！　とんでもない大ピンチですね。

斎藤　あのスキャンダルには、ジョージ・ザボリアン医師というキーパーソンがいたんです。もともとペンシルベニアの普通の泌尿器科のお医者さんで、州体育協会の指定ドクターとして試合会場で選手の血圧とかを測ったりしていたんだけど、その人がプロレスファンだったこともあって選手と親しくなって、レスラーの間で「あの先生のところに行けば、なんでも手に入る」となってしまったんです。

鹿島　処方してくれるぞと。

斎藤　はい。だから選手たちはステロイドだけじゃなくて、鎮痛剤から睡眠導入剤、抗不安剤と何から何までどんどん出してもらっていたんですね。それは医師と選手の個人的な関係でのことだったから、おそらくビンスが知らなかったこともいっぱいあったと思うんです。でもFBIや検察、司法省はビンスまで一直線に行きたいわけですよ。それが本丸だと思ってるから。

鹿島　なるほど。ビンスが主導した、組織的犯罪として立件しようとしたわけですね。

斎藤　それで1994年7月、ビンスは本当に逮捕・在宅起訴されちゃうんです。そこから裁判ですから、スキャンダルが長いんです。

鹿島　WWEとしては絶体絶命のピンチです。

斎藤　ビンスも覚悟を決めたときがあったと思うんです。在宅起訴されて裁判が始まると、当時リングに上がっていなかったロディ・パイパーやその他の有名選手らも原告側の証言者に回ってしまった。それでビンスと同じくスキャンダルの渦中にいたホーガンも、裁判所の命令に〝ノー〟とは言えないから証言台に立った。アメリカのワイドショーって裁判所にもカメラが入れるので、最高のバラエティになっちゃったわけです。

鹿島　登場人物がみんな有名人という、最高の法廷ショーですよね。

斎藤　ワイドショーとしても、プロレス的なおもしろい画が使いたい放題なので、毎日のようにその話題が続いちゃったんです。

鹿島　その絶体絶命のピンチから、どうやって立ち直ったんですか？

斎藤　「レスラーたちは会社の命令でステロイドを打たされていた」というのが、検察側が見立てたストーリーだったんです。つまりビンスが、違法薬物であるアナボリックステロイドを流通販売した罪に問おうとした。でも、証言台に立ったリック・ルードをはじめとする選手たちは「ステロイドは打ったけれど、ビンスに『打て』と言われて打ったんじゃない」と証言したんです。

鹿島　あくまで自分の意志だったと。

斎藤　ただ、検察による証言の引き出し方としては、「でも、その違法なステロイドを打つと、あなたはチャンピオンになったり、スターになったり、収入が上がったりするんでしょ？」と言われるので、それは証言としてはイエスになりかねない。そこが難しかったんでしょう。

鹿島　その因果関係が焦点となったわけですね。

斎藤　でも、検察の見立てにもずさんなところもあったんです。「ビンスに頼まれてステロイドが入った箱をマディソン・スクウェア・ガーデンに届けた」という、すでに退職した元ＷＷＥスタッフの証言を証拠として突きつけたんだけど、その日付ではＭＳＧで試合はなかったんです。記憶違いで、その日の興行は同じニューヨークでもナッソーコロシアムだったんだけど、そこを間違えたために、その証言は無効になったりとか。

鹿島　告発する側の証言に裏付けが取れていなかった。

斎藤　エミール・ファインバーグというビンスの元秘書の証言も日付やディテールが曖昧

だったり、ビンスの悪運が強かったといえばそういうことにもなるし。実際、選手たちはビンスの命令でステロイドを打っていたわけではない。80年代前半はほぼ全員が打っていたんですから。

鹿島 レスラーは社員ではなく、みんな一定期間だけ契約した個人事業主ですもんね。

斎藤 検察としては、WWEが会社としてステロイドを違法に発注して、実際にビンスのオフィスに大量のステロイドが郵送されていた事実を突き止め、それをビンスと一緒に箱を開けて選手用に小箱に分けたという元スタッフの証言も採用されたんですけど、そもそもビンス本人も自分でステロイドを使用していた。

鹿島 まあ、あの身体は尋常じゃないですからね。おかげでビンスは自分用に大量購入して、それを一部のレスラーに分けてあげただけ、という弁解も成り立ってしまうという（笑）。

斎藤 ビンスとホーガンが同じ発注分を共有していたとか、これも本当と言えば本当で。映画の撮影で1カ月間ロケ地で一緒に過ごしたことがあって、そのときにシェアした箱だったんだろうってというグレーゾーンを突かれたり。

——撮影の合間に、ふたりで一緒にトレーニングをして、一緒に打って（笑）。

斎藤 楽しかったんでしょうね。ビンスもどんどん身体がデカくなるから。ホーガンとビンスは凄く仲がよかったんです。ある10年間くらいは、親友と言ってもいい関係だった。1984年を境に、これからアメリカでいちばんビッグになっていくスーパースターと、いちばんビッグになっていくカンパニーの社長CEO。レッスルマニアが始まり、プロレスブームだと言われ、我が世の春を共に過ごした親友だったんでしょう。でも90年代に入り、ホーガンの人気に陰りが見えてきたとき、ビンスが「主役を降りてくれ」と要請したことで、ふたりの友情にヒビがちょっと入ってしまった。

鹿島　選手の全盛期は短いから、会社のトップであるビンスとしては、ひとりのスーパースターと心中するわけにいかないわけですよね。

斎藤　それ以降、ふたりは喧嘩別れをしたり、仲直りしたりを繰り返すわけですけどね。ボクらにはうかがい知ることのできないディープな友情はいまでもあると思います。

鹿島　猪木さんと**新間寿**さん的な感じかもしれないですね（笑）。

「お金がありすぎるから費用対効果が悪くても危機感がない。そのへんはWCWとSWSってちょっと似ていますよね」（鹿島）

斎藤　話を戻すと、結局ビンスは証拠不十分で裁判は無罪になって終わったんです。そして今後はこの件に関しての取材も受けないし、コメントもしないと宣言した。だから、そこでステロイド時代が終わったこともまた事実なんですね。ブレット・ハートやショーン・マイケルズがチャンピオンになり、ホーガンはWWEを去ってライバル団体**WCW**に行った。そこからアメリカマット界は二大メジャーリーグ時代が始まるんです。

【新間寿（しんま・ひさし）】
ニックネームは〝過激な仕掛け人〟。1935年、東京生まれ。新日本プロレス営業本部長として70年代から80年代前半までアントニオ猪木の参謀として活躍。83年の〝幻のクーデター事件〟で失脚。第一次UWF設立にも関わった。元WWF会長の肩書も持つ。

【WCW（ダブリュ・シー・ダブリュ）】
アメリカのプロレス団体〝ワールド・チャンピオンシップ・レスリング〟の略称。1988年、〝テレビ王〟テッド・ターナーがNWAクロケット・プロを買収する形で発足した。本拠地はジョージア州アトランタだが活動エリアは全米マーケット。2001年3月、ライバ

鹿島　ホーガンが動いたことで時代が動いて、価値観の多様性も生まれましたよね。

斎藤　ホーガンがＷＷＥに残っていたら、ブレット・ハートとショーン・マイケルズが新しい時代のスーパースターにはなれなかっただけでなく、そのすぐあとのストーンコールドもザ・ロックも出てきていなかったと思います。

——新日本も、１９８９年（平成元年）に猪木さんが参院選に当選してセミリタイアにならなければ、**闘魂三銃士**が若くして主役になることはなかったのと同じで。

鹿島　全日本も天龍がＳＷＳに行ったことで、**四天王**が出てきたわけで、組織ってそういうおもしろさがありますね。

斎藤　やっぱりプロレス団体って、トップスターがどかないと、本当の意味で世代交代ってできないんですね。主役のイメージを変えるのって、その人がその場に残っていると難しいんでしょう。だから猪木さんが議員になったことはよかったんです。

鹿島　長州、藤波世代が「世代闘争」を仕掛けてもまったく進まなかったのに、あれで円滑な世代交代があっさり完成しちゃいましたもんね（笑）。

斎藤　トップ選手の離脱そのものは団体にとってピンチだけど、ある意味で生まれ変わる大きなチャンスなんです。

——ＷＷＥもステロイドスキャンダルと、ホーガンの離脱によって生まれ変わったわけですもんね。

斎藤　またＷＣＷも、それまでＮＷＡの流れを汲む南部の団体というイメージが残ってい

ル団体ＷＷＥがその団体名、版権、知的所有権、映像アーカイブなどを買収。毎週月曜の人気番組『マンデー・ナイトロ』の放送終了と同時に興行部門も消滅した。

【闘魂三銃士】１９９０年代の新日本プロレスの主役トリオ。武藤敬司、橋本真也、蝶野正洋の84年入門グループ。タッグチームではなく、それぞれがシングルプレイヤーとして活躍。長期海外遠征から帰国後、猪木の〝遺伝子〟を持つ男たちとして闘魂三銃士と命名された。武藤は２００２年、新体制の全日本プロレスに社長として移籍。橋本（故人）は新団体ＺＥＲＯ－ＯＮＥ設立。蝶野だけが新日本に残留した。

【四天王】

たのが、ホーガンが来たことでメジャーリーグになった。そしてWWEの『ロウ』が放送されていた月曜夜8時の同時間帯に、WCWが『マンデー・ナイトロ』をぶつけてきて、**〝月曜テレビ戦争〟**が起こることで、90年代の終わりにまたプロレスブームが起きましたから。

鹿島　日本で言えば、『8時だョ!全員集合』と『オレたちひょうきん族』が同じ土曜8時でぶつかって、相乗効果で盛り上がったのと同じですよね。

斎藤　まさにそうですね。

――でも月曜テレビ戦争って、最初の頃はWCWが勝ってたんですよね？

斎藤　そうです。後発の『ナイトロ』がやや優勢でした。スティングとレックス・ルーガーという、WCW純正のベビーフェースのスターの新しさもあったし、何と言っても、ホーガンがまさかのヒール転向を果たしたnWoが大当たりしましたからね。

鹿島　当時は、日本でもプロレス会場はnWoTシャツだらけでしたからね。

斎藤　WCWは、WWEから選手をどんどん引き抜いていって、テレビの視聴率も1996年6月から1998年4月まで83週連続でWWEの『ロウ』を上回っていたんです。

鹿島　それって、WWEにとっては打ち切り待ったなしの大ピンチじゃないですか！　でも、そこから盛り返せたのが凄いですね。どうやって形勢逆転していったんですか？

斎藤　まず、WCWのトップだった**エリック・ビショフ**が本質的にプロレス音痴だったことがひとつ。WWEに対するコンプレックスが凄くて、WWEにいた選手だったら、パイ

1990年代の全日本プロレスの主役グループ。三沢光晴、川田利明、小橋建太、田上明の4選手。ユニットではなく、おたがいに闘ったり、タッグを組んだりしながら三冠ヘビー級王座、『チャンピオンカーニバル』『世界最強タッグ』の優勝を争った。鶴田・天龍時代以後の日本武道館興行〝春夏秋冬〟超満員伝説を築いた。

【月曜テレビ戦争】アメリカの2大メジャー団体、WWEとWCWが毎週月曜の同時間帯に別べつのチャンネルでそれぞれの看板番組『マンデー・ナイトロ』と『マンデー・ナイト・ロウ』をオンエアしたテレビ視聴率競争。1995年9月、後発のWCWが新番組「ナイトロ」をWWE「ロウ」にぶつけたことでス

パー、ランディ・サベージ、テッド・デビアス、カート・ヘニング、リック・ルードといったトップグループから、ナスティ・ボーイズだろうが、アースクエイクだろうが「全部ちょうだい」だったんですね。

鹿島　無条件にほしがりすぎた（笑）。

斎藤　それで、いくらでもお金を出すから、陰で「ATMエリック」って呼ばれていたくらいですから。

鹿島　「コイツからいくらでも金を引き出せるぞ」と（笑）。

斎藤　それはエリック・ビショフにとっては自分のお金じゃないからできたことなんですね。かたやビンスは自己資本の会社だから、コケてしまったら終わる。でもWCWはテレビ王**テッド・ターナー**の系列会社なので、経費をどんどん使えたんです。

鹿島　費用対効果が悪くても危機感がないわけですね。そのへんがおもしろいですよね。**SWS**もお金がありすぎるから、多くの選手に危機感がなかったし。

斎藤　選手を引き抜かれて、弱っているはずの全日本のほうがプロレスそのものの内容はずっとおもしろかったりしましたからね。

鹿島　WCWとSWSって、そのへんがちょっと似ていますよね。

斎藤　SWSって、天龍さんがトップというわけじゃなく、いろんな人が権力を握ったことで混乱したじゃないですか。

鹿島　部屋別制度の弊害がありましたよね。

タートした。

【エリック・ビショフ】元WCWエグゼクティブ・プロデューサー。AWAのTVアナウンサーからWCWへ移籍。その後、背広組に転向したが、テレビ番組「マンデー・ナイトロ」のnWo路線では〝悪のエグゼクティブ〟という役を演じた。WCW崩壊後はWWEとタレント契約を交わした。

【テッド・ターナー】アメリカの実業家。ニックネームは〝テレビ王〟。元MLBアトランタ・ブレーブス共同オーナー。70年代前半、アトランタのローカルテレビ局TBS（ターナー・ブロードキャスティング・システムズ）を衛星チャンネル、ケーブルチャンネルとして模様替えし全米放映を実用化。88年11月、NW

斎藤　WWEはビンスが最終決定権をすべて握っているのに対し、WCWは自称エグゼクティブが複数人いて、そこもダメだったんでしょうね。

鹿島　なるほど。複数スターじゃなくて複数ブレーンみたいな。

斎藤　ドレッシングルームの派閥も凄かったんです。ホーガン派閥があったり、リック・フレアー派閥があったり、そこには属さないパワープラント育ちのゴールドバーグがいたり、新日本から来たベイダー、スコット・ノートンがいたりね。

鹿島　まさにレボリューション、パライストラ、道場・檄（げき）という部屋制度が派閥を生んで、足を引っ張り合ったSWSですね（笑）。

斎藤　WCWは、**ビンス・ルッソー**という『ロウ』にいた構成作家をWWEから引き抜いて、「これでもう大丈夫だ！」って思っちゃったんです。ところが、ビンス・ルッソーが考えるプロレスは全部ペケだったんです。なぜかというと、テレビの構成作家ってボクも経験がありますけど、ひと晩必死に考えて書いた構成台本を、ディレクターに2秒でボツにされることもある、ある意味で屈辱的な仕事でもある。そしてビンス・マクマホンは、10人以上いる構成作家の台本に徹底的にダメ出しする人で、山のようなボツ台本の先に、『ロウ』があったんです。

Aクロケット・プロを買収して新会社WCW（ワールド・チャンピオンシップ・レスリング）を設立したが、プロレス会場に姿を現すことはなかった。

【SWS】
1990年にメガネ販売の大手企業メガネスーパーが設立したプロレス団体。正式名称は「スーパー・ワールド・スポーツ」。豊富な資金力をバックに天龍源一郎をはじめ、全日本プロレス、新日本プロレスから多くのレスラーを引き抜き、その手法を批判した『週刊プロレス』と対立するかたちとなり、のちに広告掲載時のトラブルから取材拒否を通達している。団体としてはその後、WWF（現WWE）と提携を結び、ハルク・ホーガンをはじめとした大物外国人を多

「何十億の価値があったかもしれないWCWのすべてを、ビンスは1億ちょっとの格安な値段で買収したんです」（斎藤）

鹿島　『全員集合』で夜中まで会議が続いて、台本を作ってもいかりや長介さんがペケと言ったらイチから作り直していたのと同じですね。ビンス・マクマホン＝いかりや長介説（笑）。

斎藤　でもWCW首脳は「『ロウ』はすべてルッソーが考えていたんだ」と思い込んで、エグゼクティブ・プロデューサーの地位まで与えたんですけど、この人とホーガンが喧嘩しちゃったんですね。

鹿島　構成台本がダメなだけじゃなく、演者のトップともモメてしまった（笑）。

斎藤　WCWという会社の世界観で言えば、ホーガンとルッソーを同格に見ちゃったところがあるんです。だけどホーガンからすれば「アイツは誰だ？」って感じですよね。実際、ルッソーがどうやって『ロウ』の番組付きの作家になったかというと、もともとネタはいっぱい考えていたかもしれないけれど、コネがなかったから、コネチカットのタイタンタワーというWWEの本社ビルの前でビンスを出待ちして、「こんなネタがあります」って売り込んできた人なんです。それがきっかけでビンスに「じゃあ、番組に来なよ」と言ってもらい、そこからのし上がっていったんですけど。

――持ち込み作家だったわけですね。ホーガンからしたら〝小僧〟みたいな感じで。

数招聘。関連会社でもあったプロフェッショナルレスリング藤原組の選手もビッグマッチには出場した。しかし、旗揚げ2年目以降に選手と経営陣とのトラブルが表面化。結局、設立発表からわずか2年2カ月で解散となった。

【ビンス・ルッソー】
WWE『マンデーナイト・ロウ』の放送作家からWCWに移籍。『マンデー・ナイトロ』の番組プロデューサーを務めたこともあったが、選手サイドとのトラブルが絶えなかった。WCW崩壊後はTNAでも番組プロデューサー。現在は自身のポッドキャスト番組を制作している。1961年、ニューヨーク州ロングアイランド出身。

斎藤 また、プロレス的な知能とテレビ番組の構成台本はまるっきり違うものですよね。リングの上で起こることというのは、プロレスの感覚で考えないと成立しないことばかりなのに、WCW内部にはそれを判断する人がいなくて、すべてテレビの論理でやってしまった。そこに嫌気がさして、ホーガンをはじめ、選手たちがどんどん辞めていったんです。

鹿島 現場というか、実際にリングに上がるレスラーの肌感覚をまったく理解していなかったんですね。

斎藤 WCW上層部はテレビの発想で、誰がチャンピオンになるのかも「キャスティング」だと思っていたんですね。でもそれはプロレスの論理から完全に外れている。

鹿島 団体がゴリ押しで誰かをチャンピオンにするようなことを、プロレスファンはいちばん嫌いますからね。

斎藤 だから〝プロレス心(こころ)〟知らずのまま、WCWはズルズルと落ちて終わっていったわけです。ただ、巨大な親会社のおかげでかろうじて倒産はしなかったのに、最後にWCWの息の根を止めたのは、ターナーテレビジョンから出向してきた新しいプロデューサーだったんです。その〝局P〟みたいな人が「ウチの局イメージに合わないから、プロレス番組を全部やめる！」って言い出して、それであっさり番組だけでなくWCWそのものが終わってしまったんです。もう、ひどい話でした。

鹿島 あくまでテレビ番組だから、「はい、打ち切り！」ってあっさり決めたんですね（笑）。

斎藤 WCWは途中からハウスショー（興行）をやめて、『ナイトロ』の番組制作だけをやっていたから、それで団体も死んじゃったんです。そしてターナーテレビジョンが捨てたWCWのすべてを、ビンスは1億ちょっとの格安な値段で買収したんです。ホントは何十億の価値があったかもしれないですよ？　それを1億で買い叩いて、WCWの団体名とロゴ、キャラクターの知的所有権と映像アーカイブ、必要なものをすべて手に入れた。

鹿島　ビンスからすれば、「これが100万ドルでいいの⁉」ってことですよね。だけど向こうは自分たちの価値を知らないから、売り渡してしまった。

――単なる打ち切り番組扱いだったわけですもんね（笑）。

斎藤　そのときにビンスが手に入れた映像アーカイブって、WCWだけじゃなく、フレアーの全盛期をはじめとした、NWAクロケット・プロやNWAジョージア地区の時代に至るまで全部だったんですよ。

鹿島　プロレスの歴史の大半を手に入れちゃったようなもんですよね。

斎藤　それが十数年後に**WWEネットワーク**というネット映像配信に結びつくわけです。そこには過去のWWEだけじゃなく、WCW、NWA、AWA、**ダラス・ワールドクラス**、ECW、その他さまざまなテリトリーの映像アーカイブが大量にアップされています。

鹿島　いやー、凄い！　だからおもしろいですね。ネット環境が黎明期だからこそ、それだけ安く買い叩けたんだろうし。

斎藤　運命のあやだと思うんです。買収が成立したことで、WCWの選手たちも2001年5月からWWEにどんどん移ってくるんだけど、WCWでスターとして『ナイトロ』に

【WWEネットワーク】WWEの動画配信サービス。月額料金9ドル99セントでスタートしたが、現在は大手動画配信サービス、ピーコックと合流。〝レッスルマニア〟全大会をはじめ、過去のPPVイベント、歴史的試合の数々、オリジナル番組などが観られるほか、NWA系ローカル団体、AWA、ダラスWCCWなどすでに消滅した団体の映像もアーカイブされている。

【ダラス・ワールドクラス】テキサス州ダラスに本拠地があったプロレス団体WCCW（ワールドクラス・チャンピオンシップ・レスリング）の通称のひとつ。ワールドクラスと表記されることもある。〝鉄の爪〟フリッツ・フォン・エリック（本名

出ていた人たちは、ＷＷＥの『ロウ』を観ているお客さん全員からブーイングを喰らうんですね。要するに外敵みたいな扱いで。そのときにビンスの中ではなんとなく違和感があって、「ＷＷＥとＷＣＷの団体対抗戦みたいにしちゃったら、コイツらが対等な関係に見えてしまうな。それは違うな」っていう感覚があったんですね。

鹿島　自分の軍門に下らせたのに、逆にＷＣＷの価値を上げてしまうなと。

斎藤　だから買収はしたけれど、ＷＣＷブランドを潰しちゃったんです。

鹿島　二大ブランドとして活かすことはしなかったと。

斎藤　そうです。「コイツらは対等じゃないもん。俺が負かした相手だもん」という発想です。それで何をやったかというと、ＷＷＥそのものをロウとスマックダウンの２ブランドに分けたんです。

「馬場さんとビンスは同じことをやっていた。WWEを知ることでかつての新日本や全日本のことまで知れるのがおもしろい」（鹿島）

鹿島　なるほど！　ＷＷＥとＷＣＷという二大ブランドではなく、巨大なひとつのＷＷＥをふたつのブランドにしたんですね。凄い判断。

斎藤　それで赤のロウ、青のスマックダウンの２リーグ制が誕生したわけです。

鹿島　普通だったら、そこで団体対抗戦をやっちゃいますよね。

ジャック・アドキッセン）が主宰。もともとはテキサス州内を活動拠点とする興行会社だったが、80年代前半、ケーブルTVの番組が全米放映されたのを機にメジャー団体となり、86年、NWAを脱退して独自路線へ。89年、活動停止。

斎藤　だからWCWの登場人物は最初に少し使って、ことごとく番組内で潰していったんですね。対等に見えちゃうっていうのが、ビンスにとっては嫌だったんでしょう。

鹿島　WWEが上なんだということを、リング上でも見せていく（笑）。

斎藤　それでエリック・ビショフも『ロウ』の番組内で使って、画面の中でさんざん屈辱を味わわせたんです。でもホーガン、ケビン・ナッシュ、スコット・ホールといった、かつてWWEからWCWに移籍していったいわば〝出戻り〟のスーパースターはしっかりとメインイベンターとして使うんですね。この人たちは別格だと。それからリック・フレアーにも別ワクで「戻ってきてください」と声をかけて。

鹿島　いいとこ取りですね。

斎藤　ホーガン、ナッシュ、ホール、フレアーといった特別な選手たちや、ゴールドバーグ、ブッカーT、スコット・スタイナーといったWCW育ちでもトップグループで使える一部の選手たちは使いましたけど、それ以外の人たちはどんどん切っていったんです。

鹿島　日本でいうと馬場さんみたいですね。抱え込んで殺していくみたいな（笑）。

――全日本の初期に、旧・日本プロレス勢が表向きは〝対等合併〟としてきたのに、全員**前座で飼い殺し**ましたもんね。

斎藤　そうでした。ルーキーだった生え抜きのジャンボ鶴田を上にして、大木金太郎、上田馬之助ら日本プロレスの残党グループを前座にしちゃった、あの方法論です。

鹿島　じゃあ、馬場さんのほうが早いですね。殺しの哲学としては（笑）。

【前座で飼い殺し】
WWEなど大手団体で、人気のない選手や使い勝手の悪い選手たちを契約途中解除や解雇するかわりに前座のポジションで〝棚ざらし〟〝在庫〟にする状態をいう。

【新生UWF】
新日本プロレスを解雇された前田日明が、1988年5月、再旗揚げした〝第二次UWF〟。前田自身がイメージする格闘技スタイルで大ブームを巻き起こしたが、91年1月、内部の不協和音から解散。プロフェッショナル・レスリング藤原組（藤原派）、UWFインターナショナル（高田派）、リングス（前田派）の3団体に分裂した。その後、藤原組からパンクラス（船木・鈴木派）が誕生した。

【第一次UWF】

斎藤　きっとね、それこそがプロモーターの感覚なんじゃないかと思うんです。競合団体の選手は獲得したけれど、それを上で使ってしまったら、自分が否定してきたものを上げることになってしまうと。

――大木金太郎さんは日プロでインターナショナル王者で、カブキさんの前身である高千穂明久はUN王者でしたけど、そのふたりが全日では前座ですから。

斎藤　でも高千穂さんとサムソン・クツワダを組ませたり、グレート小鹿さんは大熊元司と組ませて極道コンビというユニットを作って、アジアタッグ王者になったりとかありましたよね。旧・日プロ勢でも使える人だけ使って、その他の日プロから来た人たちはやがていなくなっていったわけです。

鹿島　ビンスよりも先に馬場さんが同じことをしていたんですね。

斎藤　そうかもしれない。団体が滅びるときって、団体のロゴは滅びるけど生身の人間、選手は残っていくという現実があるので、その人材をどう料理するかってことだと思うんですね。

――団体を残してしまうと、新日本対UWFをやったことで前田日明が大スターになって、結局、**新生UWF**を生んでしまうようなことが起こりますもんね。

鹿島　潰れた**第一次UWF**と新日本が対等に抗争したことによって、UWFからスターが出ちゃいましたからね。

斎藤　そうなんです。上げちゃうと結果的に相手の価値がぐっと上がっちゃうんです。

新日本プロレスの“幻のクーデター事件”の余波から、1984年4月、突然出現した“第3団体”。当初はユニバーサル・プロレスリングと呼称されたが、その後、UWFの名称で統一。新日本プロレスのスピンオフ団体として前田日明、ラッシャー木村、グラン浜田、剛竜馬らが移籍したが、スーパータイガー（佐山サトル）、藤原喜明、高田延彦、山崎一夫らが合流して完全独立。85年9月、経営不振で活動停止。

――だから第一次UWFが興行機能を失ったとき、馬場さんはUWFを丸ごと獲らずに、前田日明、高田延彦のふたりだけを一本釣りしようとしたんですよね。

斎藤 もし、あそこで前田、高田が全日本に行っていたとしても、対抗戦にはせず、おそらくふたりに全日本のジャージを着させていたでしょう。

鹿島 そういう意味では、**ジャパンプロレス**と業務提携して、全日本対ジャパンの対抗戦をやったのは、馬場さんとしてもちょっと誤ったんでしょうね。

斎藤 結局、2年経ったら長州力グループは新日本に戻ってしまいましたからね。一方、谷津嘉章や仲野信市、永源遙らは全日本に残ったけど、ジャパンプロレスは解体させて、全日本所属にさせた。

鹿島 なるほどな～。

――ジャパンプロを吸収した上で、栗栖正伸、寺西勇を切っていきましたもんね。

鹿島 本当だ！　いや～、そこもやっぱりビンスより馬場さんが早かった（笑）。WWEを知ることで、かつての新日本や全日本のことまで知れるのがおもしろいですね。

斎藤 やはり、プロレスからは普遍的な人間の深層心理、社会集団としての組織論みたいなものを学ぶことができるんでしょうね。

【ジャパンプロレス】
新日本プロレスの長州力グループが1984年9月、新日本プロレス興業（大塚直樹社長）に移籍。その後、ジャパンプロレスに社名変更し、85年1月から業務提携という形で全日本プロレスに活躍の場を移した。長州らは87年4月、古巣・新日本にUターンしたが、谷津嘉章ら数選手は全日本に残留。ジャパンプロレスは事実上、解散した。

第3回

NWA史から見る“権威”とはいかにして作られるのか?

NWA(ナショナル・レスリング・アライアンス)。それはプロレスマニアの間で長年、プロレス界の最高権威として位置づけられていた組織だった、はずだが……。

今回は、NWAがいかにして世界最高峰という幻想をまとったのか。その真実に迫る!!

(『KAMINOGE103』2020・7)

「〝世界最高峰のNWA〟というひとつの説、NWA幻想にあのアントニオ猪木さんでさえ翻弄されていた時代があったんです」（斎藤）

――今回は「NWA」をテーマに語ってもらいたいんですよ。NWA幻想というのは、馬場―猪木の対立を軸とした、日本のプロレスを構成してきた大きな要素のひとつだと思うので。

鹿島　いいですね！　以前、ニコ生の『NICONOGE』という番組で、フミさんとNWAの話になったときも凄くおもしろかった。

斎藤　あの時は、なんでNWAの話になったんでしたっけ？

――ジミー鈴木さんがやっていたDSWっていう興行がNWAと提携したときですよ（笑）。

鹿島　ああ、そうだ。久々にNWAというのを担いだ興行をやったんですよね。あの小さな新木場1stリングにNWAからの刺客が襲来するという（笑）。

斎藤　かつてとはまったく違う組織ではあるけど、いまでも「NWA」という価値観はオールドファンの脳内には残っていたということですよね。

鹿島　で、ボクなんかは子どもの頃から、全日本プロレス中継やプロレス雑誌から「世界最高峰のNWA」というのが刷り込まれていて。NWAこそがプロレス界でもっとも権威のある組織で、NWA世界ヘビー級王者こそ世界一という認識だったのが、フミさんの話を聞くと、全然違ったという。多くの人が「こうだ」と思い込んでいることに、まったく

【ジミー鈴木】
本名・鈴木清隆（すずき・きよたか）。1959年、東京都出身。1979年からフリーのカメラマン、記者として『週刊プロレス』『ゴング』『東京スポーツ』『週刊ファイト』などで取材活動。『アメリカンプロレス スーパースター完全ガイド』他の著作がある。テキサス州ダラス在住。

違った側面がある、これこそ社会学かもしれないな、と思ったんですよ。

斎藤　やっぱりボクらは根っからのマニアだから、真実を知りたいわけです。だから「世界最高峰のＮＷＡ」というひとつの説も、これだけ長く信じられてきたんだから、ある部分ではそれも本当かなとは思います。でも、やっぱりそれだけではない。

鹿島　「最高峰」はある一面でしかない、ということですよね。

斎藤　鹿島さんは、最初にＮＷＡ世界王者を認識したのは誰あたりですか？

鹿島　ボクはやっぱりハーリー・レイスですね。それで子どもなりに、プロレス雑誌や『プロレス入門』なんかを調べていったら、テリー・ファンクとドリー・ファンク・ジュニアのザ・ファンクスはアイドルレスラーだと思っていたのが、じつは世界最高峰のベルトを兄弟揃って獲っていたんだって、知るんですよ。

――その箔付けがあってのアイドル人気ですよね。そして全日本のパンフレットの最後のページには、ジョー樋口さんが「ＮＷＡ公認レフェリー」として載っていて。

鹿島　「失神ばかりしてるけど、偉いんだ」っていう（笑）。それが80年代最初の頃だったんですね。

斎藤　鹿島さんの少年時代である80年代前半は「大ＮＷＡ」幻想が支配的であった最後の時代ですけど、70年代に少年期を迎えたファンにとってＮＷＡは、もっともっと大きな存在だったんです。日本の団体がＮＷＡに加盟できるかどうかが、もの凄く大きなテーマでしたから。

鹿島　新日本と全日本は、同じ1972年（昭和47年）に旗揚げして、全日本はすぐにNWAに加盟できたのに、新日本はなかなか加盟できなかったんですよね。

斎藤　アメリカではNWA加盟団体こそがメインストリームであり、非加盟団体はアウトロー団体であるという位置づけがあった。これは〝東スポマジック〟であり、〝ゴングマジック〟でもあったんですけど、そういう格付けがあって、あのアントニオ猪木さんでさえNWA幻想に翻弄されていた時代があったんです。全日本は旗揚げした翌1973年（昭和48年）春にジャイアント馬場さんが自らセントルイスに行ってNWA加盟団体になるのに、新日本は1973年、1974年と2年続けて実際にアメリカのNWA総会まで足を運んだのに、いずれも加盟申請が却下されてしまった。

鹿島　その事実をもって、NWAの権威と馬場さんの政治力をファンがあらためて認識したんですよね。

斎藤　当時、ボクが読んでいた『月刊プロレス』誌では、夏のNWA総会のあとに「新日本プロレスが○票差で落選。今年もNWAに加盟できず」みたいな記事が掲載されていたんです。その記事はボクらの大先輩の**森岡理右**さんが書いていて、「肩を落として帰っていく猪木」みたいな（笑）。

――馬場さんのブレーンだった森岡氏が、猪木さんの惨めな姿をここぞとばかりに書いているという（笑）。

鹿島　そこも政治ですよね、おもしろい！

【森岡理右（もりおか・りう）】
1934年、三重県出身。東京タイムズ運動部記者から『プロレス&ボクシング』（ベースボール・マガジン社）編集顧問。ジャイアント馬場のブレーン。アメリカではリッキー森岡のニックネームで知られる。天龍源一郎を全日本プロレスに入団させた人物。「豆たぬきの本」プロレスシリーズ（廣済堂出版）を執筆。1974年から筑波大学体育学部講師、助教授、教授、名誉教授を歴任。筑波スポーツ科学研究所所長。

「不都合なことは報じないという、いま政府関係の話などで問題視されていることがあの時代のプロレス界でも起きていたんですね」（鹿島）

斎藤　当時、少年ファンだったボクらはライターが全日派、新日派、どっち寄りなのかわからずに読んでいたんですけどね。でも、どちらにしても新日本が１９７３年、１９７４年と2年続けて申請を却下されたという事実は残ってしまうわけです。「仕方なく」と言ったらおかしいけど、猪木さんは１９７３年12月にＮＷＡとよく似た名称の**ＮＷＦ**世界ヘビー級王座を獲るわけです。

鹿島　ジョニー・パワーズから獲って、70年代の猪木さんを象徴するベルトになったんですよね。

斎藤　でも、猪木さんがＮＷＦを獲った1年後の１９７４年（昭和49年）12月、全日本は時のＮＷＡ世界チャンピオンのジャック・ブリスコを日本に招いて、馬場さんがブリスコを負かしちゃうわけです。それで日本人初のＮＷＡ世界王者となって、〝レイスモデル〟の本物のＮＷＡベルトを腰に巻いた。ＮＷＡという権威とその関係性においては、馬場さんが猪木さんに常に先んじていたんです。

鹿島　そこが猪木ファンにとっても、猪木さん自身にとっても、ずっと悔しかったわけですよね。

【ＮＷＦ】
１９７０年代にオハイオ州クリーブランドを本拠地に活動していたローカル団体。プロモーター兼レスラーだったＮＷＦ世界ヘビー級王者ジョニー・パワーズが、１９７３年12月、東京でアントニオ猪木に敗れて同王座から転落。それ以降、ＮＷＦ王座は新日本プロレスの看板タイトルとして日本に定着。オハイオＮＷＦは事実上、活動休止となった。

斎藤　そして皮肉なことに、猪木さんがあれほど加盟に熱心だったのに仲間に入れてもらえない、チャンピオンを呼ぶこともできないことも、逆説的ではあるけれどＮＷＡ幻想をさらに高めることに一役買っていたんですね。

鹿島　なるほどな〜。猪木さんがほしがったからこそ、でもあったんですね。それで馬場さんが初めてＮＷＡを獲ったのは鹿児島でしたよね？　なぜ、東京や大阪の大会場ではなく、地方都市での〝快挙達成〟になったんですか？

斎藤　あれはテレビ放映の都合だったんでしょうね。ＮＷＡチャンピオンって日本に来てもだいたい1週間、長くても10日〜2週間の滞在ですね。シリーズに全部出ないで途中で帰っちゃう〝特別参加〟だった。

鹿島　シリーズ後半の特別参加とかでしたよね。あの希少性も大物外国人ミュージシャン来日の最たるもので。

斎藤　１９７４年12月もジャック・ブリスコは10日間の特別参加だったんですけど、馬場さんがＮＷＡを獲った12月2日の鹿児島は、その来日第１戦だったんです。そこで王座を奪取して、その３日後の12月5日、東京・日大講堂で今度はＮＷＡとＰＷＦの二冠を賭けてブリスコと再戦することが決まっていたので、訳知り顔のマニアは「ＮＷＡを獲ったはいいけど、すぐに負けちゃうんでしょ」って予想していたんですね。

鹿島　マニアはマッチメイクの裏読みとか大好きですからね（笑）。

斎藤　でも、その再戦でも馬場さんが勝って王座初防衛に成功したので、「うわ〜、連続で勝っちゃった！」って、みんな驚いたんです。その試合で、年末のシリーズはテレビ放送が終わりだったので。

鹿島　「ホントにＮＷＡ防衛しちゃったボクが月末に本屋さんに行ってプロレス雑誌をぺ

斎藤　ところが、当時少年ファンだったボクが月末に本屋さんに行ってプロレス雑誌をペラペラめくると、カラーグラビアじゃなくて、後ろのモノクロページにジャック・ブリスコが12月8日に豊橋で行われた試合で馬場に勝って「ＮＷＡを奪回」っていう記事が載っていたんですよ。

鹿島　そんな大事なことが、モノクロでひっそり伝えられてたっていう（笑）。

斎藤　そこで初めて、「なんだ、馬場さんはジャック・ブリスコがアメリカに帰る前に負けてたんだ……」って気づくんです。なぜなら、ブリスコが王座奪回した豊橋大会はテレビマッチじゃなかったので、馬場さんが負けて、ＮＷＡタイトルを失うシーンはついにテレビ中継でやらなかったから。しかも王座転落の事実すら、その後もテレビでは報じられなかった。

鹿島　不都合なことは報じないっていう。いま政府関係の話などで問題視されていることが、あの時代のプロレス界でも起こっていたんですね（笑）。

斎藤　そして、その後もテレビでの実況コメントでは「日本人で初めてＮＷＡ世界王者になったジャイアント馬場」というフレーズだけが連呼されるようになるんです。

鹿島　全日本や馬場さん、日本テレビにとっては、「日本人で初めてＮＷＡ王者になった」

という事実こそが大事だったわけですね。

――しかも「猪木にはできない快挙を成し遂げた」という（笑）。

斎藤 そういうことでしょうね。

鹿島 で、その〝NWA幻想〟というのは、そもそもどのようにして生まれたんですか？

斎藤 NWAというものの価値が日本のメディアで論じられるようになった時代というのは、まだ日本人にとって〝世界が遠かった〟頃の話なんだと思うんです。

――庶民が簡単に海外旅行なんか行けない時代だったからこそ、生まれたものだと。

鹿島 だからNWA本部があるミズーリ州セントルイスって、アメリカの中心地なのかと思っていたら、全然違うんですよね？

斎藤 中西部のセントルイスは、というよりもミズーリ州はアメリカの中ではかなり田舎の部類に入りますね（笑）。

鹿島 **キール・オーデトリアム**という会場が、〝NWAの総本山〟とか言われてましたよね。ボクは「総本山」って言葉もそこで覚えましたから（笑）。

斎藤 そうすると、セントルイスの本部というと、NWAの本部ビルなんかがありそうなイメージですよね。でも実際はNWA会長だったサム・マソニックさんがダウンタウンのホテルの一室を事務所にしていて、そこが〝NWA本部〟だったんです。

【キール・オーデトリアム】
ミズーリ州セントルイスにあった1万人超収容のアリーナ。〝世界最高峰NWA〟の総本山として、サム・マソニックNWA会長が1940年代から同所で月例定期戦をプロモートしていたが、マソニックは1982年1月に引退。キール・オーデトリアム興行はパット・オコーナー、ハーリー・レイス、ボブ・ガイゲル、バーン・ガニアの4者による合議制となった。マソニックは1998年12月、死去。享年93。

「アメリカでは1920年代、第一次世界大戦が終わって好景気が来た頃にプロレスブームがあったんです」（斎藤）

斎藤　〝あの〟NWA本部ですから、世界各国の国旗かなんか揚がっていそうな感じですよね。

鹿島　マジっスか⁉　国連本部みたいな建物があるのかと思ったら（笑）。

――ところが実際は、探偵事務所みたいな感じだったと（笑）。

鹿島　もしくは雑居ビルで営業している占い師みたいな（笑）。

斎藤　本当にそんな感じで。長期滞在している人もいるような、古いホテルの一室がマソニックさんの事務所だったんです。

鹿島　デーブ・スペクターのホテル暮らしみたいだ（笑）。

斎藤　映画評論家だった淀川長治さんも、生前はホテル住まいでしたよね。ホテル住まいなのに部屋には本とかいっぱい置いてあって、賃貸のような感じで。マソニックさんの事務所も同じで、そこがNWA本部だったんです。

鹿島　だからNWAというのは、たとえば野球で言えばMLBのような、プロレス界全体を運営、管理する超強力な団体組織だと子どもの頃は思っていましたけど、ちょっと違うわけですよね？

斎藤　わかりやすく言えば「アライアンス＝組合」ですからね。全米のプロモーター、同業者が加盟する横のつながりみたいな組織ですね。

鹿島　「組合」っていうと、一気にイメージが変わりますね（笑）。

斎藤　NWAは「プロレス団体」ではないんです。アメリカ中に点在する大小のプロレス団体が、NWAに加盟して、世界チャンピオンをシェアしていたんです。

鹿島　だからこそ、NWAに加盟しないと自分のところの興行にNWA世界王者を呼べないと。

斎藤　そのNWA世界王者ですけど、ボクらの子どもの頃、『ゴング』などの専門誌にNWA世界王者の系譜が載っていましたよね。

鹿島　「第○代王者は誰」とかですよね。いやもう、たまらなかったです。

斎藤　その系譜には「1908年、フランク・ゴッチがジョージ・ハッケンシュミットとのタイトルマッチで王座を統一して初代NWA世界王者となる」と必ず書かれていましたけど、フランク・ゴッチが獲得した世界王座は、NWAとはまったく無関係なんですね。厳密にいうと、その3年前の1905年、G・ハッケンシュミットとトム・ジェンキンスがニューヨークで闘って、勝ったハッケンシュミットを初代世界王者とする学説もあることはあるんです。

鹿島　無関係なんですか⁉

――「初代NWA世界王者はフランク・ゴッチ」なんて、ボクらが子ども向けの『プロレス入門』とかを読んで、まず最初に勉強することですよね（笑）。

鹿島　「邪馬台国の女王は卑弥呼」みたいな感じで、常識だと思っていたんですけど、違うんですか（笑）。

斎藤　フランク・ゴッチの統一世界王座はＮＷＡとはまったく別のものです。ＮＷＡが立ち上がったのは１９４８年ですから、戦後のものです。だからフランク・ゴッチだけじゃなくて、ロシアからヨーロッパを経由してアメリカに渡ったジョージ・ハッケンシュミット、１９２０年代のエド・ストラングラー・ルイス、〝胴締めの鬼〟ジョー・ステッカー、１９３０年代の〝黄金のギリシャ人〟ジム・ロンドス。この人たちはＮＷＡとはなんの関係もないんです。でも、その当時の諸派の「世界王座」を保持していた超大物たちであることはたしかで、アメリカでは１９２０年代、第一次世界大戦が終わって好景気が来た頃にプロレスブームがあったんですね。

――日本の大正時代に、もうプロレスブームがあったんですか（笑）。

斎藤　その時代には、すでにニューヨークのマディソン・スクウェア・ガーデンでの大きな興行はありましたからね。だから好景気もあって、毎月ＭＳＧ定期戦が行われて、１万人クラスの集客をしていた。全米をツアーしたジム・ロンドスという人は、どこに行っても常に１万人クラスの観客を入れる、観客動員力を持ったスーパースターだったんです。

鹿島　その時代にどこ行っても１万人を集めるって凄いな〜。

斎藤　プロレスはテレビ以前の時代でも１万人以上のお客さんを動員できるスペクテータースポーツで、昔からレスリングは人々を魅了してきたんでしょうね。だからエド・スト

【ウィリアム・マルドゥーン】
〝プロレスの父〟。プロフェッショナル・レスリングというジャンルの土台を作った人物といわれている。１８５２年、ニューヨーク生まれ。１８７０年代にレスリングの試合でファイトマネーを稼ぐようになり、アメリカで初めての〝プロレスラー〟となった。42歳で現役を引退後は１９２０年、ニューヨーク州体育協会会長に就任。プロレスのコミッショナー制度化、ギャンブルの禁止などを訴え続けた。

【ソラキチ・マツダ】
最古の日本人プロレスラー。大相撲・元序二段の荒竹寅吉（本名・松田幸次郎）。１８８３年（明治16年）、横浜から船でアメリカへ渡り、翌１８８４年、ニューヨークで

ラングラー・ルイスとベーブ・ルースが同時代を生きたスポーツヒーローとして記念撮影している有名な写真が残っているし。実際にフランク・ゴッチが統一王者となる1908年以前にも、1880年代には**ウィリアム・マルドゥーン**というプロレスの始祖が世界チャンピオンを名乗ってニューヨークで興行をやっていました。

――日本では江戸時代がようやく終わった頃に（笑）。

斎藤　でも、その時代に日本からアメリカに渡って、ウィリアム・マルドゥーンとプロレスで闘った**ソラキチ・マツダ**という偉い人もいるわけです。日本人プロレスラー第1号ですね。そして1930年代になるとアメリカに大恐慌が訪れますが、プロレスは一度もなくなっていない。やっぱり大衆のスポーツとして人気があったんですね。

鹿島　不景気なら不景気で、大衆にとってやっぱり必要なものだったという。

斎藤　そうなんでしょうね。戦時中の1940年代もプロレスはなくなっていないですから。そして、第二次世界大戦後にテレビの時代が始まるんです。

鹿島　いま、コロナ禍で逆にエンタメが必要と言われているのと同じですね。

斎藤　人々がそういったものを求めたんでしょう。1945年に第二次世界大戦が終わると、好景気とベビーブームがやって来ます。すると日本よりも5、6年先行して、アメリカ中の一般家庭がテレビを買い始めて、プロレス界では〝ミスター・テレビジョン〟と呼ばれた、**ゴージャス・ジョージ**がハリウッドから登場するんです。

イギリス人レスラーのエドウィン・ビビーを相手にプロレスラーとしてデビュー。〝プロレスの父〟W・マルドゥーンとも対戦。1891年、ニューヨークで病死。死亡時の年齢については29歳と32歳のふたつの説がある。

【ゴージャス・ジョージ】第二次世界大戦後、〝テレビの時代〟が生んだ最初のスーパースター。1915年、ネブラスカ州出身。本名ジョージ・レイモンド・ワーグナー。テレビ黎明期に全米中継されたプロレス中継で国民的スーパースターとなった。あのモハメド・アリの〝大ボラ〟にも影響を与えた人物。63年12月、心臓発作で急死。享年48。

「NWAとは田舎のプロモーター同士の〝組合〟であり〝談合カルテル〟という側面も持っていたと。イメージがだいぶ違いますね」(鹿島)

鹿島　プロレスは、世の中と共に歩んでいますよね。

斎藤　そう思います。世の中と共に、そしてメディアと共につねに歩んでいます。黎明期のテレビに出ることで、ゴージャス・ジョージは全米で人気者になった。当時は週に3回くらい、ABC、NBC、CBSの三大ネットワーク局をはじめ全米で開局しつつあったローカル局群がこぞってプロレス中継をやっていたんです。

鹿島　まさに日本のテレビ黎明期に、NHKと日本テレビでプロレスが放送されたのと、同じことがすでにアメリカでは起こっていたわけですね。

斎藤　そんなテレビ時代の幕開けとともに、NWAはアイオワで誕生しているんです。

鹿島　最初はミズーリ州じゃなくて、アイオワ州だったんですか。

斎藤　アイオワ州ウォータールーですね。そのアイオワ州って、アメリカの50州の中でもいちばんの田舎なんですよ。

鹿島　アメリカでいちばんのど田舎で誕生したのがNWA(笑)。

斎藤　アメリカの一般人にアイオワって言うと、「プッ!」って笑われて、「おまえ、アイオワから来たのか!?」って言われるくらいの田舎なんです。行けども行けどもトウモロコシ畑みたいな。そのアイオワ州ウォータールーっていうところにアイオワ、ミネソタ、ネブラスカ、ミズーリ、カンザスなど中西部の有力プロモーターが7人ほど集まって、今後の興行活動について協議をした。「なんだか知らないけれど、テレビジョンっていう小さい箱で映画が観られるものが出てきたらしい」「しかも、家で無料で」と。「そんなもんでプロレスを映されたら、誰もアリーナまで試合なんか観に来なくなるぞ。俺たちは全員、廃業だ」っていう発想だったんです。

鹿島　テレビ登場による危機感がまずあったわけですね。

斎藤　そうなんです。テレビがプロレスを放送し始めたら、商売上がったりだと。それで自分たちの利益を守るために、1948年7月にアイオワ州ウォータールーで連絡会議としてNWAが誕生するんです。その発起人のひとりがサム・マソニック。だからNWAっていうのは、基本的に田舎のプロモーターたちの発想だったんでしょう。

鹿島　田舎のプロモーターたちが組合を作ったってことですか。

斎藤　世界的な視野で考えていたら、組織名に「ワールド」とか、「アメリカン」を付けると思うんですけど、NWAはナショナル・レスリング・アライアンスですから、あくまでも「ナショナル＝国内」、つまりアメリカ国内に目を向けた同業者（プロモーター）の組織だったんです。

鹿島　なるほど。自分たちの生活を守るためのものですもんね。

斎藤　プロモーターたちが手をつないで、「お互いの利益を守ろうよ」っていう、アメリカ国内の市場をどうしようかっていう考え方の共有ですよね。そこで手をつないだ地方プロモーターたちで、ひとりのチャンピオンを共有しましょうと。そして組織に歯向かったレスラーやプロモーターのブラックリストを作ってアウトサイダーは排除しましょうっていう話なんです。大手プロモーター同士で手を握っているから、選手個々でギャラをアップするネゴシエーションができない仕組みになっていたし、新規プロモーターの参入を妨害するシステムにもなっていた。つまり談合の組織です。

鹿島　談合（笑）。

斎藤　それでトラブルを起こした選手がいれば、お互いに連絡を取り合って、どこのプロモーターも使わないようにしようと。発想としてはカルテルですね。

鹿島　いや～、「世界最高峰のＮＷＡ」とはイメージがだいぶ違いますね。ＮＷＡとは田舎のプロモーター同士の「組合」であり、また「談合カルテル」という側面も持っていたと。

斎藤　だから実際、１９５６年には米司法省から独占禁止法違反、公正取引法違反の疑いでＮＷＡは告発されていて、裁判所から改善命令が出されています。

――独禁法違反を告発されたＮＷＡを、日本で独占していたのがジャイアント馬場さんだったんですね（笑）。

鹿島　全日本は、平成元年に「独占」というポスターを作ってましたけど、昔からそうだったという（笑）。

――そのＮＷＡができる前は、アメリカ各地にチャンピオンがいて、ＮＷＡと名の付かない世界チャンピオンもいたんですよね？

斎藤　何人もいました。エド・ストラングラー・ルイスとそのグループが1920年代に全米を統一しようとしたし、ボストンAWAという大きな団体もあって、ジム・ロンドスの時代にも全米を統一しようとした組織が存在した。それぞれ違う団体で。それらはいずれもワールドチャンピオンで、1948年に誕生したNWAも、それと同じことをやろうとした。また、「NWA」という名称も1948年に初めて付けられたわけじゃなくて、ピンキー・ジョージというアイオワのプロモーターがその数年前からすでに使っていた団体名なんです。そのピンキー・ジョージも、NWA創立メンバーのひとりで、「あっ、いいじゃん。その名前にしよう！」ってことでNWAをそのまま使うことになった。

鹿島　では、1948年にスタートしたNWAの本当の初代世界チャンピオンは誰になるんですか？

斎藤　最初はオービル・ブラウンというチャンピオンがいたんです。この人はNWAが発足したときに参画したプロモーターのひとりでもあって。

――馬場、猪木と同様に、レスラー兼プロモーターなんですね。

斎藤　そして同じ時期に、NWAを名乗るもうひとつの別組織があったんです。ナショナル・レスリング・アソシエーションという、プロボクシングと並ぶ全米体育協会の下部組織みたいな感じで、プロレスのチャンピオンをニューヨークで認めていたことがあって。そのチャンピオンが**ルー・テーズ**だったんです。

鹿島　もう、その時点でルー・テーズも世界チャンピオンだったんですか。

【ルー・テーズ】
〝20世紀の鉄人〟。ルー・テーズの名とアメリカのプロレス史はほとんど同義語。大恐慌の1930年代から第二次大戦後の1950年代、白黒テレビの1960年代、ハイテクの1990年代まで7つのデケードを生きた〝鉄人〟。日本では力道山から馬場、猪木、UWF世代まで数多くのレスラーたちに影響を与えた。トレードマーク技はバックドロップとテーズ・プレス。2002年4月28日、86歳で死去。

斎藤　「旧NWA王者ルー・テーズと、新NWA王者オービル・ブラウンで統一戦をやって、新しい世界チャンピオンを作りましょう、それは素晴らしいビジネスになる」っていう話になったんです。ところが、オービル・ブラウンが自動車事故に遭ってケガをしたことで、統一戦をやることができず、１９４９年11月にルー・テーズがそのまま繰り上がった。そういう系譜を突き詰めていけば、初代NWA世界チャンピオンはルー・テーズから数えるのが正しいのかな、とは思います。

「もともと力道山が追い求めていたのは、NWAではなくて〝世界王者ルー・テーズが持つ黄金のベルト〟だった」（斎藤）

鹿島　なるほど。そういう経緯があったんですね。

斎藤　では、なぜルー・テーズを初代世界王者とせず、フランク・ゴッチやエド・ストラングラー・ルイス、ジム・ロンドスらがいつの間にかNWAの系譜に名を連ねるようになったかというと、これはサム・マソニックさんの〝仕業〟なんです。セントルイスのキール・オーデトリアムの定期戦で売られているパンフレットに掲載されていた、ワールドチャンピオンの系譜っていうのは、フランク・ゴッチから書かれてあったんです。自分たちで勝手に史実をつなげちゃったんですね。

鹿島　そこはやっぱり箔付けっていうことですか？

斎藤　おそらく自分たちの正当性を暗に主張したんでしょう。

――全日本で使われていたベルトが、ＰＷＦもインターナショナルも、**力道山ゆかりのベルト**であるのと同じですよね。その事実をもって「ジャイアント馬場が力道山の正統後継者である」みたいな。

鹿島　なるほどな～。

斎藤　世界王座のルーツをたどることで年表上はつなげましたということで、マソニックさんには歴史をでっち上げたという感覚はあまりなかったと思います。「ボクらは正統だから、フランク・ゴッチまでさかのぼりますよ」というだけで。それで昭和30年代の日本のプロレスマスコミは、結果的にセントルイスのパンフレットをそのまま翻訳しちゃったんです。

鹿島　マソニック史観をそのままいただいちゃったわけですね。

斎藤　当時はそのあたりのディテールを調べる人がいませんでしたから。おそらく、英語の資料を読み込んで調べていたのは、**田鶴浜弘**先生くらいだったと思います。いまでもそうだと思うけど、ある情報が開示されてその情報がメジャーなものになると、ほかのマスコミがみんなでそれをコピペしていくわけです。だから初代ＮＷＡ世界王者をフランク・ゴッチとして始まる系譜が、なんの疑いもなく広まってしまった。それで第90何代ＮＷＡ世界チャンピオンといった誤った記録まで出てきちゃって、90何人なんていないですよ。

――最近の系譜だと第１３２代ＮＷＡ世界王者までいるらしいですからね（笑）。

【力道山ゆかりのベルト】
全日本プロレス発足時（１９７２年）に百田家からジャイアント馬場に寄贈された旧インターナショナル王座のチャンピオンベルト。デザインそのものはルー・テーズ・ベルトのレプリカ。のちに新設ＰＷＦの初代世界ヘビー級王座に認定された。

【田鶴浜弘（たづはま・ひろし）】
１９０５年（明治38年）生まれ。早稲田大学卒。スポーツライター、プロレス評論家の草分け的存在。ご意見番的な立場で、日本テレビ『全日本プロレス中継』解説者も務めた。漫画『キン肉マン』に登場する解説者タザハマのモデルでもある。

鹿島　ずいぶん増えたな〜（笑）。では、サム・マソニックが作った系譜が日本に輸入されて、自然に幻想が膨らんでいった感じですかね。

斎藤　日本におけるＮＷＡ幻想が本格的に広まったのは比較的遅くて、ＮＷＡ発足から約20年経った１９６７年（昭和42年）、日本プロレスの芳の里と遠藤幸吉のふたりが個人名義でＮＷＡに正式に加盟して、１９６９年（昭和44年）にドリー・ファンク・ジュニアが初来日したあたりからですかね。

鹿島　馬場さんと猪木さんが連続挑戦したという、あのときですか。

斎藤　では、ドリーさんが初めて日本に来たＮＷＡ世界王者かというとそうではなくて、最初にやってきた現役の世界王者は、やっぱりルー・テーズなんです。８年間もＮＷＡ世界王座を守ったまま無敵の世界チャンピオンとして１９５７年（昭和32年）に初めて日本にやってきて、後楽園球場で力道山と60分フルタイムのタイトルマッチを闘った。あの当時のどの資料、どの新聞記事を見ても「ＮＷＡ」という三文字は一度も現れていないんですね。シンプルに「世界選手権」なんです。

鹿島　そうか。でも、世界選手権って新聞が報道することで、プロレスにも世界的な協会のようなものがあるんだなって、想像しますよね。

斎藤　でも、１９５７年のルー・テーズ以降は力道山時代にＮＷＡ世界王者として来日する人はいなくて、１９６２年（昭和37年）になると日本プロレスはロサンゼルスのＷＷＡと提携して、力道山vsフレッド・ブラッシーのＷＷＡ世界タイトルマッチが、ロサンゼル

【ＷＷＡ】
１９６０年代、ロサンゼルスを本拠地としていたプロレス団体。団体名についてはワールド・レスリング・アソシエーションとワールドワイド・レスリング・アソシエイツの2通りの表記が存在する。旧・日本プロレスと業務提携。力道山、豊登、大木金太郎がＷＷＡ世界ヘビー級王座を獲得した。

スと東京の二都物語として行われる。いつの間にか、日本では〝世界王座〟がNWAからWWAにすり替わっていたんです。

鹿島 それはNWAと何かあったんですか？

斎藤 もともと力道山が追い求めていたのは、「NWA」ではなくて「世界王者ルー・テーズが持つ黄金のベルト」だったんだと思うんです。

鹿島 なるほど。「NWA世界王座」そのものより、「世界王者ルー・テーズが持つベルト」のほうが、力道山の中で価値が上だったわけですね。

斎藤 だからルー・テーズからディック・ハットン、パット・オコーナー、バディ・ロジャースと王座が移動していくと、わざわざNWAのチャンピオンを日本に呼んでまで、力道山が挑戦者の立場になるものではなかったのかもしれない。

——王者の中の王者であるルー・テーズなら、力道山が引き分けで王座奪取できなくても様になるけど、それ以外の選手では、王座移動がないのにわざわざ呼ぶ必然性がないわけですね。それだったら無敵のインターナショナル王者として防衛戦をやっていたほうがいいという。

斎藤 当時のNWA世界王者は主に中西部から南部を中心にサーキットしていたので、地理的にもやや手が届かない距離にあったこともひとつの理由だと思います。当時、日本プロレスのシリーズに参戦していた外国人レスラーを見ると、やはりグレート東郷のブッキングで西海岸のカリフォルニアから来ている選手ばっかりなんですね。ハワイとカリフォルニアを「アメリカ」と呼んでいたような感じもあって。

――あの頃は、ニューヨークから東京への直行便なんかないし、だいたいロサンゼルスから、ハワイ経由で来日していたんですよね。

斎藤　昔の飛行機はハワイで一度給油していたんですよね。だから日本にとってはハワイがもっとも近いアメリカで、米本土といってもカリフォルニア。力道山が大相撲からプロレスに転向してアメリカ修行に行った先もサンフランシスコでしたし、**シャープ兄弟**もサンフランシスコから来ましたから。

鹿島　60年代に日本がビジネスできるアメリカというのは、地理的に言って、ハワイかロサンゼルス、サンフランシスコぐらいまでだった、ということなんですね。

「組合の慰安旅行だったNWA総会を、日本のプロレスファンは各国の首脳が集まるサミットのようなものに脳内変換していたわけか（笑）」（鹿島）

斎藤　だからAWA世界王者のバーン・ガニアや、WWWF（現WWE）世界王者のブルーノ・サンマルチノが来るのもずいぶんあとになってからなんです。60年代は北部ミネソタも東海岸ニューヨークもまだまだ日本からは遠かったんでしょう。力道山の死後、日本プロレスに外国人レスラーをずっと送っていたブッカーのミスター・モトさんはロサンゼ

【シャープ兄弟】
ベン&マイクのシャープ・ブラザース。力道山&木村政彦と日本プロレス史の1ページ目である歴史的な一戦を闘ったことで知られている。サンフランシスコ地区認定の世界タッグ王者チームだったが、日本ではシンプルに〝世界タッグ王者〟と紹介された。一般的には〝戦勝国〟アメリカ人と理解されているが、実際はカナダ人だった。

ルス在住でしたしね。それもあってか、日本人レスラーが海外でタイトルマッチをやるときは、猪木さんがUNヘビー級王座を獲るにしても、ジャイアント馬場&坂口征二がザ・ファンクスからインタータッグを奪回するのも、かならずロサンゼルスのオリンピック・オーデトリアムなんです。

――なぜかいつもそこっていう（笑）。

鹿島　地理的問題があったというのはおもしろいなあ（笑）。

斎藤　NWA幻想というのは、もっとアメリカから日本に来やすくなる70年代に入ってから、馬場―猪木時代に本格化するわけです。

鹿島　そこからNWA総会なんかにも出席するようになるわけですもんね。

斎藤　毎年夏に行われるNWA総会というのが、また幻想が膨らむことがいっぱいあったんです。スーツを着た全米各地の大物プロモーターが一堂に集まってね。その開催場所はいつもだいたいラスベガスですから、いま思えば慰安旅行ですよ。

――組合の慰安旅行（笑）。

鹿島　日本でいえば、組合員が熱海に集まるみたいなことですよね（笑）。

斎藤　金土日とラスベガスに泊まってギャンブルをやって、お酒を飲んで、うまいものを食べたんでしょう。おそらく根つめてシリアスな会議なんかやっていなかったかもしれない。ラスベガスですもん、ショーとか見ちゃってたんでしょう。

鹿島　熱海でストリップを見ちゃうみたいな（笑）。総会という名の1年に一度の慰安旅行なんですね。

斎藤　そうじゃないと、あの広いアメリカ中、さらにカナダとかからプロモーターが集まる機会なんてないですからね。大物プロモーターたちが年に一度、一堂に会して、あの集合写真を撮るだけでもそれはそれでいいじゃないですか。

鹿島　その組合の慰安旅行だったNWA総会を、我々日本のプロレスファンは、各国の首脳が集まるサミットのようなものに脳内変換していたわけですね（笑）。

斎藤　『ゴング』にはNWA総会がカラーグラビアに載っていて、そこでは〝アラビアの怪人〟ザ・シークもデトロイトのプロモーターとしてちゃんとスーツを着て出席していたりして、そういう特別感がよかったんですね。プロモーターたちは、みんな奥さんも連れてきていて、奥さん同士でショッピングなんかにも出かけたんでしょう。だからラスベガスは、落ち合うには最高の場所だったんでしょうね。

鹿島　これがNWA本部があるミズーリ州で総会をやっても、誰も来ないだろうっていう（笑）。

――「あんな田舎に行ってられるか！」って（笑）。

斎藤　NWAも最後の頃はプエルトリコで総会をやることもありましたけど、あそこはビーチリゾートですからね。

鹿島　まさに熱海ですね（笑）。

斎藤　そういったことは、ボクらも大人になってから「そうだったんだろうな」とわかるようになるけど、べつに少年時代にまんまと騙されたとも思っていないし。いまのボクらはＮＷＡという壮大な物語をエンジョイできるような感覚になっている。

鹿島　事実はこうだとしても、べつに悪いことだとは思わないですよね。あの頃ときめいたことは、それによって色褪せることはない。

斎藤　いまでも「世界最高峰のＮＷＡ」という物語を絶対視する年季の入った中年ファンはたくさんいますけど、ひとつのこだわりとしてはいいんじゃないかと思います。「ウルトラマンは誰々までしかウルトラマンとは呼べない」とか、「仮面ライダーと呼べるのは1号と2号だけ」とか、そういうこだわりがあるのがマニアですから。

鹿島　「世界最高峰のＮＷＡ」という幻想が、馬場と猪木の競い合うもとになったこともたしかですしね。また新日本はＮＷＡになかなか加盟できなかったけど、ＮＷＡのジュニアヘビー級王座は藤波さんやタイガーマスクが獲ったりするのもおもしろいし。

斎藤　あのＮＷＡジュニア王座を藤波さんやタイガーマスクが獲るというのは、新日本と**ＮＷＡフロリダ**の関係からなんですね。

鹿島　セントルイスのＮＷＡ本部ではなく、ＮＷＡフロリダですか！　また別の展開があるんですね。いや〜、底なし沼だ（笑）。

――では、ページの都合もありますので、ＮＷＡと日本の関係のさらに深い話は、引き続き次回もやりましょう！

【ＮＷＡフロリダ】
“世界最高峰ＮＷＡ”の加盟団体。本拠地はフロリダ州タンパで正式名称はＣＷＦ（チャンピオンシップ・レスリング・フロム・フロリダ）。エディ＆マイクのグラハム親子、デューク・ケオムカ、ヒロ・マツダらが役員。“アメリカンドリーム”ダスティ・ローデスのホームリングだった。活動期間は1960年代から80年代半ばまで。

第4回

“権威”とは、歴史の対立構造や価値基準によって作られる

プロレスマニアの間で長年、プロレス界の最高権威として位置づけられていたNWA（ナショナル・レスリング・アライアンス）。だがそれは、作られた幻想に過ぎなかったのか？

前回に引き続き、テーマはNWAがいかにして世界最高峰という権威をまとったのか、ついにその答えを出す!!

（『KAMINOGE104』2020・8）

「新日本はオリジナルとされる〝オクラホマ版〟のNWA世界ジュニア王者を呼んじゃうんですよ。それがタイガーマスクにベルトを獲られたレス・ソントンです」（斎藤）

――前回に引き続き、かつて〝世界最高峰〟と呼ばれたNWAについて、今回もさらに掘り下げていきたいと思います。

鹿島　70年代に新日本プロレスがなかなかNWAに加盟できず、新日ファンは猪木さんと悔しさを共有したわけですけど。80年代に入ると、タイガーマスクがNWA世界ジュニア王者になるじゃないですか。NWA世界ヘビー級王者は全日本が独占していたのに、ジュニアは新日本のベルトになったのは、どういった理由からだったんですか？

斎藤　まず大前提として、「新日本がNWAに加盟できるか、できないか」のストーリーがありますけど、あのときNWAのプロモーターたちの間で、主流派と反主流派の分裂というか利権争いみたいなドラマの伏線があったんですね。

鹿島　組織が大きくなるにつれて、派閥に分かれたわけですね。

斎藤　それで馬場さんは主流派を全部押さえていたんですけど、猪木さんはNWAに加盟するために、反主流派グループを押さえていったということになっています。たとえばロサンゼルスのマイク・ラベール。NWAフロリダのエディ・グラハムも、**ヒロ・マツダ**さんを通じて猪木さん側に付いた。あとはオレゴン州ポートランドのドン・オーエン、メキ

【ヒロ・マツダ】
フリーの日本人レスラー〝第1号〟。1937年、神奈川県出身。1957年、19歳で力道山門下でデビューするが、1960年、単身ペルーに渡り、翌1961年、アメリカ本土に移住。ダニー・ホッジを下しNWA世界ジュニアヘビー級王座を獲得（1964年）。国際プロレスの設立に関わり、日本プロレス、全日本プロレス、新日本プロレスのリングにも上がった。1999年、結腸ガンで死去。享年62。

シコのフランシスコ・フローレス。さらにＷＷＷＦ（現ＷＷＥ）のビンス・マクマホン・シニアも協力して、猪木さんが〝票固め〟をしていったというストーリーです。

鹿島　なるほど。政治の世界と一緒ですね！

斎藤　だけど、総本山セントルイスをはじめ、テキサス州アマリロのドリー・ファンク・ジュニア、ダラスのフリッツ・フォン・エリック、デトロイトのザ・シーク、そのあたりの主流派はすべて馬場さんの味方に付いているから、これは総会での加盟可否投票が開票になるまではわからないぞと。それで、いざ投票だとなったら、またしても加盟否決が多数で猪木さんが負けちゃった、ということがあったんです。

――それはホントのことなんですか？

斎藤　そこはわかりません（笑）。投票があったかどうかも。

鹿島　その投票自体がファンタジーかもしれない（笑）。

斎藤　そしてＮＷＡのジュニア王座は、タイガーマスクの前に藤波辰巳（当時）さんが１９８０年（昭和55年）２月にスティーブ・カーンを破って獲ります。あれは新日本と提携していたＮＷＡフロリダのタイトルだから新日本がゲットできたんです。

――ＮＷＡ全体ではなく、ＮＷＡフロリダという〝団体〟のベルトだったんですね。

斎藤　そうです。だから正式名称はＮＷＡインターナショナル世界ジュニア王座なんです。

鹿島　大勝軒中野店みたいな感じのベルトってことですね（笑）。

斎藤　それをたしか『ゴング』が報じたんです、藤波さんがスティーブ・カーンから獲ったベルトは、NWA世界ジュニア王座ではなく、NWAインタージュニア王座というベルトだと。「ダニー・ホッジの流れを汲む、本物のNWA世界ジュニア王座はオクラホマにある」という論旨ですね。

鹿島 たまらんですね。ついに新日本の藤波が「NWA」の名の付く世界のベルトを獲ったかと思ったら、それは本物ではなかった（笑）。

斎藤 そうしたら、オクラホマ版のNWA世界ジュニア王者になった経歴を持つロン・スターを新日本が呼んで、藤波さんのWWFジュニア王座に挑戦させて、藤波さんが勝つんです。

鹿島 ロン・スターに勝った藤波辰巳が、事実上の統一王者だということになると。何段論法も繰り広げられていたわけですね。

斎藤 その後、NWAインタージュニア王座は藤波さんが返上して、新チャンピオンの木村健悟さんからチャボ・ゲレロに移って。そのタイミングでチャボが新日本から全日本に引き抜かれたので、ベルトごと全日本に行ってしまった。それが、いまも全日本にある世界ジュニア王座の前身になるわけですから、それもまた凄い話なんです。

――1981年（昭和56年）の新日本、全日本の引き抜き合戦の最中、チャボ・ゲレロをNWAインタージュニアのベルトごと引き抜いたわけですもんね（笑）。

鹿島 レスラーを引き抜くだけじゃなく、〝最高峰〟も一緒に引き抜くという（笑）。

斎藤 それから新日本は、今度はオリジナルとされる〝オクラホマ版〟のNWA世界ジュニア王者を呼んじゃうんです。それがタイガーマスクにベルトを獲られたレス・ソントンなんですけど。

鹿島　レス・ソントンの場合は、なんでNWAジュニア王者を新日本が呼べたんですか？

斎藤　あの時点では、もうオクラホマのNWAテリトリー（リロイ・マクガーク派）がクローズしていて、あの白い革と丸い世界地図のデザインが有名なベルトはレス・ソントンの〝個人所有〟になっていたんです。

鹿島　個人所有（笑）。

斎藤　それでタイガーマスクがチャンピオンになったのを機に、権利そのものが移行して新日本管轄のベルトになったんでしょう。

鹿島　いや〜、NWAのジュニアは、ヘビー級と違って管理がずさんなところが、またおもしろいですね（笑）。

「フレアーとマーテルによるNWAとAWAの世界統一戦を全日本で実現できたのはなぜですか？」（鹿島）

斎藤　〝世界最高峰〟のNWA幻想っていうのは、NWA世界ヘビー級王座のベルトのことなんだと思います。70年代まではNWA加盟団体として機能していたテリトリーが、アメリカ国内だけで25カ所ぐらいあって、そこをひとりのチャンピオンが短期間ずつツアーするというシステムが、世界チャンピオンとしての大きなイメージを作っていたんでしょう。NWAに加盟している各テリトリーにはフロリダ州ヘビー級チャンピオン、ジョージア州ヘビー級チャンピオン、ミズーリ州ヘビー級チャンピオンといったローカルのチャンピオンがちゃんといて、NWA世界チャンピオンのハーリー・レイスが来ると、その土地のトップが挑戦するという格付けが確立していた。

鹿島　日本にNWA世界王者が来たとき、馬場、鶴田が挑戦するのと同じことが、アメリカ各地で行われていたってことですね。

斎藤　だから、ボクらが記録としては知らない〝幻のチャンピオン〟が、アメリカにはたくさんいたんです。たとえば、アトランタでミスター・レスリング（ティム・ウッズ）が時のNWA世界チャンピオンであるハーリー・レイスに勝って、会場をあとにするときは、たしかにベルトを巻いていたんだけど、翌週にテレビをつけると、なぜかベルトが何らかの理由によりレイスに戻っているというパターンです。

――「**オーバー・ザ・トップロープの反則**」があったため、王座移動は無効」とかですね（笑）。

鹿島　あとボクが子どもの頃、トミー・リッチが3日間だけNWA王者になったのもインパクトがありました。あれはなんだったんですか？

斎藤　当時、NWA内部にトミー・リッチ推しの派閥があったことはたしかなんですね。そういった政治的背景があっての三日天下だったんだと思います。

【オーバー・ザ・トップロープの反則】
対戦相手をトップロープごしに場外に落とすと自動的に反則負けになるというルール。アメリカでは70年代まで広く適用されていた。世界タイトルマッチで、ヒールのチャンピオンがベビーフェースの挑戦者をトップロープごしに落とした瞬間、レフェリーが反則裁定をコールし、観客が怒ったり、がっかりしたりという不透明決着、不完全燃焼シーンが頻繁に見られた。

――馬場さんが3度NWA王者になって、すべて数日間の天下でしたけど、同じようなことが起こっていたわけですね。

鹿島　鹿児島での馬場さんみたいなことが世界各地で行われていたと。

斎藤　ただ、馬場さんのNWA王座獲得は、さっき話した〝幻のチャンピオン〟とはちょっと違うんです。あの試合はテレビで放送されているので、映像が記録としてちゃんと残りますよね。

――アメリカでは、もっとシークレットな〝幻の王座移動〟がたくさんあったと（笑）。

鹿島　それは地元の興行を盛り上げるためってことですよね。

――ケリー・フォン・エリックが地元テキサス州ダラスでリック・フレアーに勝って、短期間だけNWA世界王者になったのは、馬場さんのNWA世界王座奪取と構図が似ているんじゃないですか？

斎藤　あれはテキサス・スタジアムで開催されたデビッド・フォン・エリックの追悼興行だったから、ちゃんとテレビで放送されているので、NWA王座移動は完全に認められてます。その3週間後に地球の裏側の横須賀でフレアーがケリーから王座を奪い返して、短命王者に終わってしまいましたけど、王座移動がしっかり映像に残っている分、グローバルなドラマとしてのスケールの大きさはあったと思います。

――でも、リターンマッチは横須賀でやったから、地元ダラスのファンは、ケリーが負けるところは誰も観ていないわけですよね（笑）。

斎藤　そうです。アメリカ国内ですらなかったので。

鹿島　日本での王座移動っていうのが、うまいこと使われてたってことですよね（笑）。そう考えると、1985年（昭和60年）10月に全日本のテレビ放送がゴールデンタイムに戻ったとき、フレアーとリック・マーテルが**NWAとAWAの統一戦**をやったじゃないですか。

斎藤　ありましたね。NWAとAWAの世界統一戦というのは、アメリカでも実現していないんです。

鹿島　それが全日本で実現できたのは、当時もうNWAの影響力が小さくなっていたんですか？　それとも単純に馬場さんの政治力が凄いのか。

斎藤　ふたつの説がありますね。大プロモーターの馬場さんだからできたっていうのがひとつ、もうひとつはNWAにもAWAにも確認しないでやった。

鹿島　あっ、聞かないでやっちゃった。日本でこっそり（笑）。

斎藤　こっそりって言うと言葉は悪いけど、馬場さんなり、エージェントのドリー（・ファンク・ジュニア）さんなりがNWAとAWAの本部に電話をして、「こういうタイトルマッチをやりますけれど、了承していただけますか」っていうやり取りはなかったとボクは思うんです。

鹿島　そこはあとから馬場さんの顔でなんとかする、という。

斎藤　どうして了承を取っていないと感じたかというと、当時、ボクは『週刊プロレス』

【NWAとAWAの統一戦】
1985年10月21日、全日本プロレスのリングで一度だけ実現したNWA世界王者リック・フレアー対AWA世界王者リック・マーテルのダブル・タイトルマッチ（両者リングアウトの引き分け）。『全日本プロレス中継』（日本テレビ）のゴールデンタイム復帰に合わせてジャイアント馬場が〝外交力〟を発揮した企画だった。

の新米記者として、フレアーvsマーテルが行われた両国国技館に取材に行ったんですけど、ある人物がボクに対して「**馬場元子**さんからのメッセージ」として、「今日の試合の情報をアメリカに流しちゃダメだよ」って釘を刺しに来たんです。

鹿島　フミさんは当時すでに国際的なネットワークがあったから、情報漏洩が警戒されたんですか（笑）。

斎藤　アメリカにいろんなことを言っちゃう小僧だと思われていたのか、「この試合のことをアメリカの雑誌に漏らしちゃダメだからね」っていうメッセージで念を押されたんです。

「ハルク・ホーガンはシチュエーションを読みきるセンスというか、ビジネス的なハンドリングに長けているんだと思う」（斎藤）

――でも秘密にしようにも、思いっきりゴールデンタイムに全国放送されていた試合ですけどね（笑）。

斎藤　そうなんですよ。当時はマニアはもうテレビ番組をビデオで録って次の日にはアメリカに送ってます。なのに「アメリカに流しちゃダメ」って伝言が来て。

鹿島　凄い話だなあ（笑）。

斎藤　ボクが言わなくたって明日にはアメリカ中の関係者には伝わってますよ。でも、発想としてはプロレス村社会っていう感覚が強かったのか、「あなたさえ黙っていれば済むこ

【馬場元子（ばば・もとこ）】
ジャイアント馬場夫人。全日本プロレスのバックステージのボスとしてマスコミ関係者とその報道内容に常に目を光らせている存在だった。1940年1月2日、兵庫県出身。馬場との出会いは馬場の読売ジャイアンツ在籍時代までさかのぼる。長いあいだ結婚は〝非公開〟だったが、1982年に発表。三沢グループの独立―プロレスリング・ノア設立に対して老舗・全日本を存続させた。2018年4月、死去。

となんだからね」的な。ビックリしましたね。

鹿島　1985年でそういう情報管理体制っていうのも、牧歌的でいいですね（笑）。ただ、情報漏洩を警戒するほど、デリケートな大一番だったということですね。

斎藤　でも、アメリカ本国に対してそんなに神経質にならなくても、ちょっと考えればタイトル移動があるはずない試合じゃないですか。フレアー、マーテルのどっちが勝っても、アメリカに帰ったら両団体で同時に防衛活動することはまずありえないわけだから。

鹿島　ファンも「引き分けだろうな」と思いながらも、NWA、AWAの二大王者がそれぞれのベルトを賭けて闘う姿を観ただけで、とりあえず満足しましたからね。

斎藤　だからアメリカでも一度も実現したことがないダブル・タイトル戦をやったというのは、やっぱり馬場さんの力だと思います。

——余談ですけど、あのシリーズで馬場さんはハルク・ホーガンも呼んで、NWA、AWA、WWFの三大王者揃い踏みをやろうとしていたんですよね。

斎藤　ちょうど、新日本とWWFの業務提携が終わったばかりの時期だから、不可能ではないですからね。

——『全日本プロレス中継』がゴールデンタイムに移行するときの煽り番組で、テリー・ファンクが「NWA、AWA、WWF、すべてのチャンピオンが集まるよ」って、予告していたんですよ。

斎藤　おそらくテリーは「俺がホーガンを呼んでやる」みたいなことを馬場さんに伝えて

いたんでしょう。当時のテリーだったら、「俺が電話を1本入れれば、ハルク・ホーガンが来る」っていう確信があったと思います。テリーはホーガンがもっともリスペクトしていた先輩なので。でも、ホーガンもそのあたりは賢いというか、駆け引きに長けているというか、「そういうお話がありましたよ」っていうのをオフィスにすぐに報告して自分のためのイシューに変換するんです。１９８１年（昭和56年）12月にスタン・ハンセンが全日本に移籍したときと同じで。

鹿島　ライバル団体からもオファーがあることを匂わせて、自分の価値を高めるわけですね。

斎藤　ハンセンが全日本に移籍したとき、ホーガンもテリーから移籍の話を持ちかけられていましたけど、自分は新日本に残留して、次のシリーズからすぐにベビーフェースとして新日本の外国人組エース兼日本側の助っ人的ポジションになりましたからね。そこはシチュエーションを読みきるセンスというかビジネス的なハンドリングには長けてるんだと思います。

——あのあたりから、ホーガンは日本の団体が手の届かない存在になっていきましたからね。

斎藤　NWA世界王者対AWA世界王者のフレアーとマーテルの試合は、リング上でのマーテルのフライングクロスボディをフレアーがキャッチしたままオーバー・ザ・トップロープ状態で場外に転げ落ちて、両者リングアウトの引き分けに終わりましたね。ちょっと自慢していいですか？　そのフレアーvsマーテル、ボクは両国の花道の通路でビル・ロビンソン先生の生解説を聞きながら観ていたんです。

鹿島　凄い！（笑）ロビンソン先生は、あの試合についてどんなことをおっしゃっていましたか？

斎藤　ふたりのファイトぶりを褒めていましたね。親指を立てて「凄くいい試合だった！」って。ロビンソン先生は、〝**蛇の穴**〟出身ですけど、べつに関節技とかそういう技術だけを評価基準にしているわけじゃなくて、プロレスをプロレスとして観ているんです。実際、AWAのレスリングキャンプでは、ロビンソン先生がコーチとして、練習生時代のフレアーを指導しましたしね。

――あの試合、ボクはリック・マーテルのベストバウトじゃないかと思ってるんですけど。

斎藤　日本におけるベストマッチでしょうね。

――マーテルってベビーフェースのチャンピオンなのに、日本ではどうしてもジャンボ鶴田の敵役ということでヒールをやっていたじゃないですか。それがフレアー戦では、ベビーフェース的な闘いぶりで追い込んでいって、凄くよかったんですよ。

斎藤　フレアーがちゃんとヒールをやったことで、リック・マーテルのベビーフェース的な動きがわかりやすく見えたんですね。ジャンボさんvsマーテルはあまり試合内容はおもしろくなかったから（笑）。

鹿島　組み合わせとして、よくなかったですよね。

【蛇の穴】
イングランド・ウィガンの名門キャッチ・アズ・キャッチ・キャン道場『ビリー・ライレー・ジム』の愛称〝スネーク・ピット〟の和訳。若き日のカール・ゴッチ、ビル・ロビンソンらが汗を流した道場として名高い。

斎藤　立ち位置が中途半端で地味なだけになっていましたよね。でもＮＷＡとＡＷＡとのダブルタイトル戦のときは、フレアーがズルいことをして、それに怒るマーテルみたいな構図がハッキリしていて凄くわかりやすかった。

鹿島　ＮＷＡとＡＷＡの統一戦というより、ＮＷＡ王者のフレアーにＡＷＡ王者のマーテルが挑戦するような感じが、しっくりきたんですよね。

「藤波辰爾さんがリック・フレアーからＮＷＡ世界王座を奪取しましたけど、いったい何が公式記録なのか？」（鹿島）

斎藤　やはりそこは、〝世界最高峰ＮＷＡ〟という幻想が効いていたんでしょう。だから日本におけるＮＷＡ観っていうのは、ボクらひとりひとりのプロレス観とつながっていると思うんです。子どもの頃、「ＮＷＡは世界最高峰」として教わった一種の教養のようなものを、大人になってからどう捉えるか。「世界最高峰は幻想だった」なんて言うと、いまだに本気で怒り出す人たちがいますからね。

鹿島　信じていたものを汚された、みたいな（笑）。

斎藤　だからボクはよく文句を言われます。「なんで、そんなことを言うんだ！」って。

鹿島　でも、「ＮＷＡは世界最高峰」という定説がどのようにしてできたのかを知るのは、大人としておもしろいですよね。

斎藤　実際、ジャイアント馬場さんもアントニオ猪木さんもコントロールできない、日本のプロレス界全体よりもさらに上に位置するところの「世界最高峰」というストーリーをボク自身も子どもの頃、楽しみましたしね。そして「世界最高峰」という幻想が終わっていく歴史の転換を目撃することができたじゃないですか。80年代後半になると、アメリカ中のテリトリーを統括していたはずのＮＷＡが、ＮＷＡクロケット・プロというひとつの団体主導みたいになってしまって、80年代の終わりには、それも倒産してＷＣＷという新会社に模様替えしてしまう。それでもＮＷＡのベルトだけは残って、今度は新日本でタイトルマッチが行われるようになるわけです。ガンツくんは、**蝶野正洋が第２回Ｇ１クライマックスで優勝して獲ったＮＷＡ世界王座**は嫌いなんだよね？

――嫌いというか、もう別物じゃないですか。ＷＣＷ世界ヘビー級王座が別にあって、〝日本向けのベルト〟として新日本が借りた感じで。

鹿島　ＮＷＡフロリダから借りたＮＷＡインタージュニア王座みたいな（笑）。

――でも武藤敬司が90年の凱旋帰国前に、グレート・ムタとしてリック・フレアーのＮＷＡ世界王座にアメリカで連続挑戦していたのは燃えましたけどね。武藤が本場アメリカでＮＷＡ王者になるんじゃないかって。だから最後のＮＷＡ幻想は、武藤ですよ。

斎藤　武藤がいたからこそ、新日本もＷＣＷとの提携に傾いていったわけですからね。

鹿島　その流れで、１９９１年３月の東京ドームで、藤波辰爾さんがリック・フレアーからＮＷＡ世界王座を奪取するわけですよね。

【蝶野正洋が第２回Ｇ１クライマックスで優勝して獲ったＮＷＡ世界王座】
新日本プロレスとＷＣＷの業務提携から第２回Ｇ１（１９９２年）で実現した〝ＮＷＡ世界王座決定トーナメント〟。決勝戦でリック・ルードを下した蝶野が〝フレアー・モデル〟の黄金のチャンピオンベルトを腰に巻いた。しかし、かつての〝世界最高峰ＮＷＡ〟の系譜との整合性を疑問視する声もあった。

――でも、あれは藤波さんがドームでベルトを巻いたのに、翌日に裁定が覆って、〝幻の王座移動〟になったんですよね（笑）。

斎藤　それこそ試合中にオーバー・ザ・トップロープの反則があったということで。

――それで2カ月後の5月19日にアメリカでフレアーvs藤波の再戦がNWA世界ヘビー級新王者決定戦として行われて。

斎藤　でも、日本でこそ新王者決定戦と言いながら、あの時点でアメリカ国内ではフレアーに王座が戻っているんですね。

鹿島　複雑だなあ（笑）。

――結局、フレアーが勝って、元の鞘に収まるという（笑）。

斎藤　だから東京ドームでの王座移動というのは、正式には記録に残らなかったんです。でも2015年に藤波さんがWWE殿堂入りしたときは、ちゃんとフレアーからNWA世界王座を奪取したことになっていた。

鹿島　NWAの公文書改ざんが行われていたと（笑）。

斎藤　改ざんというか、もともとWCWもそこらへんの処理があまり丁寧じゃなかったんですね。WCW世界王座とNWA世界王座をきっちり分ける前は、同じベルトをあるときは「NWA世界王座」って言ったり、またあるときは「WCW世界王座」って言ったりしていた時期もあるんです。解釈がアバウトなんですね。

鹿島　だから何が公式記録なのかってことですよね。

斎藤　アメリカには『**プロレスリング・イラストレーテッド**』っていう雑誌が記すところの年表があって、いま50代以上のマニア層はＷＷＥが〝公式〟としているものよりも、そっちを正しいと思っていたりしますしね。

鹿島　歴史の年表って、その時代時代の解釈の違いで書き足されていったりしますもんね。

斎藤　そう思います。だからボクらはいま、現時点での解釈を語っているけど、20年後のプロレスマニアが語ったら、また違った新しい解釈が成立しているかもしれない。ＮＷＡと日本のプロレスファンの付き合いは長いですから。

鹿島　90年代前半は、新日本がここぞとばかりにＮＷＡを使い倒したりして、おもしろかったですよ（笑）。

斎藤　かつて手に入らず屈辱を味わったぶん、元をとるようにね（笑）。

「ＮＷＡ幻想の終焉は、日本のファンのプロレスを見る目が成熟していく過程でもあったと思う」（斎藤）

鹿島　おもしろいのが、旗揚げ以来ずっとＮＷＡを至上の価値としていた全日本が、90年代の四天王の時代に入るとまったくＮＷＡに見向きもしなくなったことですよね。

斎藤　ＮＷＡに対して、意外と早めに見切りをつけたのは馬場さんのほうなんですね。

鹿島　そこも凄い話ですよね。１９８５年にはＮＷＡ・ＡＷＡダブルタイトルマッチとか

【プロレスリング・イラストレーテッド】
アメリカのプロレス専門誌。マニアの間ではアプター・マガジン（シニア・エディターのビル・アプター氏）として親しまれている。アプター氏はすでに勇退したが、現在でも月刊誌として発行されている〝紙の雑誌〟の最後の生き残りのひとつ。

をやっていたのに、数年後にはキッパリと見切りをつけるという。

斎藤　実際、1989年（平成元年）3月にリッキー・スティムボートがNWA世界王者として来日して、素顔の三沢光晴になる前の二代目タイガーマスクとタイトルマッチをやっても、まったくピンとこなかったでしょ？

——リッキー・スティムボートくらいだと、いくらNWA世界王者といえども、当時のジャンボ鶴田、天龍源一郎という一線級が〝挑戦〟するような相手じゃないから、3番手のタイガーマスクが挑戦ってことだったんでしょうね。

斎藤　馬場さん的にはスティムボートの評価が低かったんだと思います。

鹿島　フレアーならともかく、リッキー・スティムボートが巻いていたら、「これはもう大関ベルトだよ」っていう。

斎藤　あのときは来日直前にスティムボートがフレアーに勝って、チャンピオンが変わったんですね。でも、たとえフレアーが来ていたとしても、当時、鶴田vs天龍の凄くハードな日本人トップ対決をやっているときにフレアーvs鶴田のNWA戦をやっても、ファンは食い足りなく感じたでしょうね。「なにこれ？　ゆるいプロレスやめろ！」みたいな。

——フレアーvs天龍だったらよかったかもしれないですけどね。1990年4月、『日米レスリングサミット』でのランディ・サベージ戦よりも早く、天龍さんがアメリカンプロレスに開眼していたかもしれないし。

斎藤　天龍さんが意外な一面を発揮することはあったかもしれない。でも、当時のフレアーの評価も日本ではまだそこまでは高くなかったんですよね。

鹿島　そうですよね。オーバーアクションだけのヤツ、みたいな（笑）。

斎藤　だからNWA幻想の終焉(しゅうえん)は、日本のファンのプロレスを見る目が成熟していく過程でもあったと思う。平成になると「日本人対決に勝るものはない」って考える人たちのほうが多くなっていた。

鹿島　80年代後半から全日本でもそうなりましたよね。そのファン気質が変わったことに馬場さんが気づいて、NWA至上主義の路線から完全に転換しちゃったのも凄いですよね。

斎藤　全日本プロレスカラーっていうのは、旗揚げから80年代前半までは、外国人の超一流レスラーが主役だった。それがジャパンプロレスが来ることで変わっていって、長州軍団が去ったあとは、天龍さんがいわばヒールのトップになった。

――いま風というか、アメリカ風に言うと、天龍革命っていうのは、天龍さんのヒールターンですもんね。

斎藤　それまでは鶴龍コンビで、ジャンボさんに次ぐ2番手だったのに、鶴龍を分解することで、〝東の正横綱〟と〝西の正横綱〟になったわけです。

鹿島　そうなると経費的にも助かりますよね（笑）。

斎藤　大物外国人を呼ぶよりはかからないでしょうね（笑）。

「結局、NWA主流派vs反主流派といったストーリーもすべて日本のプロレス史を形成してきた馬場―猪木の対立構造そのものだった」（斎藤）

鹿島　それで試合内容もよくなって、ファンの支持も得られるなら、団体としても日本人対決中心のほうがいいやっていう。

斎藤　それがそのまま四天王プロレスにつながるわけですが、その一方で90年代に入って猪木さんが政界進出後、アメリカンプロレスにぐーっと近づいていったのが新日本だったというのは意外な展開でした。

鹿島　昭和プロレスでは、日本人対決中心の新日本、豪華外国人の全日本だったのに、平成に入った途端に逆になるのがおもしろいですよね。

斎藤　新日本もやっぱり、NWA王者や豪華外国人レスラーを呼びたかったんでしょうね。そもそも巨大なNWA幻想がなかったら、IWGPという新しい世界統一機構を設立しようという発想は出てきませんから。

――NWA王者を呼べなかったからこそ、NWAより上の権威を作るしかなかった、ということですよね。

斎藤　NWAありきの世界観の中で、「いや、IWGP世界統一機構こそ頂点だ」というアンチテーゼですね。事実、ボクらはそれをちゃんと信じたもんね。

――わざわざヨーロッパとか世界各国のプロモーターを日本に呼んで、IWGP開催についての会議とかやってましたもんね。

鹿島　それって、NWA総会と一緒じゃないですか（笑）。

斎藤　まさにそうなんです。カナダからフランク・タニー、ニューヨークからビンス・マクマホン・シニア、ロサンゼルスからマイク・ラベール、メキシコからフランシスコ・フローレスなど、世界の大物プロモーターが一堂に会す機会をわざわざ作って。そこまでやったIWGP世界統一機構という壮大なテーマを、当時のファンはみんな信じた。

——みんな「ついに猪木が世界一になるんだ！」って思いましたよね（笑）。

鹿島　新間寿さんのインタビューとかで洗脳されてね。だけど馬場さんは「いや、IWGPというローカルタイトルがひとつ増えるだけだろ」みたいなことを言うから、「そうかもしれない」ってちょっと気づいちゃったのもあるんですけど（笑）。

斎藤　実際、開催前は「世界各国でツアーをやる」と言われていたのに、いざ蓋を開けてみたら、すべて日本で行われて、外国人選手も目玉はアンドレ・ザ・ジャイアントとハルク・ホーガンだったので、「なんか、**MSGシリーズ**とあんまり変わってないな」みたいな。

鹿島　世界各地で予選を行い、勝ち抜いてきた選手が集結するって話だったのに、ヨーロッパ代表が凱旋帰国したばかりの前田日明でしたからね。まあ、それでよかったんですけど（笑）。

——説得力を持たせるために、わざわざ「ヨーロッパヘビー級王座」っていうベルトまで巻かせて（笑）。

【MSGシリーズ】
ニューヨークのひのき舞台マディソン・スクウェア・ガーデンの頭文字を用いたシリーズ興行。オリジナルは日本プロレス（1967年）で、全日本プロレスもこのシリーズ名を使用したことがあったが（1974年）、新日本プロレスは春の本場所『MSGシリーズ』を公式リーグ戦として5年連続で開催した（1978年〜82年）。

斎藤　でも、ＩＷＧＰはホーガンが猪木さんを**舌出し失神ＫＯ**で下すという、歴史的な事件があっただけでもプロレス史に大きな足跡を残したから、それはそれで全然いいんですけどね。あそこからいろんなものが派生していったと考えれば、凄く豊かなプロレスの見方を教えてもらったと感じられます。

――自ら作ったＩＷＧＰという権威に収まらずに、舌出し失神という大スキャンダルを起こすところも、凄く猪木さん的ですしね。

斎藤　結局、猪木さんにとってＮＷＡ幻想というのは、馬場さんそのものだったような気がします。そのＮＷＡを超えるために、プロボクシング世界王者のモハメド・アリや、柔道金メダリストのウィリエム・ルスカと異種格闘技戦をやったり、ＩＷＧＰを発案したりしたわけだから。

鹿島　ＮＷＡ＝馬場であり、それ以上の価値を持ってくるという。

斎藤　ＮＷＡ主流派vs反主流派といったストーリーもすべて、馬場―猪木の対立構造だったんです。日本のプロレス史を形成してきた、馬場vs猪木の対立構造を理解するために欠かせない価値観あるいは価値基準が「世界最高峰ＮＷＡ」だったんだと思います。

【舌出し失神ＫＯ】
『ＩＷＧＰ決勝リーグ』第１回大会（１９８３年）決勝戦で、ハルク・ホーガンのアックスボンバーによりアントニオ猪木がエプロンから場外に転落して頭部を強打。〝舌出し失神ＫＯ〟負けでそのまま救急車で病院に搬送された事件。その真相については諸説がある。

第5回

情報の確認と検証が されないまま “真実らしきもの”が 作られていくネット時代

1988年7月16日、プエルトリコのバヤモン・スタジアムでブルーザー・ブロディがレスラー兼ブッカーのホセ・ゴンザレスに刺殺されるというショッキングな事件は、ずっとプロレスファンの記憶に残り続けている。あれから30年以上が経ったいまでも事件の〝真相〟について議論がなされているが、ここではブロディ刺殺事件から立ち上がるプロレスの本質、さらには社会の構造についても語る。

（『KAMINOGE105』2020・9）

「『ダークサイド・オブ・ザ・リング』を作っているプロデューサーはまだ30代で、いわばネット世代のメディアなんです」（斎藤）

――当連載第5回のテーマは、ブルーザー・ブロディを通じて、プロレスを考えてみたいと思うんですよ。レスラーとマッチメーカーの関係性だったり、プロレスにおける勝敗の意味を考えるには、うってつけの存在かなと。

斎藤　プロレスを考える上で避けては通れないテーマを、ブロディを通じて考えるわけですね。

鹿島　また我々昭和からのプロレスファンは、いまだに夏になるとブロディのことを思い出すじゃないですか。

斎藤　プエルトリコでホセ・ゴンザレスに刺されて亡くなったのが、1988年（昭和63年）7月16日で、日本武道館で追悼興行が行われたのが同年8月29日ですから、あの事件が夏の記憶として、30年以上経ったいまでも鮮明に残っているんでしょうね。

鹿島　だから夏になるとブロディという死者に思いを寄せるというのがプロレスファンのお盆ですよ（笑）。最近、Huluでもブロディ刺殺事件のドキュメンタリー番組が作られたりして。

斎藤　『**ダークサイド・オブ・ザ・リング**』ですね。日本ではまだシーズン1しか配信されていませんけど、アメリカではもうシーズン2の8話目ぐらいまでいってるんですね。デ

【ダークサイド・オブ・ザ・リング】
プロレスラーの死、事件などを取り上げたアメリカのドキュメンタリー・シリーズ。ケーブルTV、動画配信サービスで視聴できる。2019年4月からスタート。シーズン3まで製作されている。

イノ・ブラボー殺人事件とか、もちろん**クリス・ベンワーと妻ナンシーの事件**もあるし。

鹿島　うわー。ダークサイドですねえ。そういうプロレス事件ものを取り上げるのは別冊宝島だけかと思ったら、ちゃんとアメリカでもダークな案件はやってくれてるっていう（笑）。

斎藤　シーズン2ではロード・ウォリアーズの話もあったんですけど、その回についてはボクの英語版ポッドキャストでもガンガンに文句を言ったんです。なぜなら、もう亡くなっているホークを一方的に悪者にしたような物語になっていたんです。

――80年代最高のタッグチームが壊れたのは、ホークのせいだと。

斎藤　アルコールとドラッグの依存症だったホークがチームを破滅させたっていうストーリーになっていて。でも、それは違う！　途中、アニマルがホークとパワー・ウォリアーのヘルレイザーズの映像を観て、「あんなもの作りやがって」って話すシーンがあるんですけど、ニュアンス的にはジョークとしての発言ですよ。そういうアニマルや、マネジャーだったポール・エラリングのコメントを、自分たちの構成に合わせてつないでいる。

鹿島　ちゃんと俯瞰（ふかん）した内容にはなっていなかったわけですね。

斎藤　なぜ、そういう構成になったのか。その理由のひとつとしては、『ダークサイド・オブ・ザ・リング』を作っているプロデューサーは、まだ30代なんですね。

鹿島　あっ、けっこう若いんですね。

斎藤　いわばネット世代のメディアなんです。だから80年代、90年代のことがてんでリサ

【ディノ・ブラボー殺人事件】ディノ・ブラボー（本名アドルフォ・ブリシアーノ）が犠牲者となった殺人事件。１９９３年３月10日、ブラボーは自宅に侵入してきた暴漢によって射殺された。外国タバコの密輸とその流通にからんだ犯罪だったといわれている。ブラボーはWWE、カナダ・モントリオール、新日本プロレスなどで活躍したパワーファイター。

【クリス・ベンワーと妻ナンシーの事件】２００７年６月24日、クリス・ベンワーが、ジョージア州フェイヨッテビルの自宅で妻ナンシー、7歳の息子ダニエルを殺害したあと、翌25日に自殺をとげた事件。司法解剖とその後の脳解剖分析の結果、ベンワーは脳し

ーチ不足のまま作られている気がします。

――ひととおり事件の概要はネットで知ってるけど、その時代特有の事情みたいなものは、皮膚感覚としてわからないわけですね。

斎藤　シーズン1ではブレット・ハートとショーン・マイケルズの〝**モントリオール事件**〟の回もありましたけど、あの事件が少年時代にリアルタイム体験だった世代の人たちですよね。

――日本で言えば、『**週刊ファイト**』の**I編集長**言うところの〝平成のデルフィン〟世代ですね（笑）。

鹿島　懐かしい（笑）。フミさんは、ブロディの本も出していらっしゃいますけど、あのドキュメンタリーはどうご覧になられました？

斎藤　「ちょっと、ここは違うな」と思う部分はいくつかありましたけど、ちゃんと奥さんのバーバラ・グディッシュさんと、息子のジェフリーさんが出演していたのはよかったと思いましたね。

鹿島　ブロディメモリアル興行で来日したときは、小さな子どもだったジェフリーくんが、お父さんそっくりな大人になっているという。

斎藤　ヒゲや長髪ではないけど、そっくりですよね。ブロディが死んだときはまだ7歳で、その子が今年で40歳になろうかっていうぐらいの時間が経過している。ボクらも歳をとるはずですよ（笑）。

んとうの後遺症による若年性認知症を発症していた可能性が指摘された。アメリカではダブル・マーダー・スアサイド（二重殺人・自殺事件）、日本では無理心中と、その解釈が分かれた。WWEの公式記録からはベンワーに関する項目がすべて削除された。

【モントリオール事件】プロレス史に残るミステリアスな事件。ブレット・ハート対ショーン・マイケルズのWWE世界選手権で、リングサイドに現れたビンス・マクマホンがレフェリーに合図をして試合をストップし、〝台本〟にない王座移動が起きた。事件の一部始終はドキュメンタリー映画『レスリング・ウィズ・シャドウズ』に克明に描かれている。1997年11月9日、カナダ・モン

鹿島　あとボクなんかは、証言者として懐かしい名前がちらほら出てくるのもおもしろかったですね。「トニー・アトラスってあんなにいいヤツだったんだ」とか（笑）。

斎藤　ただ、そのトニー・アトラスも30年越しでコメントが微妙に変わっているんです。

鹿島　あっ、そうなんですか？

斎藤　ウソは言っていないと思いますが、記憶が再構成されているんじゃないかと思うんです。というのも、『ダークサイド・オブ・ザ・リング』だけじゃなくて、ブロディ事件を扱ったYouTube動画やポッドキャストなどを含めて、この事件で必ず登場するのがトニー・アトラスなんです。

――「ブロディ刺殺事件をよく知るといえば、この人！」って感じで、おなじみの証言者なんですね（笑）。

鹿島　野菜の価格高騰がニュースになると、ワイドショーとかにかならず登場する食品スーパー『アキダイ』の社長と同じで（笑）。

斎藤　だからあの番組はドキュメンタリーとしておもしろいんだけど、当事者に直接アタックはしていないところがちょっと不満でした。〝あの事件を知る人〟のインタビューばかりでしょ？

鹿島　トニー・アトラス以外だと、アブドーラ・ザ・ブッチャー、ダッチ・マンテルとかが出てましたよね。

斎藤　だったら、なぜボスである**カルロス・コロン**にインタビューできていないのかとか、

トリオール『サバイバー・シリーズ』。

【『週刊ファイト』の I 編集長】
I 編集長の愛称で親しまれた『週刊ファイト』の名物編集長。井上義啓（いのうえ・よしひろ）。1934年生まれ。神戸商科大学卒業後、新大阪新聞社入社。1974年より編集長、出版局局長を歴任。『猪木は死ぬか！』など著作多数。在阪のタブロイド新聞ならではのアウトサイダー的な立ち位置で〝文学的プロレス記事〟を構築した。故人。

【カルロス・コロン】
プエルトリコWWC（ワールド・レスリング・カウンセル）のオーナー・プロモーター兼レスラー。1948年7月18日、プエルトリコ・セントイザ

実行犯のホセ・ゴンザレスには接触を試みたのかとか、プエルトリコの関係者にひとりでも当たったのか、という核心的な部分です。

「大きなくくりを守るためには多少の犠牲は仕方がないみたいな考えって、どこででも起こりうる話のような気がします」（鹿島）

――話を聞きやすい人だけに聞いて構成したんじゃないかと。

鹿島　ボクらは当時、あの事件についてはプロレス雑誌や東スポでしか知ることができず、「どうやらマッチメーカーと揉めて、シャワールームで刺された」っていうくらいの情報しかなかったわけですけど。ズバリ、事件の〝真相〟はどう考えられていますか？

斎藤　刺殺犯のゴンザレスがマッチメーカーだから、マッチメイクで揉めたことが事件の原因と考える向きもありますよね。でもブロディが殺されたことと、ブロディがマッチメイク破り、ブッキング破りをする人だったというのは、ボクはこの件に関しては直接の関係はないと思っています。マッチメイクでトラブルになることはあったとしても、殺すまでは至らないでしょう。

鹿島　まあ、そうですよね。

斎藤　犯行動機は、ホセ・ゴンザレス個人の積年の恨みだったのではないか。というのは、ブロディとゴンザレスの因縁のようなものは、事件の10年以上前、１９７６年あたりまで

ペル出身。長男カリート、次男プリモもプロレスラー。「ブルーザー・ブロディ殺人事件」の舞台となった興行のプロモーターだったため、事件の黒幕とウワサされたことがあった。

さかのぼるんです。当時、ブロディがデビュー3年目のルーキーで、「ブルーザー・ブロディ」というリングネームをビンス・マクマホン・シニアからもらい、WWWF（現WWE）のリングでブルーノ・サンマルチノが持つ王座に挑戦した時代、同じバックステージにいたのが、まだインベーダーになる前のホセ・ゴンザレス。ふたりは売り出し中の若手みたいな感じで、パンフレットなんかに一緒に写り込んでるんです。

鹿島　〝同期生〟みたいな感じだったんですね。

――ブロディは若手大型ヒールで、ゴンザレスはプエルトリコ系の観客向けのヒーローみたいな感じだったんですよね？

斎藤　そうです。ゴンザレスはスーパースターではないけど、中堅のベビーフェースですね。それで当時、東海岸のハウスショーのサーキットでは、第4試合くらいのポジションで何度もブロディvsゴンザレスが組まれていて、毎回ブロディが一方的に秒殺していたんです。その恨みがずっとあったとも言われています。

――でもブロディが勝ち続けるっていうのは、マッチメーカーの意向じゃないんですか？

斎藤　もちろんそうなんでしょうけど、それ以上にブロディは眼中にないゴンザレスを一方的に踏んづけていったんでしょう。

――なるほど。勝つだけじゃなくて、ゴンザレスに一切の見せ場を与えないほど一方的な試合をしていたわけですね。

鹿島　ブロディは、身体の小さなレスラーを認めていなかったと言われてますもんね。だから長州力とタッグでやったときも、長州さんの技を受けずに、顔面を蹴りまくるような試合をしたり。

斎藤　ゴンザレスも大きな選手じゃないですから、ブロディからしたら無自覚に踏み潰していたんでしょうね。でも踏み潰されたほうは、ずっと憶えているものでしょ。

鹿島　なんか、いじめ問題にも通じるものがありますね。

斎藤　そして時が経ち、ゴンザレスはプエルトリコWWCのマッチメーカーになり、ブロディはそこに参戦してくるわけですけど。ご存知のとおり、ブロディはそう簡単にマッチメーカーの言いなりになるようなレスラーじゃない。

鹿島　ゴンザレスからしたら、大人になって出世したのに、そこにかつてのいじめっ子が大きな顔して来てしまったような感じだったわけですね（笑）。

斎藤　だから本当に嫌だったんでしょうね。あの事件が起こった1988年当時、プエルトリコの団体WWCを運営するキャピトルスポーツ社は、カルロス・コロンが社長で、その下の役員としてビクター・ヨヒカがいて、ゴンザレスはその下のナンバー3だったんですね。ところがキャピトル社の株をブロディが買うことになって、これから役員になるところだったんです。それでブロディに会社に入ってほしくないゴンザレスが犯行に走ったというのが、ボクなりの推理です。

鹿島　もともといたゴンザレスからすれば、「なんでブロディが役員になるんだ！」っていう。プエルトリコにおいても、自分の上になるわけですもんね。

斎藤　だったら〝消す〟しかない、という結論に至ってしまったのではないかと考えられますよね。だからボクは、カルロス・コロンが代表を務めるWWCが会社ぐるみでブロディを暗殺したとは思えない。ゴンザレスがブロディをシャワールームで刺したあと、一度どこかにいなくなって、また会場に戻ってきたり、事件の前日、ゴンザレスが車でブロディを送り迎えしていたりなど、単独犯行を思わせる状況証拠もある。

――だけど、あの事件を隠蔽（いんぺい）したのは、会社ぐるみだったんじゃないかと思うんですけど。

斎藤　隠蔽っていうか、きっとそれは〝マフィア的な発想〟があったんだと思うんです。どういうことかと言うと、「殺されたブロディはブラザー。殺したゴンザレスもブラザー。本当はみんなファミリーじゃないか。ゴンザレスが有罪になったら、プエルトリコのビジネスはダメになり、地元のレスラーやその家族が路頭に迷うことになるだろう。だったら、ゴンザレスの正当防衛ということにしたほうがいい」と。そういう考えで、カルロス・コロンがゴンザレスにいい弁護士をつけてあげたっていう筋立てが真相に近いのではないかとボクは考えています。

鹿島　共同体が食っていくために防衛したってことですか。

斎藤　もちろん、おかしなロジックだと思いますよ。でもプエルトリコではそういう解決策が選択されたのでしょう。そして、ゴンザレスの正当防衛を証明するために、ブロディがどれだけ凶暴で横暴な人間なのかを示す証拠として提出されたのが、ブロディの試合映像でした。

――そんなの、ブロディはチェーンを振り回して暴れるのが仕事じゃないですか！（笑）

斎藤　信じられないことだけど、これは本当のことで、結局、裁判はすぐに結審してゴンザレスは無罪になった。当時、現場にいたアメリカ人レスラーたちは、証人として法廷に呼ばれることもなくね。そうやって闇から闇に葬り去られたんです。だから会社ぐるみでゴンザレスを守っちゃったことはたしかなんでしょうね。

鹿島　そういうのをちゃんと聞くと、べつに遠い国の話でもなく、どこでも起こりうる話のような気がして、少し背筋が寒くなる思いがしますね。大きなくくりを守るためには、多少の犠牲は仕方がないみたいな考えが、いまもいろんなところであるじゃないですか。

「試合の結末の部分が演出されているのかどうかは別として、勝ち負けがあるわけですから、レスラーはみんな〝勝ち〟を求めるんです」（斎藤）

斎藤　それこそ日本の中枢にも、これと同じような考え方が根底にあるような問題が実在しているような気がしますしね。それで話をブロディに戻すと、刺殺事件の原因がマッチメイクに関する揉めごとではなかったけれど、ブロディ自身が簡単にマッチメーカーの言うとおりにならなかったり、プロレスの勝敗に関してこだわりを持っていた人だったことはたしかなんです。

鹿島　刺殺事件とは直接関係はないけれど、ブロディがそういうレスラーではあったと。だからこそ、ブロディを通じていろんなことが考えられるわけですよね。

斎藤　だから、それはプロレスの本質の部分に触れることになるのかもしれないけれど、いまは比較的プロレスの成り立ちというものがオープンに議論される時代になっていますよね。つまり大人のプロレスファンだったら、プロレスにおける勝ち負け、試合の結末の部分は演出されているのかどうかという議論は避けて通れない。それが演出されているとしても、されていないとしても、どっちみちプロレスラーって〝勝ちたい人たち〟ばっかりなんです。そういう現実があります。

鹿島　あー、それは深い言葉ですねえ。

斎藤　プロレスを知らない人たちは「演出されたお芝居なんだから、勝敗もいかようにもプロデュースできるんでしょ？」って思い込みがちなんですけど。

――映画監督が、自由に脚本を変えるようにですよね。

斎藤　でも当のレスラーたちは演出されていようが、されていまいが、「俺が勝ちたい！」って考え、自分が勝つシーンを求める人たちばっかりなんです。そしてブロディという人は、試合結果がいかようにも演出できるものであるならば、なおさら「俺が負けるわけないじゃないか」というロジックを持った人だったんです。

――第三者の演出を拒むと。でも通常、プロレスにおいてプロモーターやブッカーの権限というのは〝絶対〟なわけですよね？

斎藤　絶対でしょうね。合意できなければ契約を切られてもしようがない。だから多くのレスラーは、それに従うかわりに何かエクスキューズを要求したりする。リングアウトや反則負けとか、一瞬のロールアップとかね。ロールアップっていうのは、大の字にされた状態でのワン、ツー、スリーじゃなくて、クルッと丸め込まれてのスリーだったら許すみたいな発想です。

――藤波さんが大物外国人レスラーに勝つときはだいたいそうでしたね（笑）。

鹿島 逆さ押さえ込みや、首固めで勝って「3つ入ったのか⁉」ってレフェリーに確認するところまでが、ドラゴンムーブですよね（笑）。

斎藤 あとは「カウントスリー直前でサードロープに足を伸ばしたけれど、レフェリーが見ていなかった」っていうパターンとか、エクスキューズの方法はいっぱいあるんです。

鹿島 それって、そのまま勝ち負けがつく真剣勝負より、よっぽど深いじゃないですか。負けたくない人たちが普段は自分の腹におさめているのがむき出しになる瞬間、それを見るのがボクらの楽しみであるし、ご褒美でもありますからね。

斎藤 だから試合の結末の部分が演出されているのかどうかは別として、勝ち負けがあるなら、だれだって勝ちを取りたいんです。レスラーで「じゃあ、今日はボクが負けておきます」なんて人はまずいない。

――チャンピオンベルトが獲れてうれしくないレスラーはいませんもんね。

斎藤 メインイベントに出る人はギャラも上なんです。負ける人はいつまでたってもギャラも下。だから結末がいかに演出されているものだとしても、やっぱり勝つことは凄く大切なんです。

鹿島　しかもプロレスの場合、勝てるようになるためには、練習すればいいっていう話でもないところが凄いですね。

斎藤　だから勝たせてもらえるポジション、つまりお客さんを動員できる人間にならないと、チャンピオンにはなれないんです。たとえば下にいる選手の番付を無理やり上げてチャンピオンなりメインイベンターにしたところで、お客さんがそれをよしとしなかったら、スポーツとしてもエンターテインメントとしても成立しないでしょ。

――プロレスファンは、ゴリ押しをいちばん嫌いますしね。

斎藤　ひとつの例として、武藤敬司ほどの天才でも２回目の海外遠征後からですよね、本当の意味でメインイベンターになったのは。**スペースローンウルフ**として最初に海外から帰ってきたときは、お客さんから「おまえはまだメインじゃないよ」という烙印を押された感じだったじゃないですか。

鹿島　でもＷＣＷのトップで活躍したのを経て、２回目に凱旋帰国したときは、新日本を変えましたよね。

――ブロディというのは、〝負けないトップヒール〟という地位を早くから築いていたわけですよね？

斎藤　そうですね。それはブロディが信頼していたボスである**フリッツ・フォン・エリック**の影響が大きいと思います。フリッツはほかのテリトリーにブロディを出すときに、「箇

【スペースローンウルフ】1986年10月、1回目のアメリカ長期遠征から帰国した武藤敬司に用意されていた新ニックネーム。〝空飛ぶ一匹狼〟といったコンセプトで、フルフェースのヘルメット、紺色のスパンデックスのロングタイツ、シルバーのジャケットのほか〝610（武藤）〟というロゴもプロデュースされた。

【フリッツ・フォン・エリック】1950年代から70年代にかけて一世を風靡したドイツ系の大悪役。トレードマークは〝鉄の爪〟アイアンクロー。1929年、テキサス州出身。テキサス州ダラスでWCCW（ワールドクラス・チャンピオンシップ・レスリング）主宰。ケビン、デビッド、ケリー、マイク、クリスの5人の息子

単に寝るなよ。寝たら戻ってきたときに価値が落ちるから」みたいなことを助言したと思うんですね。そして、各地に根回しもしただろうし。

鹿島　フリッツ・フォン・エリックの助言とうしろ盾があったことで、ブロディが我(が)を貫けたわけですか。

斎藤　WWWF（現WWE）でサンマルチノとやった頃から、もうスター街道を歩み始めてましたから。ところが半年くらい経って、当時のロッカールームでいちばん偉かった**ゴリラ・モンスーン**と喧嘩をして、WWWFを辞めるんです。ゴリラ・モンスーンの地位というのは、要するにマッチメイカーですよ。

鹿島　もう、その時点からマッチメーカーと揉めていたという（笑）。

斎藤　そのケンカの経緯や、その後の話については、いろいろと脚色されている部分があって、どこに真相があるのか不透明なんです。あるストーリーでは「ブロディがゴリラ・モンスーンとケンカをしてWWWFをクビになったことでブラックリストに載ってしまい、アメリカのプロモーターがどこも使ってくれなくなったから、仕方なくオーストラリアに行った」という話もあるんですけど。ボクはそれは誤報が定説になってしまった典型的な例だと思っているんです。

鹿島　「ブラックリストに載った」というのは、いわゆる都市伝説じゃないかと。

斎藤　なぜなら、そのあとインディアナポリスWWAに行って、先代の〝ブルーザー〟であるディック・ザ・ブルーザーとブロディによるブルーザー決定戦みたいなのをやってい

たちもプロレスラーだった。1997年、死去。

【ゴリラ・モンスーン】
〝WWE史の生き証人〟といわれた。1937年、ニューヨーク出身。身長196センチ、体重300ポンドの超大型選手として20年間にわたりトップで活躍後、TVアナウンサー、番組プロデューサーに転向。スタジオ内でビンス・マクマホンが座っている席が〝ゴリラ・ポジション〟と呼ばれているのは、モンスーンがかつてそこに座っていたため。元WWE役員&株主。1990年10月、腎不全で死去。

たし、セントルイスに行けば、ブロディはプロレス界のアウトローな立場にいる人なのに、なぜかミスターNWAであるサム・マソニック会長とは仲がよかったりして。

「いまは世の中自体が、言いっぱなし、言われっぱなしのことがいつの間にか事実になっちゃっていたりする」（鹿島）

――ブロディは、ハーリー・レイスともNWA世界戦を何度もやってますよね。

斎藤　そうなんです。総本山セントルイスから弾かれていないということは、ゴリラ・モンスーンがお達しを出して、ほかのプロモーターがブロディを使えなくしたっていう定説は辻褄が合わない。実際、いろんなテリトリーに上がっているし、フリッツ・フォン・エリックのWCCWはブロディのホームリングみたいなものだし、サンアントニオのジョー・ブランチャード派には地元だからいつでも上がることができましたしね。

鹿島　「ゴリラ・モンスーンがブロディを干した」っていう噂を流したのは、誰にメリットがあってのことだったんですか？

斎藤　メリットというか、そのストーリー自体が『プロレススーパースター列伝』的なことになっているんだと思います。

鹿島　なるほど。脚色された逸話というか、ブロディ伝説のひとつになっていたわけですね。

斎藤 実際、1976年にブルーノ・サンマルチノに挑戦した翌年、ブロディがオーストラリア・ニュージーランド遠征に行ってることは事実なんですね。メルボルンでアンドレ・ザ・ジャイアントをボディースラムで投げてキングコング・ニードロップでフォールしたっていう有名なストーリーがありますよね。

鹿島 ありますね。あれも都市伝説なのかどうなのか、ファンにはたまらない逸話ですけど、本当のところはどうなんですか？

斎藤 ブロディ自身も「アンドレをボディースラムで投げて、最後はフォールした」って豪語していたるんですけど、映像がないんです。

鹿島 UFOの映像がないのと一緒ですね。墜落したとは言うけれど、証拠が残されていない（笑）。

斎藤 それが真実なのかどうなのか、マニア的な感覚で調べようとしますよね。でも、調べても調べても出てこないんですよ。

鹿島 現地の新聞とか、記事ベースでは出てこないと。

斎藤 だから、あれはきっと伝説なんだろうなとボクは思います。ローラン・ボックvsアンドレ・ザ・ジャイアントの映像がないのと一緒で。

鹿島 だけど、そういう伝説が作られるとき、かならず利用されるアンドレもまた凄いですよね。

斎藤 それはアンドレという存在自体が生きる伝説だからでしょうね。「俺はアンドレをフォールした」って、ブロディが勲章として語るくらいですから。

――「普通のキングコング・ニードロップでは倒せないから、トップロープからのニードロップを決めたんだ」とか、ディテールにもこだわって（笑）。

鹿島　ファンとしたら、そういう幻想に乗っかる気持ちよさっていうのもありますからね。

斎藤　ただ、ボクらの年代だったら、東スポ、『ゴング』、『月刊プロレス』はそれぞれどう報道しているか、一応違うメディアを見て回る術はあったわけですよ。だけど『ダークサイド・オブ・ザ・リング』を観ている世代、あるいは作っている世代はその術すらないんですね。

鹿島　いまって世の中自体がそうじゃないですか。言いっぱなし、言われっぱなしのことがいつの間にか事実になっちゃっていたり、調べようともしないっていう。

斎藤　あきらかに誤った情報がネット上をひとり歩きするんです。しかも、ホントと同じくらいの価値観で情報を受信する側に信じられている場合があったりする。

鹿島　それって何かに似てるなと思ったら、『女帝　小池百合子』ですよね。小池さんも言いっぱなしですもんね。

斎藤　あっ、カイロ大学卒業の件？（笑）

鹿島　そうです。エジプトでの数々の実績は、全部、小池さん発信で裏取りがされてないことばかりじゃないですか。なぜ、それが事実であるかのように信じられてきてしまったかといえば、70～80年代のオジサン記者たちが、若い子がカイロから帰国したってことでチヤホヤして、「首席で卒業」とか検証もせずに記事を作っちゃったんですよ。それを思い出しましたね。

——で、その記事が、後世の資料になったりするわけですもんね。

鹿島 そうなんですよ。言いっぱなし勝ちっていう。だからブロディがアンドレをキングコング・ニードロップでフォールしたっていうのは、小池百合子が「**カイロ大学を首席で卒業**」って言っていたのと同じですよ(笑)。

斎藤 ブロディの「アンドレをフォール」は伝説ということで片づけられるけど、小池都知事のカイロ大首席で卒業は、それが事実じゃなかったら重大な経歴詐称ですからね。

鹿島 でも、それが恐ろしいことに検証もされずに残っていっちゃうという。

斎藤 その話が最初に出てから30年以上経っているわけでしょ。これが10年後にはもっと強固な情報になって、それこそそっちが事実なんだっていう力を持ちかねない。

鹿島 だから言いっぱなしの情報戦は、気をつけなきゃいけないですよね。

斎藤 いまは活字で残されていたものがネットに転載された情報と、もともとネット発信の情報の両方がありますけど、どの時代にどんな媒体がそれを報じたかっていうことが検証されずに、これから先はすべてネットの情報として統一されていく。だからもう、そのあたりの区別がつかない人がこれからどんどん大人になっていくわけです。

【カイロ大学を首席で卒業】 小池百合子東京都知事の学歴詐称疑惑。政界デビューした時点での公式プロフィルには「カイロ大学首席で卒業」とあるが、卒業証書をはじめとする文書の信ぴょう性が疑われている。現在、公式サイトからはこのデータは削除されている。

「ブロディは没後30年以上経ってもボクたちに宿題を突きつけている。『プロレスは試合結果が演出されたエンターテインメント』という単純なロジックだけでは解読・解明できないわけだから」（斎藤）

鹿島　ボクらは、そのメディアがどんな〝キャラ〟なのかわかるじゃないですか。たとえば東スポの一面をＵＦＯやツチノコが飾っても、それはそれで楽しめますけど。これから先は、それを真正面で捉えちゃう人が増えて、冗談で終わらないことにもなりかねない。

斎藤　ボクが強調しておきたいのは、いまネットで作られて実際には存在しない〝プロレス用語〟がひとり歩きをし始めていることです。たとえばボクやガンツくんなんかがいちばん嫌いな、「ケツ決め」って言葉とかね。

――あとは「勝ちブック」とか（笑）。

斎藤　「勝ちブック」「負けブック」「ブック破り」、あとは「誰がブック書いた？」とかって、本じゃねえよって。

鹿島　プロレスを語るとき、平気で使ってるヤツがいますよね。

――プロレス業界の人間やレスラーは誰も使っていない、隠語ですらない言葉なのに。

斎藤　だってそんな言葉はないもん。でもそういうネットスラングでしかないものが、業界用語であるかのように使われて、プロレスファンになったときから「そういうもんなんだろうな」と思ってしまう世代が、すでに存在していることはたしかなんです。だから話を戻すと、その人たちは「プロレスっていうのは勝ち負けが演出されているわけね」「だったらいかようにもプロデュースできるわけね」って簡単に考えてしまって、「自分が選手だったらどう思うだろうか？」っていうところに思いが及ばないんです。

鹿島　だからレスラーが当然抱くはずの感情が抜け落ちて、完全にスルーされていますよね。

斎藤　たとえば鹿島さんがブッカーで、堀江ガンツとフミ・サイトーのシングルマッチが組まれたとして、ブッカーに「悪いけど今回はガンツがアップ」って言われても、ボクが「後輩のガンツにフォール負けは嫌ですよ」ということは、当然出てくるわけです。

——同じ負けるにしても、誰にどうやって負けるかが重要という、それぐらいデリケートな話なわけですよね。

斎藤　負け方によって試合の意味合いが全然違ってくるんです。だから「ギブアップとピンフォールのどっちが嫌ですか？」って聞くと、アメリカ人レスラーの感覚で言えば、ギブアップがいちばん屈辱的なんですね。その中でもっとも屈辱的なのは、リング中央でスリーパーホールドで失神するとか。それがいちばん屈辱なんです。

鹿島　戦闘不能状態にされるのがいちばんの屈辱だと。

斎藤　「だったらまだフォール負けのほうがいい」っていう感じで。実際、ボクはプロディにもその質問をぶつけてみたら、「ギブアップ負けがいちばん屈辱的に決まってるじゃないか」って言っていて、横にいたジミー・スヌーカも「それはそうだよ」って言ってたから、やっぱりアメリカ人の感覚はそうなんです。「じゃあ、どうしてピンフォール負けもダメなんですか？」みたいなことをボクがちらっと聞いたら、「フォールも許さないけど、ギブアップは論外だから絶対にありえない。だけどフォールを奪われる瞬間があるとすれば、そのときは『クイックで来てよ』と言うね」と。クイックっていうのは、逆さ押さえ込みとか、スモールパッケージホールドのことで。スタン・ハンセンあたりは、カウントスリーを獲られた瞬間に起き上がって大暴れするみたいなことをやりますよね？

鹿島　たしかにハンセンはそれやりますね。大暴れして「ダメージはないぞ」っていうのをアピールする（笑）。

斎藤　それがブロディとハンセンの考え方だと思うんですね。クイックフォールならまだよくて、大の字で負けるのはとにかくダメ。だからブロディがジャンボ（鶴田）さんの雪崩式ブレーンバスターからのバックドロップを喰らって、ワン、ツー、スリーを取られたっていうのは、最高級の負け方だったんです。

鹿島　「ジャンボならその負け方でもいい」と思うくらい、ブロディの中で鶴田さんの評価が高かったということですよね。

斎藤　評価が高かったし、ブロディが日本人レスラーでいちばん気に入っていたのがジャンボさんだから。背丈といい、リズムやスピードが凄く合うんです。「猪木よりも誰よりもジャンボがナンバーワン」っていうのはブロディ本人がずっと言っていたことなので。

——だからブロディは結局、猪木さんには一度もフォール負けしませんでしたもんね。

斎藤　1985年（昭和60年）に全日本から新日本に電撃移籍して、その年だけでアントニオ猪木とシングルマッチを6回もやったのに、ただの一度もフォール負け、ギブアップ負けをしていません。

鹿島　それまで猪木さんの敵役である大物外国人レスラーは、タイガー・ジェット・シンにしても、ハンセンにしても、かならずフォール負けしていますけど、ブロディだけは負けていないんですよね。

斎藤　翌1986年（昭和61年）の60分フルタイムを含めると、対戦成績は猪木さんの1勝2敗4引き分けですから。

――あのアントニオ猪木が負け越し！

斎藤　しかも、その1勝2敗もリングアウトや反則がらみで、一度もクリーンな決着はなし。言ってみれば、新日本のほうがブロディの意向を飲んで、試合を成立させているわけです。普通、80年代のアントニオ猪木だったら、どんな大物外国人レスラーにも勝っちゃいますよ。

鹿島　実際、無敗伝説を持っていたアンドレにも腕固めでギブアップ勝ちしていますしね。

斎藤　そうです。それにもかかわらず、アントニオ猪木が相手でも絶対に自分は負けないということを通し、それを成立させることができたブロディという人は、本当に特異なレスラーだと思います。

鹿島　最後は**タッグリーグ戦の決勝戦をボイコット**したり、新日本は最後まで、ブロディ

【タッグリーグ戦の決勝戦をボイコット】
ブルーザー・ブロディとジミー・スヌーカが、新日本プロレスの『85－WGPタッグ・リーグ戦』決勝戦をボイコットし、仙台へ移動中の新幹線を降りて東京にUターン。ホテルを変えて、翌日、一方的に帰国してしまった事件（1985年12月12日）。

をコントロールできなかったわけですしね。

斎藤　だからブロディは、没後30年以上経ってもボクたちプロレスファンに宿題を突きつけているわけです。「プロレスは試合結果が演出されたエンターテインメント」というロジックだけでは、いまだにブロディというレスラーを解読・解明できないわけだから。

「40年、50年もプロレスを観てきてもまだ不思議なことがたくさんあるわけです。それを昨日今日ネットで読み始めた人が理解できるはずがない」（斎藤）

鹿島　いやあ、ブロディは本当に語れますね。

――でもいまは、ブロディのように我を通すレスラーはほとんどいなくなりましたね。

斎藤　いまはWWEや新日本プロレスのような巨大プロモーションが、興行全体を完璧にプロデュースする時代になっていますからね。ビンス・マクマホン帝国のWWEでは、いち契約レスラーが「それは俺は嫌ですよ」っていうことが成立しない。ブロディが亡くなった時代は、ちょうどアメリカのプロレス界が過渡期だったんですね。ブロディが活躍していた80年代までは、アメリカ中に大小のプロモーションが点在していて、ブロディはひとつの団体に留まるのではなく、さまざまな団体を渡り歩いていた。

鹿島　それこそ、前回で語っていただいたNWAという組合が機能していて、それも可能だったわけですよね。

斎藤　しかし、１９８４年から**ＷＷＦによる全米制圧作戦**がスタートし、各地のローカル団体がどんどん潰れていった。ブロディが亡くなった１９８８年７月の３～４カ月前には、かつて〝世界最高峰〟と呼ばれた連合組織ＮＷＡも沈没するんです。ＮＷＡフロリダとか、ＮＷＡセントラルステーツとか、ＮＷＡジョージアとか、ＮＷＡ加盟テリトリーがどんどん潰れていったときです。ザ・シークさんのデトロイトも潰れたし、ディック・ザ・ブルーザーのインディアナポリスも潰れた。総本山セントルイスも潰れた。そしてＮＷＡクロケット・プロがテレビ王のテッド・ターナーに買収されてＷＣＷが誕生。ＷＷＥとＷＣＷの2大メジャー時代に突入するわけです。ブロディのように、ある団体と揉めても、すぐに次の団体に移るということができない時代になっていったんです。

鹿島　そういう時代の流れで、80年代後半は大物レスラーがどんどんＷＷＦと契約していきましたけど、ブロディは行かなかったんですよね。

斎藤　ブロディぐらいの大物なら、ＷＷＦと大型契約も結べたと思います。でもＷＷＦに行ってしまったら、いくらブロディであってもハルク・ホーガンの敵役のひとりでしかなく、レッグドロップ（ギロチンドロップ）を喰らって、ワン、ツー、スリーは避けられなかったでしょう。あのアンドレだってそうだったんだから。それがわかっていたからこそ、ブロディは行かなかったし、ハンセンも行かなかった。

鹿島　自分の価値を守るために、あえてメジャーには行かないっていう生き方ですよね。

【ＷＷＦによる全米制圧作戦】
ビンス・マクマホンが１９８４年、ＷＷＥ（当時はＷＷＦ）の興行テリトリーをそれまでの東海岸エリアからいっきに全米に拡大。契約選手の大幅増、テレビ番組の全米放映、エンターテインメント路線と初の全米ツアーで〝世界征服計画〟に乗り出した大プロジェクト。〝１９８４体制〟とも呼ばれている。

斎藤　アメリカでの〝職場〟が少なくなってきたからこそ、ふたたび全日本プロレスに本格的に腰を据えるようになった。

鹿島　１９８８年（昭和63年）に行われた鶴田vsブロディの連戦が、どちらもピンフォール決着になったのは、全日本が大物同士の対戦であっても完全決着がつく物語を提供していく先駆けにもなりましたよね。

斎藤　あの時点で馬場さんは、ハンセンvsブロディを準備していたんです。それは1回で終わるものではなくて、鶴田vs天龍と同じように何度もやるつもりだったんでしょう。決着がついても、負けたほうの価値が下がらないような形で、鶴田、天龍、ハンセン、ブロディの４人がしのぎを削る、５年くらい続く物語になっていたかもしれない。

鹿島　新しいステージに入ったところだったんですね。

斎藤　そしてプエルトリコは、全日本に次ぐ第二のホームリングとして、1年のうちに何度か行く場所と考えていたのでしょう。選手としてリングに上がるだけでなく、プエルトリコWWCの株を買ってそこの役員になるつもりだった。それって、それまでのブロディとはちょっと違うやり方であったこともたしかなんです。

鹿島　プロレス界が大きく変わったあの時期に、ブロディ自身も人生の転機を迎えていたわけですね。

斎藤　そうかもしれないです。ブロディも40代になっていましたから。しかし、WWCの役員になろうとしたことが、ホセ・ゴンザレスに刺殺されるひとつの要因にもなってしまった悲劇というのは、何か運命的でもある。

――ある意味、すべてが管理されたプロレス界を経験せずに、ブロディはこの世を去って行ったわけですよね。

斎藤 そうとも言えるかもしれない。試合の結末については、演出があったとしてもなかったとしても、実際にそれを観るまではボクたちは知りません、わかりません。それと同じことなんです。そして、ボクたちは勝ち負けのさらに向こう側を見ています。

鹿島 そんな簡単なものじゃないってことですよね。

斎藤 ボクらは40年、50年もプロレスを観てきてもまだ不思議なことがたくさんあるわけです。それを昨日今日観始めた人、ネットで読み始めた人がかんたんに理解できるはずがないですよ。

鹿島 これはいい話ですよ。まだ不思議ですもん。

斎藤 それは映画や音楽、文学や芸術のことがなかなかわからないっていうのと同じディープな知的欲求ではないでしょうか。プロレスの不思議さというのは、昨日今日からそうなったものではない。いまから200年くらい前にプロレスが始まって以来、ずっと構築されてきた歴史の積み重ねがある。だからこそ、プロレスを観ること、考えることに終わりはないし、ボクらも魅了され続けているんだと思います。

第6回

女性の地位向上や男女平等が叫ばれている現代社会とプロレスの関係性

かのＭＭＡ世界的スターであるロンダ・ラウジーがプロレスに転向し、世界最大のプロレスイベントＷＷＥ『レッスルマニア』では女子の試合がメインイベントを務める時代。日本のプロレスシーンでは、かつて世界の最先端を走っていた女子プロレスが、いまやステータス的にＷＷＥに大きく差をつけられてしまった。それはいったいなぜなのだろうか？

（『ＫＡＭＩＮＯＧＥ１０６』２０２０・10）

「アメリカの女子プロレスは男子興行の中の1試合としてしか発展していなかった。そんな時代がメドゥーサvsブル中野まで続いたんです」（斎藤）

——いま、世界的に女子プロレスが非常に盛り上がりつつありますよね。WWEだと日本人女子選手が3人も大活躍していて。

斎藤　そうですね。アスカはロウのチャンピオンだし、カイリ・セインは先日、WWEの3年間のステイを終えたけれど、選手からもスタッフからもみんなに祝福されて送り出された。それに代わるように**NXT**王者の紫雷イオも近い将来、メインロースターに上がってくるでしょう。

鹿島　日本人選手が世界のトップで活躍しているわけですもんね、素晴らしい。また、WWEの中でも女子がメインを取ることが増えているんですよね？

斎藤　ロウやスマックダウンでも凄くいい位置で試合が組まれています。WWEの女子部門が正式に「ウィメンズ・ディヴィジョン」と呼ばれるようになり、かつて**ディーバ**と呼ばれていた時代とはまったく違いますね。

鹿島　WWEにおける女子レスラーの地位向上というのは、実社会における女性の地位向上や、男女平等が叫ばれていることと無関係ではないんじゃないですか？

斎藤　もちろん、無関係ではないと思います。いまのWWEは**ステファニー・マクマホン**

【NXT】
2010年からスタートしたWWEのファームリーグ。当初は新人発掘のためのオーディション番組だったが、その後、1時間枠のプロレス中継スタイルに模様替え。現在はロウ、スマックダウンに次ぐ第3ブランドという位置づけになっている。

【ディーバ】
かつてはWWEの女子部門、女子プロレスラーの総称だったが、2016年以降はウィメンズ・ディヴィジョンと改称された。

【ステファニー・マクマホン】
WWEのオーナー、ビンス・マクマホンの長女。1976年9月24日、コネティカット出身。WWE共同オーナー兼役員。1999年3月、TVデの発言力が凄く強くなっていることもあるけれど、やがてロウとスマックダウンで男子レスラーと女子レスラーが同じ数になることが理想っていう考えなんですね。これはＷＷＥにかぎらず、ほかのスポーツもそうですよね。大坂なおみが時代のトップを走るテニス。ゴルフ、そしてサッカー、バスケ、陸上競技、ホッケー、体操にしてもフィギュアスケートにしても、男子と女子で同じ数の選手がいることが本当の平等で、メディアも性別に関係なく公平に報道することが平等だという考えがやっと広まりつつある。

鹿島　だから、この話題っていうのは、やっぱり「プロレス社会学」ですよね。

――なので今回は、日本と世界における女子プロレスの歴史と地位の推移を聞かせていただけたらと思うんですよ。なぜなら女子プロレスの歴史って、マニアでも知っているようで知らない部分が多いじゃないですか。アメリカの女子プロレス史なんかについては、ほとんど知らない。

斎藤　女子プロレスの歴史や起源を知るのは、けっこう難しいんです。なぜなら、男子のそれと比べて残っている文献がとにかく少ないんです。

鹿島　あ〜、なるほど。それはやはり黎明期は見世物的だったりしたこともあるんですか？

斎藤　それもありますね。かつてアメリカにもヨーロッパにも「**バーンストーミング**」という、幌馬車に乗ってサーカスが街にやってくる、あまり綺麗な言葉じゃないけれど「ドサ回り」を意味する興行一座の集団があったんです。プロレスのルーツのひとつとして、そのバーンストーミングには力自慢で大きな岩を持ち上げたりするレスラーがいて、そこに

ビュー。20代はお嬢様キャラ、30代はヤング・エグゼクティブを演じ、40代になった現在はリアリティとファンタジーの境界線のない世界を生きるスーパー・ビジネスウーマン。2003年、ポール・レベック（トリプルH）と結婚。3児の母。

【バーンストーミング】Barnstormingとは地方巡業、政治家の地方遊説という意味もある。ヨーロッパ、アメリカではバーンストーミングのテント小屋がプロレスのルーツのひとつ。レスリングや力自慢のショーなどを披露する地方巡業。1850年代にはバーンストーミングのショーがアメリカ中を巡業し、1930年代あたりまでこの伝統芸能が続いていた。

「その大男と闘わせろ！」ってサクラが挑戦してきて闘ったりするショーがあった。

鹿島　ハーリー・レイスが若い頃やっていたというカーニバルレスラーっていうのは、そういうことですか？

斎藤　はい、そういう一座の中のレスリング部門でしょう。多くの場合はその飛び入りのケンカ屋もサクラでレスラー同士だったりするんだけど、たまに本当の飛び入りもいるからシュートでシメなくちゃいけないっていう場合もあった。そのルーツの中に女子プロレスもあって、そこにコーラ・リヴィングストンっていう選手がいたんです。

――それは戦前の話ですよね？

斎藤　戦前どころか、１８８９年生まれで20世紀初頭に活躍したチャンピオンです。

鹿島　もはや歴史上の人物ですね（笑）。

斎藤　デビューが16歳で、１９０５年。フランク・ゴッチの時代ですよ。だからそのときにはすでに興行としての女子プロレスは存在していたんでしょう。

鹿島　デビューしたってことは、相手もいるってことですもんね。

斎藤　興行として成立していたということですね。コーラ・リヴィングストンは、幌馬車に乗ってバーンストーミングが街にやってくる時代から、体育館でやるプロレスのルーツまで両方に出ていた人なんです。それで対戦相手もいたはずなんですけど、まず映像がない。写真もポーズ写真は残っているけど、試合写真はほとんどない。だから、どんな人だったのか、わかりにくいんです。

鹿島　試合をしていたことはたしかだけど、それがどんな試合だったのかは、映像も写真も残っていないから、詳しいことはわからないわけですね。

斎藤　このコーラ・リヴィングストンは、のちにＡＷＡというボストンを拠点とするプロレス団体のボスであるポール・バウザーと結婚するんです。

――そのＡＷＡは、バーン・ガニアのＡＷＡとは別団体ですよね？

斎藤　ガニアのＡＷＡよりはるか昔、１９２０年代にもＡＷＡという団体があったんです。「アメリカン・レスリング・アソシエーション」なんて誰だってつけそうなネーミングでしょ？

斎藤　そのＡＷＡのボスと結婚したということは、どう考えても途中からは興行をプロデュースする側にいたんでしょうね。

――「日本プロレス協会」みたいなもんですよね。ベタ中のベタという（笑）。

鹿島　女子プロレスの先駆者であり、プロモーターでもあったと。

斎藤　女子プロレスのパイオニアですからきっと凄いレスラーだったんだろうと考えられています。ただ、現代の人が「力道山ってどれくらいの実力だったの？」っていう素朴な疑問を抱くのと同じように、どういうレスラーだったかがわかりづらい。それで次に１９３０年代にはクララ・モーテンソンという新しいスターの時代になり、そのモーテンソンに勝って世界王者になるのが、**ミルドレッド・バーク**なんです。

――ミルドレッド・バークは、〝女子プロレスの始祖〟と呼ばれていますよね？

【ミルドレッド・バーク】
アメリカの〝女子プロレスの始祖〟。１９１５年、カンザス州出身。１９３５年、カーニバルで男性レスラーを相手にデビュー。１９３０年代の終わりには年収5万ドルを稼ぐ大スターとなり、戦時中は〝一枚看板〟の興行で全米をツアー。１９５４年、ＧＨＱ慰問興行で来日し、日本にも女子プロレスの種をまいた。１９８９年、死去。

【ファビュラス・ムーラ】
〝女帝〟。１９２３年、サウスカロライナ州出身。１９５０年代から半世紀にわたり、世界チャンピオン、プロモーター、選手育成コーチとしてアメリカの女子プロレスをコントロールした。女子プロレスラーとして初めてニューヨークのマディソン・スクウェア・ガーデ

斎藤　なぜ、そう呼ばれるかというと、アメリカにおける一般的な女子プロレスの歴史は、**ファビュラス・ムーラ**と**メイ・ヤング**あたりから始まったことになっていて、そのムーラ世代より先に世界王者として一時代を築いた人ということで、〝始祖〟と呼ばれることが多いんです。

――〝紀元前〟みたいな感じですね（笑）。

斎藤　ムーラはバークに弟子入りして後継者になったわけではなくて、ちょうどバークと入れ替わるように出てきたスーパースター。アメリカの女子プロレスは、長らくその時代ごとのスターはひとり体制だったんです。レスラーの絶対数が少なかった。日本とアメリカの女子プロレスがまったく違う発展の仕方をした理由もそこにあって、アメリカの女子プロレスは男子の興行の中の1試合、1コマとしてしか発展していないわけです。だからムーラの時代が30年ぐらい続いても、ムーラとその防衛戦の相手しか必要なかった。その男子の中の1試合という形式は、**アランドラ・ブレイズ**（メドゥーサ）vsブル中野の時代まで続いた。

「JBエンジェルスが世界の女子プロレスに与えた影響は、初代タイガーマスクがのちのジュニアヘビー級のシーンを変えたことと同じ」（鹿島）

鹿島　90年代半ばまで。かなり長く続いたんですね。

ンに登場（１９５６年）。21世紀までＷＷＥ〝ロウ〟の登場人物だった。２００７年、死去。

【メイ・ヤング】〝9デケード〟を生きた歴史の証人。１９２３年、オクラホマ州出身。ハイスクール時代にＭ・バークの試合を観てプロレスにめざめた。１９３９年から２０１０年まで通算71年間にわたり現役として活躍。バークとＦ・ムーラの〝ふたりの始祖〟と仲がよかったただひとりの人物。２０１０年、87歳のときに生涯最後の試合を行った。２０１４年１月、死去。

【アランドラ・ブレイズ】日本ではメドゥーサというオリジナルのリングネームのほうがなじみがある。１９６３年、ミネソタ州出身。〝名伯楽〟エ

斎藤　マーケットとしての需要も少なかったし、選手数も極端に少ない。80年代後半にWWEでスターになった山崎五紀と立野記代の**JBエンジェルス**は、レイラニ・カイ&ジュディ・マーチンのグラマーガールズと半年間毎日のように闘ってたりとかね。ずっとそんな感じだったんですね。それに対して、日本は最初から女子プロレスだけの興行があった。その違いがいちばん大きいと思います。

鹿島　男子の中の1試合が続いていたのは、なり手が少なかったからでもあるんですか？

斎藤　どちらかといえば、ある意味、日本以上に女子プロレスが差別されていたというか、蔑(さげず)まれていた部分もあったんだと思います。

鹿島　いまの地位を築くまでには、相当な偏見もあったということですね。

斎藤　いま、WWEではウィメンズ・ディヴィジョンは男子と同じ「試合」として行われていますけれど、それ以前が「ディーバ」だったのは、ビンス・マクマホンが1945年生まれで、その点については昔の人の感覚だったからだと思うんです。いくら斬新なことを次々と生み出しても、やっぱりそのあたりの感性は古い人なのかもしれない。

鹿島　ビンスといえども、そのへんは〝おじさん〟の感性なわけですね。

斎藤　だからビンスが総監督をしていた頃は、「ディーバ」だったんです。レスラーなのかモデルなのかわからないようなタイプが多かったのはそのせいかもしれない。ステイシー・キブラー、トーリー・ウィルソンとか「この人たち、試合するの？」っていう体格の人たちだった。

ディ・シャーキーのコーチを受け、1987年にデビュー。AWA世界女子王者として活躍後、1989年に全日本女子プロレスと専属契約。約3年間、東京に在住した。WCWをへて1993年、WWEと契約。アランドラ・ブレイズに改名。2015年、WWEホール・オブ・フェーム殿堂入り。

【JBエンジェルス】山崎五紀（やまざき・いつき）と立野記代（たての・のりよ）のタッグチーム。正式名称はジャンピング・ボム・エンジェルス。全日本女子プロレスからWWEに長期遠征。1988年1月、カナダ・オンタリオでレイラニ・カイ&ジュディー・マーチンを下しWWE世界女子タッグ王座を獲得。全女スタイルのダイナミ

――スタイルが完全にモデル体型でしたもんね。

斎藤　その流れがベラ・ツインズくらいまで続いたと思うんです。だけどトリッシュ・ストラータス、リタ、ビクトリア、ミッキー・ジェームスあたりは、間違いなくちゃんとしたレスラーでした。というのは、リタはもともと豊田真奈美のファンなんです。

鹿島　それは素晴らしい！　ディーバではなく、もともと「女子プロレス」を目指していたと。

斎藤　ディーバ以降に、ウィメンズ・ディヴィジョンの選手になった人たちっていうのは「子どもの頃、アランドラ・ブレイズvsブル中野を観てました」とか「凄く小さい頃、ジャンピング・ボム・エンジェルスとグラマーガールズを観たのが、最初のプロレスの記憶です」なんていう人がけっこういるんです。日本スタイルの女子プロレスの影響を受けた欧米人が、いまトップで活躍している。ベス・フェニックスあたりは、アランドラ・ブレイズvsブル中野を観て、レスラーになろうと決心したそうですから。

――日本の女子プロレスが、現在のＷＷＥウィメンズ・ディヴィジョンに、間接的ながら多大な影響を与えているわけですね。

斎藤　もちろん男子のプロレスを観て、レスラーになろうとした人もいるけれど、憧れの対象としての女子レスラーの存在は主に90年代以降なんです。ＪＢエンジェルスvsグラマーガールズは偶然生まれた名物カードで、１９８７年のたかだか７カ月くらいの出来事なのに、山崎五紀のミサイルキックや、立野記代のフォールをされたときブリッジでそのま

ックな動きでアメリカにおける女子プロレスのイメージを大きく変えた功労者。

ま起き上がる、のちにマトリックスと呼称される動きとかは、次世代に当たるトリッシュがやっている。あれは幼少期に「凄いものを見ちゃった」という記憶があるからららしいんです。

鹿島　短期間しか活動していない初代タイガーマスクが、のちのジュニアヘビー級にもの凄い影響を与えたような感じで。

斎藤　そういうことだと思います。女子プロレスというジャンルのイメージが変わったことはたしかなんです。「ムーラの試合はつまんないもん」っていう漠然としたコンセンサスはあったのでしょう。

――80年代の段階で、もうおばあさんでしたしね（笑）。

斎藤　それなのに**ウェンディ・リヒター**に勝ってしまって。リヒターはチャンスはあったけれど結果的にひとつの時代を代表するようなスーパースターにはなれなかった。その時代は、権力者であるムーラと仲良くやれない人はダメだったんです。

――Ｈｕｌｕの『ダークサイド・オブ・ザ・リング』のファビュラス・ムーラの回でも、そのエピソードはありましたけど、ムーラは自分の地位を脅かす選手は追放したってことですよね。

斎藤　90年代のメドゥーサの場合、その対戦相手用にＷＷＥがブル中野を〝輸入〟してくれたからよかったんです。そのメドゥーサ自身、日本に長期滞在して全日本女子プロレスのスタイルを身につけて、それを逆輸入することで、アメリカの女子プロレスが変わるひ

【ウェンディ・リヒター】
元ＷＷＥ世界女子王者。ファビュラス・ムーラ門下生。80年代前半は全日本女子プロレスの常連外国人選手として活躍。〝レッスルマニア〟第１回大会（１９８５年）のキーパーソンのひとり。人気ロックシンガー、シンディ・ローパーとのコラボで大ブレイクしたが、その後、ＷＷＥ脱退。

とつのきっかけを作ったんですね。

鹿島　いずれにしても、日本の女子プロレスが大きな影響を与えたってことですね。凄いなあ。

斎藤　では、そんな独自の進化を遂げた日本の女子プロレスはどのようにして生まれたかというと、そのルーツのひとつは18世紀頃に始まった「女相撲」だと言われています。女相撲については、井田真木子さんのノンフィクション『プロレス少女伝説』の中でもけっこう詳しく書いてあるし、『菊とギロチン』っていう映画もありましたよね。観ました？

鹿島　はい、観ました。あれは女相撲の話ですよね、おもしろかったです。

斎藤　あの話は事実に基づいているんです。女相撲が「18世紀から始まった」とされているのは、文献に限界があるからそのへんからだろうと言われていて、実際はそれ以前からあったかもしれない。男の相撲の歴史ほど文献が残されていないわけです。だから見世物的な興行の一座であったことはたしかなんです。

――一種の大衆文化だったわけですね。

斎藤　それも何度も潰れて、何度もよみがえって、最終的には１９６０年代くらいまで細々と存続していたらしいんです。19世紀から20世紀を乗り越えてドサ回りしながら生きながらえて、昭和30年代くらいまではあったとされている。江戸時代からの興行一族末裔がいたり、その家族でやってたりとか。形態が女子プロレスの**松永ブラザーズ**にとても近いんです。

【松永ブラザーズ】全日本女子プロレスのオーナー・ファミリー。松永健司（まつなが・けんじ）、高司（たかし）、国松（くにまつ）、俊国（としくに）の4兄弟。１９６８年6月、旧日本女子プロレスリング協会から独立して全日本女子プロレス興業を旗揚げ。約40年にわたり日本の女子プロレスの〝家元〟として数多くのスーパースターを輩出し、数々の伝説の興行をプロデュースした。２００５年4月、全女は倒産－活動停止。いずれも故人。

鹿島　『菊とギロチン』でもありましたけど、地方で「この期間だけちょっとやるよ」と触れて回るという興行形態で。

斎藤　それでなり手もそれほどいないから、結局は親戚や興行主の妻や娘らを土俵に上げてやっていたという現実もあった。黎明期の女子プロレスに凄く似ているんです。だから日本における女子プロレスのルーツが女相撲だとすると、ざっと300年という歴史があり、男子と混ざらない女子だけの格闘技であり、しかもなんとなく怪しいジャンル。スポーツとも言えるし、お芝居ともいえるし、見世物かと言われたらたしかに見世物だし。じゃあ、それってプロレスそのものじゃんっていう議論は成立しますよね。

鹿島　「プロレス」という言葉がないだけで、形態的にはプロレスですよね。

斎藤　また、その女相撲を文化的に受け入れる土壌が日本にはあったのでしょう。

鹿島　畑仕事や田んぼの作業が終わった地域に行って、地域の有力者がメシを食わせてくれるんですよね。

斎藤　それでまた別の町に行って興行を打つ。だから直接のリンクはなかったとしても、文化人類学的には間違いなく女相撲は女子プロレスのルーツのひとつなんです。

「女子プロレスというジャンルが日本で本格的に認知され始めたのは70年代半ばから。でもルーツとしては1955年には日本中に6〜7団体あったんです」（斎藤）

すね。

——戦後のプロレスやプロ柔道が、ルーツをたどれば相撲の興行に行き着くようなもんですね。

斎藤　そうだと思います。「女子プロレス」と正式に呼ばれたものは、戦後、1954年（昭和29年）11月にミルドレッド・バーク一行が来日して、GHQに接収された旧両国国技館、両国メモリアルホールでの興行をはじめ全国巡業が行われている。1954年といえば、力道山の日本プロレスが設立された翌年で、有名な力道山vs木村政彦があった年です。

鹿島　もう、その時点で日本に女子プロレスがあったんですね。

斎藤　そのバーク興行で猪狩定子、法城寺宏衣ら日本人選手が前座で試合をしていますから、バーク一行によって、力道山のプロレスと交わることなく、女子プロレスの種は日本に植えられたということですね。

——それ以前に、いわゆる「**ガーターベルト争奪戦**」と呼ばれるものがあったんですよね？

斎藤　そうですね。ボードビリアンのパン猪狩とショパン猪狩による〝小屋〟ですね。それは1948年（昭和23年）だから終戦後3年くらいです。それもまた、女子プロレスのルーツのひとつと言われている。だから日本には「女子プロレス」以前から、「女性が闘うスポーツなのか芸能なのかわからないけど、なんだかおもしろそうな興行」っていう発想は、常にあったんだと思います。「女が闘うところが見たい」という男性視点の欲求もあったかもしれない。

——エロティックを売りにはしていないけど、観客はそれをちょっと期待したりとか（笑）。

【ガーターベルト争奪戦】
WWEのディーバの〝お色気〟路線のひとつ。女子選手がリング上でガーターベルトを奪い合うという試合形式。賛否両論を呼んだ。

斎藤　お客さんが男性だから、おそらく必然的にそうなりますよね。

鹿島　ちょっと前まで地上波のテレビでもやっていた『女だらけの水泳大会』とか、あのノリの延長なんでしょうね。

斎藤　黎明期の女子プロレスやそれに近い興行は、テレビの電波には乗らなかったからもっと怪しさがあったのかもしれない。ちょっと見世物小屋に近いものもあったと思う。生前の力道山は女子プロレスを毛嫌いしていたところがあったようで、日本プロレスの興行の中で女子の試合をやるという発想は一切なかったし、活字メディアが女子プロレスを報道することもなかった。資料や文献があまり残っていない原因のひとつです。

鹿島　それは「見世物ではなく、スポーツの世界選手権なんだ」という力道山のこだわりがあったんですかね？

斎藤　もちろんそれはあったかもしれないけれど、昭和30年代のマスコミが男社会だったこともあったと思います。ボクにとってはプロレスマスコミの大先輩である長老・**鈴木庄一**さんも、女子プロレスに対しては「あんなものは」っていう感覚でしたから。それもあって、雑誌の『月刊プロレス』でも女子プロレスはずっと取り上げられなかった。

——じつはプロレス雑誌に本格的に女子プロレスが載るようになるのって、クラッシュ・ギャルズ以降なんですよね。

斎藤　女子プロレスというジャンル自体、本格的に認知され始めたのは70年代前半のマッハ文朱からなんですね。でもルーツとしては、女子プロレスは１９５４年に輸入されて、翌

【鈴木庄一（すずき・しょういち）】
１９２３年（大正12年）、静岡県出身。日本のプロレスライターの草分け的存在のひとり（もうひとりは田鶴浜弘）。法政大学時代はボクシング部主将。１９５１年、ボビー・ブランズGHQ慰問興行に参画。日刊スポーツ新聞社運動部長、編集委員を経て、ベースボール・マガジン社顧問、週刊プロレス編集顧問を歴任。ニックネームは〝長老〟。故人。

1955年には日本中に6~7団体あったんです。

鹿島 一気に増えて、すでに50年代に多団体時代だったんですか（笑）。

斎藤 のちの全女とは別の全日本女子プロレスや、これもいまの東京女子とは違う東京女子プロレス。東京ユニバーサルや国際女子プロレスという団体などもあって。

鹿島 凄いですね。**ユニバーサル**と国際って。グラン浜田やラッシャー木村より早くその名前を女子が使ってる（笑）。

斎藤 あとは広島女子プロレスとか。

鹿島 みちのくプロレスよりずっと早くローカル団体まで（笑）。

斎藤 それで離合集散があるんですけど、この時代からすでに松永兄弟は女子プロレスに関わっていたんです。

鹿島 年季が入ってますね～。

斎藤 なぜ、これだけ多くの女子プロレス団体があったのか。ここからはボクの推測というか仮説も入るんですけど、力道山の日本プロレスの興行を買っていたグループとは違う、女子プロレスの興行をしのぎとして買う組織があったんだと思うんです。

鹿島 なるほど！　男はやらないけど、女はやるよっていうプロモーターというか、興行師が。

斎藤 主流派の力道山の興行を売ってもらえない組織が、女子プロレスをしのぎとしてやっていたとか、歌謡ショーと女子プロレスを一緒にセットで興行にしていたとか。だから

【ユニバーサル】
ユニバーサル・レスリング連盟。活動期間は1990年3月から93年8月までの3年5カ月間。日本初のルチャリブレ団体。団体プロデューサーは新間寿氏の長男・寿恒氏。ウルティモ・ドラゴンに変身前の浅井嘉浩、ザ・グレート・サスケ、邪道&外道、スペル・デルフィン、新崎人生、ディック東郷、TAKAみちのく、カズ・ハヤシ、MEN'Sテイオーなどインディ・シーンの近未来スターを数多く輩出した。

団体がいっぱいあったらしいんです。

鹿島　で、どこかが当てたら、「これはカネになる」ってことでまた違う団体ができると。

斎藤　当時の女子プロレスに関する断片的なエピソードは、梶原一騎原作の『**青春山脈　火乃家の兄弟**』という『少年マガジン』に連載された漫画にも出てきます。それを読んでも、やっぱりしのぎだったたと思うんですよ。

鹿島　興行界に詳しい梶原一騎の漫画からもわかると。

斎藤　そういった要因から、日本の女子プロレスは男子プロレスの一部ではなく、女子プロレスは女子プロレスとして独自に発展していって、選手数も凄く多かったんです。

鹿島　だから必然的にレベルも上がったわけですね。

斎藤　50年代から始まった女子プロレス黎明期の多団体時代は、最終的には小畑千代をエースとした日本女子プロレス協会と、そこから独立した松永兄弟の全日本女子プロレスリング協会、両方ともに「協会」を名乗っていて家元争いになったわけです。それで東京12チャンネル（現在のテレビ東京）が小畑千代のプロレスを放送して、１９６９年（昭和44年）の段階ではすでに松永兄弟の全日本女子プロレスはフジテレビとドッキングしているわけです。そこから社会現象とまで言われたマッハ文朱の出現とその後のビューティー・ペア（マキ上田&ジャッキー佐藤）につながるブームがあった。

――小畑千代の試合って、じつは初期の東京12チャンネルでも高視聴率番組だったんですよね？

【青春山脈　火乃家の兄弟】
１９７７年から週刊少年マガジン（講談社）に連載された梶原一騎・原作、かざま鋭二・画の長編劇画。序章『火乃家の兄弟』と本編『青春山脈』の2部からなる。時代設定は戦時中から昭和50年代まで。特攻隊で死んだ兄・火乃直彦とその弟で戦後、ヤクザ社会を生きる火乃正人が主人公。昭和30年代のストーリーに女子プロレスの興行にまつわるエピソードがある。

斎藤　女子プロレスは蔵前国技館でやるくらいの人気だったんです。

鹿島　しかも『女子プロレスラー小畑千代　闘う女の戦後史』という本によると「この試合は視聴率24・4パーセントで東京12チャンネル始まって以来の高視聴率」と書いてあって（笑）。

斎藤　12チャンネルは民放でいちばんマイナーな局で他局が扱わないジャンルを積極的に手がけていた。

鹿島　「他局からは番外地と呼ばれた同局だったが、女子プロレスで始まって以来の高視聴率をあげた」と。でも小畑千代の女子プロレスは、１９７３年（昭和48年）３月で番組が打ち切られてるんですよね。人気はあるけど世間からの偏見ゆえっていう。

「新日本の東京ドーム大会で、全女から出場した中西百重の動きがその日の全試合でいちばん沸いたということもあった」（鹿島）

――『女子プロレス』と『プレイガール』はどっちも人気があるけど「低俗番組」と言われていて、ひとつ残すなら『プレイガール』のほうかなっていう理由で（笑）。

鹿島　両方あるとあまりにもいかがわしい局だっていうことで（笑）。

斎藤　だから社会的な世間の偏見がやっぱりあったんですね。当時は男子のプロレスも「子どもの教育上よろしくない」とされていましたけど、女子プロはそれに輪をかけていかがわしいと思われていた。そういう暗い宿命を引きずったジャンルであることもまたたしかなんです。

鹿島　世間から差別されていたプロレスの中でも、さらに差別されていたのが女子プロレスだったと。

斎藤　だけどマッハ文朱や、ジャッキー佐藤とマキ上田のビューティ・ペア、その頃の映像を観るともうすでに男子レスラーに引けを取らないプロレスをやっているんですね。いわゆる全女スタイルになっているわけです。選手がたくさんいて練習量が凄かったっていうのもあるし、90年代後半まで年間250以上の興行を日本全国を回ってやっていた。それによって日本の女子プロレスは、世界でも類を見ないガラパゴス的進化を遂げた。現実に、何度かの大ブームを巻き起こしているわけですから。

鹿島　ゴールデンタイムでレギュラー放送されたときもありましたよね。

斎藤　ビューティ・ペアの時代には金曜夜7時、クラッシュ・ギャルズのときは月曜夜7時という凄い時間帯にやっていた。だから、番組ソフトとしてもゴールデンに耐えうるコンテンツという判断があったんでしょうね。特にクラッシュ・ギャルズのプロレスは、明るく健全なスポーツに見えましたからね。

鹿島　スポーティでしたよ。悪役レフェリーの阿部四郎というさんくさい人もいたけど（笑）。

斎藤　クラッシュのときは、観客の大半が女子中高生になって、爆発的な人気を生んだ。

――いかがわしい見世物小屋的なイメージから始まったのに、女子中高生の憧れの存在にまでなるんだから凄いですよね。

斎藤　黎明期の女子プロレス乱立時代を生きた松永兄弟には、プロモーターとしての実力もプロデューサーとしての先見の明もあったわけですよね。そして年に250〜300興行を日本中どこまでも大型バスで移動するというシステム。自分たちでリングを組む、パチンコ屋の駐車場でもやる、夏はオープン会場、選手が売店に立ってグッズを売る、そして会長自身が焼きそばを焼いて売るという縁日の屋台みたいな感覚。そういうシステムを全部作ったんだから大変なことだと思います。

――移動式夏祭りですもんね（笑）。

斎藤　1997年に不渡りを出して、全日本女子は一度倒産するんだけど、2005年の解散まで、約8年間は現金決済だけで興行を続けたわけだから、その生命力は凄かった。最後の頃はスター選手がほぼ全員辞めていき、豊田真奈美と堀田祐美子だけはなぜか残って。そのあと出てきた中西百重あたりは、いい時期の女子プロレスにいたら間違いなくスーパースターになっていたと思う。

鹿島　そうですね。2002年でしたか、新日本の東京ドーム大会に全女の提供試合が1試合組まれたとき、中西百重の動きがその日の全試合でいちばん沸いたということもありましたからね。

斎藤　悲しいかな、観客の大半はあのとき初めて中西百重を観たわけでしょ。だから女子プロレスは、食わず嫌いなジャンルでもあったと思いますね。

——男のプロレスファンが90年代に入って女子プロレスを観始めたのは、ユニバーサルにゲスト出場した全女の選手たちの試合を見て、そのレベルの高さに驚いたのがきっかけですもんね。

斎藤　そうでした。ユニバーサルに貸し出されたアジャコングとバイソン木村、豊田真奈美の人気が出て。そこで女子プロレスのおもしろさを知ったファンが全女の会場に足を運ぶようになると、「いや、ブル中野のほうがすげえよ！」みたいになって。

——ある意味、〝まだ見ぬ強豪〟というか。女子プロレス自体が手つかずの宝の山だったわけですよね。

鹿島　全女はクラッシュギャルズの時代から、フジテレビの特番を観たウチのおじいちゃんが、「男よりもおもしれえじゃねえか」って普通に感心してましたよ（笑）。

斎藤　動きが凄いですからね。それでユニバーサルへのゲスト出場をきっかけに、全女が男のファンにも支持されるようになると、団体対抗戦が始まる前から川崎市体育館とか、横浜文化体育館とか、わりと大きい会場を普通に満員にしていたんです。ブル中野、北斗晶、アジャコング、豊田真奈美、堀田祐美子、みなみ鈴香、若手時代の下田美馬&三田英津子、まだ新人だった井上京子、井上貴子、吉田万里子らがみんないたんですからね。

鹿島　凄い時代ですよ。そりゃあ、世界一のレベルだったでしょう。それがのちに海外の選手たちにも影響を与えるわけですからね。

斎藤　山崎五紀と立野記代のＪＢエンジェルスが１９８７年にＷＷＥに行ったとき、当初は宣伝もされていなかったので、グラマーガールズとの試合は〝トイレタイム〟だと思われていたんですね。それを自分たちの試合のクオリティだけで観客の目を釘付けにしたというのは本当に凄いことだと思う。当時のアメリカ人にとって、女子プロレスといえばファビュラス・ムーラだったわけです。そこに突然、アジアから来た〝空飛ぶ爆弾天使〟が登場してきて信じられないような華麗な技を見せたので、よけい衝撃が大きかったんでしょう。

鹿島　そこはＭＳＧ初登場のダイナマイト・キッド戦で、その動きだけで観客がスタンディングオベーションになった、初代タイガーマスクに通じる部分がありますよね。

斎藤　それであの時代の女子選手でありながら、〝サバイバー・シリーズ〟や〝ロイヤルランブル〟の上のほうでカードが組まれていたわけですからね。だからアメリカで女子プロレスが変わったのは、ＪＢエンジェルスの影響が凄く大きいし、メドゥーサとブル中野の影響も凄く大きい。ＪＢやメドゥーサ、ブルの影響を受けたトリッシュ、リタという流れがあり、そのふたりのプロレスを観て育った世代の選手たちが、いまのウィメンズ・ディヴィジョンを形成しているわけです。

鹿島　素晴らしいですね。

斎藤　いま、ＷＷＥのパフォーマンスセンターにいる練習生も半数は女子です。ＮＸＴも半分以上が女子選手だし。

「男子と女子のプロレス団体が別々にあること自体はいいと思う。だけど、まだ男子と女子が同列には見られていない現状がある」（斎藤）

——そしていま、かつての女子プロレス先進国だった日本の女子レスラーたちが目指す、最終目標がWWEになっているというのもおもしろいですね。

斎藤　いまWWEで活躍している女子選手は、アスカにしても紫雷イオにしても、日本の女子プロレス暗黒時代から、あそこまでいったロスト・ジェネレーション世代の選手たちなんです。アスカは団体対抗戦ブームがすべて終わったあとの後発団体、**A to Z**でデビューですから。「そんな団体あったっけ？」っていうくらい印象の薄い団体ですが。

——ロッシー小川さんが、自宅マンションを差し押さえられていた頃ですね（笑）。

斎藤　アルシオンが潰れてからA to Zになって、ほとんど興行もやらずに終わってしまったイメージです。

鹿島　プロ野球だと日本で大スターになってからメジャーに行くっていうのがあるじゃないですか。女子プロレスの場合、かならずしもそうじゃないわけですよね。

斎藤　一本釣りシステムなんでしょうね。アスカは暗黒時代にデビューして、それから「**息吹**」で練習をした。紫雷イオもインディーでデビューでしょ。あの時代を生き抜いてスターになれたのは個々の才能ですよね。だから今後もWWEを目指す選手は出てくると思いますが、向こうで通用するだけの相当な実力がないとあの中には入っていけない。

【A to Z】
現スターダム代表のロッシー小川が設立したアルシオンの後発スピンオフとしてスタートした女子プロレス団体。正式名称はメジャー女子プロレスA to Z。2003年7月旗揚げ。堀田祐美子、吉田万里子、AKINOらが参画した。2006年5月、活動停止。

【息吹】
2005年に元・全日本女子プロレスの吉田万里子が自主興行としてスタートさせた女子プロレス興行。当時、老舗の全日本女子とGAEA JAPANが相次いで解散。〝冬の時代〟を迎えていた女子プロレス界を復興へと導くため、団体の枠を超えて若い選手たちにチャンスを与え、新しい時代の「息吹」を感じさせるというコンセプトだ

――アメリカで女子プロレスの地位がここまで上がってくると、そう簡単には行けるレベルじゃなくなってますよね。

斎藤 ボクもそう思う。アスカ、カイリ・セイン、紫雷イオの次にWWEを目指す若い選手というのは、なかなか見当たらない。Sareeeはコロナの影響で渡米できないという不運な状況にありますけど、彼女が向こうに行っても、すぐにメインロースターに上がれるかというと、ボクはなかなか難しいと思います。紫雷イオだってNXTで2年かかって、3年目でやっとメインロースターに入れるか入れないかっていう状況ですから。

鹿島 もの凄くハードルが上がっているわけですよね。

斎藤 あの**ロンダ・ラウジー**がプロレスに転向する時代ですからね。そして2019年は、ロンダ、シャーロット・フレアー、ベッキー・リンチのトリプルスレットがレッスルマニアのメインイベントでしたから、いまアメリカで女子プロレスのステータスは凄く高いんです。80年代、90年代までは、独自の発展と進化を遂げてきた日本の女子プロレスのほうがアメリカの女子プロレスよりはるか先を行っていたのに、いまは完全に逆転されて、大きく差をつけられてしまった。これはアメリカの女子プロレスに、日本のビジネスモデルが追いつかなかったからだと思う。

鹿島 それは社会学的なものもありますよね。プロレスファンがどうではなく。

斎藤 最初にWWEにおける女子選手の地位向上はステファニーの力が大きいと言いましたが、それが実現できた大きな力というのは、やはりアメリカ社会の自由と平等の価値観

った。2010年に活動終了。

【ロンダ・ラウジー】
UFC女子バンタム級王者からプロレス転向、2018年、WWEと契約。1987年、カリフォルニア州出身。2008年、オリンピック北京大会で柔道・銅メダル。MMAでは14戦12勝2敗。女優としても活動。

でしょう。そして現在進行形の観客の意識も変わった。WWEユニバースと呼ばれるファンの人たちも、女子部門と男子のプロレスを分け隔(へだ)てなく観るようになりましたから。

鹿島　男子の試合も女子の試合も、同一線上にありますよね。でも日本の社会だと、テレビなんかでもいまだに「女子アナ」って言っちゃってるじゃないですか。もう「アナウンサー」でいいじゃんっていう世の中になってきているのに、いまだに「女子アナ」。WWEで言うところのかつての「ディーバ」的な存在を求める上層部のオジサンたちがいますよね。

斎藤　しかも、社会のありとあらゆる場所、政治・経済でも、大企業でもメディアでも決定権を持っているのがそういう昭和のオジサンたちです。日本はほかのスポーツもまだそういう言い方が残っていますよね。ゴルフは「女子プロ」って言うし、テニスも「女子テニス」という言い方をする。

鹿島　「○○女子」っていう呼び名を、いまだに使ってるオジサンもいますからね。

斎藤　世界のスポーツ界では、錦織圭選手と大坂なおみ選手は同じグレードでしょ。ボクはそれが当たり前だと思うんです。

鹿島　だから「プ女子」なんかもそうですよね。女性ファンが増えることは歓迎すべきことですけど、「プ女子」という言葉があるうちは、観客の中で女性は少数派ということですから。それが言われなくなったら健全ですよね。

斎藤　ボクもそう思います。プロレスの世界でいえば、男子と女子のプロレス団体が別々にあること自体はいいと思うんですね。だけど、まだ男子と女子が同列には見られていない現状がある。アメリカでは、WWEという世界最大の団体のメインイベントを、女子選手が普通に務めるようになっていますから、これはもう大きな違い。先ほども言いましたが、去年はレッスルマニアのメインが女子の試合で、しかも主役はUFCの大スターだったロンダ・ラウジーかと思いきや、ベッキー・リンチという凄いカリスマ性を持った新しいスーパースターを生んだわけです。

鹿島　WWEというトップの団体の最高峰であるメインが女子選手なわけですもんね。

斎藤　ブロック・レスナー、ゴールドバーグ、ローマン・レインズより上の位置での試合ですからね。そして誰もレッスルマニアのメインが女子だったことに文句を唱える人はいなかった。そこも凄いと思う。

――日本に置き換えたらその凄さがわかりますよね。

斎藤　たとえば、ブシロードが新日本プロレスとスターダムの合同興行をプロデュースするとして、オカダ・カズチカ、内藤哲也、棚橋弘至らをおさえて、女子選手がメインイベントを務めるっていうシチュエーションは、まだちょっと想像しにくい。

――2019年に、**岩谷麻優**が新日本&ROHのマディソン・スクウェア・ガーデン大会の第3試合に出場したことが、「快挙」みたいな感じで言われましたからね。

斎藤　2020年の1・4東京ドームでは、スターダム提供試合が第0試合だったでしょう？　まだ、それくらいの位置なんでしょうね。

【岩谷麻優（いわたに・まゆ）】
1993年2月19日、山口県出身。女子プロレス団体スターダム1期生。2011年1月23日、同団体旗揚げ戦でデビュー。元ワールド・オブ・スターダム王者。スターダムのアイコンとして絶対的な支持を集めている。

鹿島　第0試合ということは、まだ本戦まで行ってないということですもんね。

斎藤　レッスルマニアという、ビジネス的なスケールで言えば1・4東京ドームの何十倍という大会で、すでに女子がメインを務めている。だいぶ先を行ってますよね。これを、日本の女子プロレスには「まだまだ伸び代(のびしろ)がある」と捉えるか、「もうアメリカとは差がつきすぎた」と考えるのか。これからの日本のプロレスビジネスとプロレスファンにとって、そのあたりがいちばん大きな課題だと思います。

第7回

“ウォリアーズ世代”はイチから自己プロデュースができた時代の最後のスーパースターたち

80年代〜90年代に大活躍した伝説的タッグチーム〝ザ・ロード・ウォリアーズ〟のアニマル・ウォリアーが亡くなったことが、２０２０年９月22日にツイッターの公式アカウントから発表された。死因は明らかにされていない。享年60。

１９８３年にアメリカマットでデビューしたウォリアーズ（ホーク・ウォリアー＆アニマル・ウォリアー）は、そのバイオレンスムード満点のルックスと暴走スタイルで世界中のプロレスファンを魅了。日本には１９８５年３月８日に全日本プロレスに待望の初来日。日本のファンにも広く支持を得ていた。

２００３年10月19日にホークが死去したことで事実上の解散となっていたが、２０１１年３月、初代マネジャーのポール・エラリングとともにザ・ロード・ウォリアーズ（リージョン・オブ・ドゥーム）としてＷＷＥ殿堂入りを果たしており、多くのプロレスファンの間で愛され続けている。

（『ＫＡＭＩＮＯＧＥ１０７』２０２０・11）

「ウォリアーズは初来日前から人気が爆発していたという新しい形の登場の仕方と、それまでのレスラーの匂いがしない新しさがあった」（鹿島）

――9月にアニマル・ウォリアーが亡くなってしまいましたね。

斎藤　アニマルはキンバリー夫人との結婚10周年の旅行中、ホテルで急死。60歳の誕生日から10日後。相棒のホークは２００３年、新居に引っ越しをした日、荷物をほどきつつ「２時間だけ昼寝する」といってそのままベッドで眠ったまま逝ってしまった。46歳。ふたりとも最期は奥さんと一緒でした。

――今回はその追悼の意味も込めて、「ロード・ウォリアーズと80年代」というテーマで語っていけたらと思うんですよ。

斎藤　ロード・ウォリアーズはまさに80年代、90年代を象徴するタッグチームでした。彼らを少年時代に観て憧れた〝ウォリアーズ世代〟という観客層が確実に存在すると思います。

鹿島　ボクやガンツさん、そして『ＫＡＭＩＮＯＧＥ』読者の多くもウォリアーズ直撃世代ですよ。

――子どもの頃、いちばん生で観たかった外国人レスラーはウォリアーズとハルク・ホーガンでしたから。でもホーガンは途中から日本に来なくなってしまったので、ウォリアーズこそが日本で観ることができる、もっともプレミア感あるレスラーでしたね。

斎藤　ホーガンは80年代前半、あの第1回ＩＷＧＰ優勝をはじめ、新日本プロレスのリングで大活躍しましたが、レッスルマニアが始まった１９８５年を最後に、ピタリと日本に来なくなりましたからね。

鹿島　日本のファンにとっては、ホーガンと入れ替わるようにウォリアーズが登場してくれたわけですよね。

斎藤　80年代前半までは、アメリカの各テリトリーで活躍しているスーパースターたちが年に一度か二度はシリーズ興行に特別参加で来日するシステムがありましたけど、ＷＷＥが全米進出を始めた１９８４年体制からは、ＷＷＥと長期専属契約を交わした選手がほぼ全員来なくなったんですよね。アンドレ・ザ・ジャイアントさえも。

鹿島　新日本の常連外国人がみんな来なくなって。

斎藤　だから80年代半ば以降、日本で活躍する外国人レスラーは、プロ野球の外国人〝助っ人〟みたいな形で、年間を通して日本を主戦場とする選手が増えていくんです。

鹿島　そしてその先駆けがスタン・ハンセン。

斎藤　それが、ハンセンもじつは１９８４年にＷＷＥが専属契約を交わそうとした第１グループにリストアップされていたんですよ。

鹿島　そうだったんですか！

斎藤　でもハンセンは全日本プロレスのリングを選択した。そしてブルーザー・ブロディもＷＷＥから誘われていたけど、新日本を選んだんです。

鹿島　ハンセンとブロディが日本を選んでくれたのは、本当に大きかったんですね。
――ウォリアーズは、1990年にWWEと専属契約を交わすまでは、全米の超売れっ子でありながら年に2～3回のペース、特別参加とかで来日していた。だから、たとえ1週間とか短期間の参戦でも〝俺たちのウォリアーズ〟っていう感覚がありますよね。
斎藤　WWEという〝遠く〟へ行ってしまった人たちとは違う親近感がありましたね。
鹿島　また、ウォリアーズは初来日前から人気が爆発していたという、新しい形の登場の仕方でしたよね。それまで、〝まだ見ぬ強豪〟というのは、プロレス雑誌のグラビアでしか知ることができませんでしたけど、ウォリアーズは『**フレッシュジャンプ**』で連載していた、みのもけんじ先生の漫画『**プロレス・スターウォーズ**』でまず幻想が高まり、テレビ東京系『**世界のプロレス**』で動く姿を見て、また驚くという。
――来日前からテレ東の月曜夜8時、ゴールデンタイムの主役ですからね（笑）。
斎藤　『世界のプロレス』の功績は大きかったと思います。ウォリアーズ初期のプロフィルとして「シカゴのスラム街育ちでネズミを食って育った」っていうストーリーがありました。それを受けて、ホークとアニマルのふたりがペイント姿で実際にシカゴのスラム街を歩いた映像は、『世界のプロレス』が現地ロケーションを敢行してオリジナルで撮ったものでした。
鹿島　そうだったんですか！　偉大な番組だなあ（笑）。
斎藤　ロード・ウォリアーズが日本のテレビ番組に協力的だったたっていうのもあったんで

【フレッシュジャンプ】
80年代に集英社から発刊されていた月刊漫画雑誌。「フレッシュ」の名のとおり、新人漫画家を積極的に登用する一方、『キン肉マン』のゆでたまごが『闘将!!拉麵男』、『Dr.スランプ』の鳥山明が『鳥山明のヘタッピマンガ研究所』を連載するなど、「週刊少年ジャンプ」の超人気作家陣も連載を持っていた。初代副編集長及び2代目編集長は『キン肉マン』に登場するキャラクター「アデランスの中野さん」のモデルでもある中野和雄。

【プロレス・スターウォーズ】
テレビ朝日『ワールドプロレスリング』の解説者としても知られた東京スポーツの桜井康雄がペンネームで執筆したプロレス小説『プロレス太平洋

すけどね。

鹿島　あの映像ではタバスコとか飲んでましたよね。よく考えると、タバスコを飲むことが強さとなんの関係があるんだろう、とも思いますけど（笑）。

斎藤　ネズミを食べるなんていう、あんな出まかせみたいなストーリーも、実際にあの映像があったからこそイマジネーションが膨らんじゃった感じがありましたよね。

鹿島　でも、「コイツらだったら本当にそうなのかも……」って思わせる説得力がありましたよ。また、キャリアが浅くて若いというのもリアルだったわけじゃないですか。それまでのレスラーの匂いがしない新しさがあった。だからプロレス専門誌とか読んでいないクラスの友達も「ロード・ウォリアーズってすげえな！」って言ってたり。

——子ども向けの雑誌にもたくさん出てましたからね。『フレッシュジャンプ』は漫画雑誌ですけど、カラーグラビアがウォリアーズで、ピンナップにもなったりして。

斎藤　少年誌のピンナップにもなりうるスーパースターでしたね。

——とにかくビジュアルがいいですからね。

斎藤　ロックバンド的なね。

——だからロード・ウォリアーズのストーリーって、ロックバンドのスーパースターが生まれるときと凄く似てますよね。

鹿島　そうか。そういう考え方のほうがわかりやすいですね。

戦争』を原案とし、みのもけんじが作画したプロレス漫画。レスラーはすべて実名で登場し、当時の少年ファンに絶大な人気を誇った。ザ・ロード・ウォリアーズは、新日・全日連合軍vsアメリカンプロレス軍全面対抗戦におけるアメリカ軍の大将格として、馬場&猪木組と対戦する。

【世界のプロレス】1984年10月から1987年3月までテレビ東京系列で放送されたプロレス番組。本場アメリカやメキシコなど、当時日本ではなかなか観ることができなかった海外のプロレスを毎週1時間枠で放送し、マニアから絶大な人気を誇った。テレビのレギュラー放送を持たなかった第一次UWFの試合も2度放送している。

「ビル・ワットがホークに『キミはちょっと顔がやさしすぎるから、目の下に黒いラインを描いてみな』とアドバイスしたんです」（斎藤）

――1985年（昭和60年）3月の初来日のときなんか、まさに「ロード・ウォリアーズがやって来るヤァ！ヤァ！ヤァ！」っていう感じのフィーバーぶりでしたよ（笑）。

斎藤 日本に到着してすぐ、成田空港のVIPルームでプロレスマスコミだけでなくテレビや一般誌も集めて記者会見をやりましたね。ゲートを出てくる前に、ちゃんとトイレでペイントしてから出てきて（笑）。

――ジーパンに「THE GYM」のタンクトップ、そしてペイントっていうのがよかったんですよ（笑）。

斎藤 本当に新しいスターって感じでしたよね。『世界のプロレス』に出た時点で、ウォリアーズとしてのデビューからまだ1年と、若かったんですね。アニマルが24歳、ホークが27歳でしたから。

鹿島 その若さ、キャリアで、すぐにトップになったわけですもんね。

斎藤 厳密に言うと、ホークもアニマルも**エディ・シャーキー**道場で練習したあと、それぞれ最初はカナダのバンクーバーとノースカロライナに送り込まれたんだけど、食えなくて一度ミネソタに帰ってきてるんです。

鹿島 〝ピン〟では売れない時代があったんですね。

【エディ・シャーキー】
元プロレスラー。ミネソタ州ミネアポリスでレスリングスクールを開き、ロード・ウォリアーズをはじめ、リック・ルード、バリー・ダーソウ（クラッシャー・クルスチェフ、デモリッション・スマッシュ）、ニキタ・コロフ、メドゥーサなど、多数のレスラーをコーチした。

斎藤　アニマルは、もしロード・ウォリアーズ計画がなかったら、フットボールの奨学金をもらって大学に入ろうとしていたんです。

鹿島　ネズミを食うどころか大学に行こうとしてたっていう（笑）。

斎藤　アメリカ人って、高校卒業からすぐではなく、何年かしてから大学に入る人ってけっこう多いんですね。それでとりあえずミネソタに戻って、ジムでウェイトトレーニングをしながら『グランマ・ビーズ』というバーでバウンサーの仕事をする生活に戻っていた。

――そのバーには、もともと〝プロレスラーの卵〟がたくさんいたんですよね？

斎藤　「ウォリアーズ世代」と呼んでいい、のちのトップレスラーたちがたくさんいました。まずアニマルとホークのふたりと仲がよかったリック・ルード。それからバリー・ダーソウ。

――のちのクラッシャー・クルスチェフですね。

斎藤　WWEではデモリッション・スマッシュに変身して、それからリーポマンに再変身した。他にもプライベートでアニマルと親友だったのがニキタ・コロフ。ザ・バーザーカーことジョン・ノード、いじめられっ子的なポジションだったトム・ジンク。女子だとメドゥーサ。ファイヤーキャットことブレディ・ブーン。ホークとハイスクールの同級生だったスコット・ノートンも忘れてはいけません。それから彼らよりちょっと歳下だったウォーロード、マイク・イーノスとか、本当にいっぱいいたんです。

鹿島　ウォリアーズ前の話って凄く興味深いですね。

——そして、そこのバーでバーテンをやっていたのが、エディ・シャーキーなんですよね？

斎藤　彼は非合法ギリギリのヤバイ仕事をいっぱいやっていたんです。そして身体の大きい若者を見ると「兄ちゃん、プロレスをやってみないか？」って誘うのが好きな人だったんです。

——**丹下段平**みたいな人だったんですね（笑）。

鹿島　日本にはお笑い学校っていうのがありますけど、その同期にも似てますね。で、お笑いだと売れたコンビでも最初は別の相棒と組んでいたとかあるじゃないですか。ウォリアーズの場合はどうだったんですか？

斎藤　エディ・シャーキーとしては最初のプランでは、ホークとリック・ルードを組ませたかったみたいなんですよ。

鹿島　やっぱり、幻の相方がいたんですね（笑）。お互いに売れたからいいけど、いま思うと違和感がある。

斎藤　ホークとルードは同じアパートでルームシェアするほど仲がよくて、ふたりともタッグを組む気になっていたんです。

——体格も似てるから、タッグチームっぽくはありますもんね。

斎藤　そうなんです。ちょっと細身のボディビルダーって感じですね。だけどジョージアのブッカーだった**オレイ・アンダーソン**がミネアポリスに来て、ホークとアニマルを呼んで「ユーとユー、ふたりでコンビを組め」って言って、ロード・ウォリアーズが生まれる

【丹下段平】梶原一騎（高森朝雄）原作、ちばてつや作画のボクシング漫画『あしたのジョー』で、街のゴロツキだった主人公の矢吹丈をボクシングの世界に導き、指導したトレーナー。丹下拳闘クラブ会長。

【オレイ・アンダーソン】1942年、ミネソタ生まれ。80年代にNWAジョージア地区でプロモーター、ブッカーとしても手腕を振るったプロレスラー。80年代後半にはリック・フレアー、タリー・ブランチャード、アーン・アンダーソンと伝説的なユニット、フォー・ホースメンを結成した。

んです。

鹿島　そういう目利きの人の存在って重要ですよね。「このふたりに決まってんじゃん！」って感じだったんでしょうね。

斎藤　ブッカーというプロの目からすると、ロード・ウォリアーズはアトランタのスタジオ・マッチでのデビュー戦の映像が残っているんです。ペイントはまだしていなくて、革のハンチング帽、革の黒ベストのバイカーギミックだったんです。

鹿島　あれは映画『**マッドマックス**』がモチーフなんですかね？

斎藤　はい。原題がそのまま『ザ・ロード・ウォリアー』という『マッドマックス2』がモチーフです。

――いま見ると、まるっきりレイザーラモンＨＧのスタイルなんですよね（笑）。

鹿島　早すぎたＨＧ（笑）。

斎藤　まあ、流行りの映画でしたからね。

鹿島　みのもけんじ先生は、その初期ウォリアーズの宣材写真を見て「コイツらは売れる！」と思って、主役に抜擢したらしいんですよね。

――**BI砲**の対抗馬になる最強の敵が、ハンセン&ブロディじゃ当たり前すぎるから、未知の強豪をラスボス的に出したという。

鹿島　編集者は心配したらしいんですよ。「そんな無名のレスラーをＢＩ砲に当ててもいいんですか？」って。でも、その後『世界のプロレス』でも放送されて人気が出て辻褄が合

【マッドマックス】
1979年公開の荒廃した近未来を舞台にしたバイオレンスアクション映画シリーズ。初期ロード・ウォリアーズのモチーフになったほか、漫画『北斗の拳』などにも大きな影響を与えた。1986年には、その名もずばりマッド・マックス1号&2号という、ロード・ウォリアーズをパクったようなタッグチームが新日本プロレスに来日している。

【BI砲】
1960年代後半から72年まで日本プロレスで活躍した、ジャイアント馬場&アントニオ猪木のタッグチーム。絶対的なエースコンビとしてインターナショナルタッグ王座に長く君臨、それぞれの頭文字を取ってBI砲と呼ばれた。

ったという。みのもけんじ先生＝オレイ・アンダーソン説ですよ（笑）。

斎藤　あのペイントもホーク&アニマルのアイデアじゃないんですね。ルイジアナのプロモーターだったビル・ワットが、アトランタに選手を見に来たときに、ホークに「キミはちょっと顔がやさしすぎるから、目の下に黒いラインを描いてみな」とアドバイスした。だから最初の頃はいまのＥＶＩＬみたいなペイントだったんです。

「キャリアの浅い若いふたりがデビュー後すぐに連戦連勝になったのは、ポール・エラリングの力が大きかったわけですね」（鹿島）

鹿島　なるほど。そのとき、すでにアメリカにカブキさんは登場していたんですか？

斎藤　いました。当時、ペイントしていたレスラーはカブキさんとジャイアント・キマラくらいだったと思います。

――カブキさんがいなかったら、ウォリアーズが生まれていなかったかもしれないんですね（笑）。

斎藤　まあ、ウォーペイントっていう顔に染料を塗るネイティブアメリカンの文化的な風習があって、そこにビル・ワットの助言もあって、目の下を黒くメイクすることから始まったんですね。でも、それだけじゃロード・ウォリアーズは完成しないんですね。まだ若手だったアニマルとホークが活躍するためには、同じミネソタの先輩である**ポール・エラ**

【ポール・エラリング】
１９５３年、ミネソタ生まれ。70年代末から80年代初頭にマッチョ系プロレスラーとして活動後、内臓を患いプレイング・マネジャーに転向。ロード・ウォリアーズのデビュー当時からのマネジャーとして活躍し、２０１１年にはホーク、アニマルと共にＷＷＥ殿堂入りを果たした。

リングの存在が不可欠だったんです。

――ポール・エラリングは、本当の意味でウォリアーズの〝司令塔〟だったんですよね？

斎藤　そうです。ポール・エラリングはもともとスーパースター・ビリー・グラハムのコピーのようなマッチョ系レスラーだったんですけど、内臓を壊して、いわば志半ばで試合ができない身体になってしまったんですね。

鹿島　そういう自分の想いをホークとアニマルに託したわけですか。

斎藤　ポールは、ホークとアニマルがコンビを組み始めたとき、「俺がハンドリングする」と名乗りをあげて、3人は本当の運命共同体になるんですね。そのとき、ポールがウォリアーズのふたりに言ったのは「プロレスというビジネスは、負けてちゃダメなんだ。勝たなきゃダメなんだ」ということなんです。それが彼らのプロレスの目覚めでもあったと思うんです。これはプロディの項でお話ししたこととも関係しています。

――プロレスこそ、じつは勝敗が大事なんだと。

斎藤　いまの時代は、かつてよりはるかにプロレスの成り立ちに関してオープンに論じられるようになっているので、そこはわりときっちりと分析することができます。プロレスはエンターテインメントであり、勝ち負けのところが演出されているものだとすると、プロレスを知らない人たちは「いかようにもプロデュースできるんでしょ。シナリオがあるんでしょ」と思ってしまいがちですけど、それはまったく違うんです。演出されているものであるとするならば、むしろ勝たなきゃいけないんです。ポール・エラリングは観客の前ではキャスティング上のマネジャーも演じていたけれど、業務上の本物のマネジャーでもあったんです。それでホーク&アニマルと組んでからは各団体、プロモーターとの交渉から、航空券やホテルの予約に至るまで、すべてポールがやるようになったんです。

――ウォリアーズのすべてを取り仕切っていたと。

鹿島　そしてキャリアが浅く、プロレスの力学のようなものをまだそんなに理解していなかった若いふたりが、デビュー後すぐに連戦連勝になったのは、ポール・エラリングの力が大きかったわけですね。

斎藤　もちろん、ふたりのあの体格、あのキャラクターがあってのことですけどね。ホークとアニマルは、ポールに言われたとおり、秒殺で勝ち続けて、舞台裏ではポールがプロモーターやブッカーとしっかり交渉することで、それが可能になっていった。

鹿島　ロード・ウォリアーズが連戦連勝で人気が出て、お客が入るようになれば、プロモーターにとっても万々歳なわけですしね。

――ポール・エラリングが単なるリング上のマネジャー役じゃなくて、ビートルズにおける**ブライアン・エプスタイン**的なすべての仕掛け人だったというのは、いい話ですね。

斎藤　まさにそういう存在だったんです。ボクも最初はポールが単なるマネジャー役なのか、本当のマネジャーなのかわからなかったんですけど、あの3人の行動をよく観察して、馬場さんの話を聞いてわかったんです。ロード・ウォリアーズが全日本に来たとき、ホークとアニマルとポールのギャラが同額だったんです。

【ブライアン・エプスタイン】
ザ・ビートルズのマネジャーであり、彼らをプロデュースして世に送り出した人物。そのため「ビートルズを作った男」「5人目のザ・ビートルズ」などとも呼ばれる。

――凄い！　まさに〝3人目のウォリアーズ〟（笑）。

斎藤　おもしろいでしょ？　馬場さんは「なぜマネジャーに同額を払わなきゃいけないのか」って思ったらしいんですけど、ポール・エラリングなしでは暴走戦士のプロレスは成り立たなかったんです。

――以前インタビューしたとき、アニマルも言ってましたね。「すべてをコントロールしていたのはポール・エラリングで、ロード・ウォリアーズっていうのは『ポール・エラリング率いるロード・ウォリアーズ』だったんだ」と。

鹿島　ポール・エラリングとロード・ウォリアーズ、ムード歌謡みたいな（笑）。

――内山田洋とクール・ファイブ的な（笑）。

斎藤　ウォリアーズとして全米ツアーを始めた時点で彼らはキャリア2年足らずの若手だったわけです。「こういうときはどうなの？」って、ことあるごとにポールにアドバイスを求めていたんです。それでポールが「あっ、それはやらなくてもいいぞ」とか「じゃあ、俺が言ってやるから」とか、明確に指示を出していた。ポール・エラリングは本物のキーパーソンなんです。

――試合のやり方も全部、紙に図を描いて説明してくれたらしいです。リングの四角を描いて、「ホークがこう動いたら、アニマルはこっちに走れ」とか。そうしたらアメフトのフォーメーションを覚えるのと同じ感覚で理解できたって。

鹿島　なるほど！　ポール・エラリングはキレ者ですね。

斎藤　そしてひとつのプロモーションにとどまらず、いろんなところで試合をすることで、全米規模の人気になって、ギャラも跳ね上がっていったんですね。ウォリアーズは住んでいたのがミネアポリスだったから、一応AWAの選手でしたけど、ジェリー・ローラーのテネシーにも行くし、NWAフロリダにも行くし、あるときはペンサコーラ、南部ルイジアナ、そして全日本。その舵取りは全部ポールがやっていた。

——でも、よくバーン・ガニアが手放しましたね。

斎藤　というより、AWAがロード・ウォリアーズのギャラを払いきれなくなっちゃったんですね。だから「もうどこの団体に出てもいい」となって。

——囲いきれなくなったと（笑）。

斎藤　AWAはいい団体だったんですけど、ちょっと時代遅れになりつつもあったんです。ロード・ウォリアーズの対戦相手がクラッシャー・リソワスキー＆バロン・フォン・ラシクとかね。歳がいくつ上なんだよっていう（笑）。

鹿島　大御所すぎますよね（笑）。

斎藤　そのときのAWAって、主力グループがニック・ボックウィンクル、マッドドッグ・バション、クラッシャー・リソワスキー、バロン・フォン・ラシク、ビル・ロビンソン、ブラックジャック・ランザとか、超ベテランばっかりだったんです。

「ビンス・マクマホンも以前からウォリアーズがほしかったと思うんですけど、なかなか契約を交わせなかったのでデモリッションを作っちゃった」（斎藤）

――70年代の国際プロレスに来ていたメンバーですね（笑）。

鹿島 大御所だらけの演芸場に、お笑い第7世代が出ていたようなもんですね（笑）。

斎藤 だからAWAでは大物だったジェリー・ブラックウェルあたりは「アイツら、まだガキだろ」って思っていたらしい。だけど、ロード・ウォリアーズはどんどん人気者になっていくわけです。

鹿島 古い人たちが理解できない、まったく新しいヒーローだったわけですね。

斎藤 ウォリアーズは最初はヒールで出てきたのに、どんどん人気が出て、お客さんの反応は完全にベビーフェースなんですね。それをバーン・ガニアは理解できなかったんです。「なんでコイツらはブーイングされないんだ？」って。

鹿島 いろんな意味で持て余してたわけですね（笑）。

斎藤 当初、AWAではロード・ウォリアーズがヒールで、ベビーフェースのライバルがスティーブ・カーン&スタン・レーンのファビュラス・ワンズだったんですけど、そっちがブーイングを食らっちゃって。

――ファビュラス・ワンズは、裸に蝶ネクタイなんていうコスチュームの典型的なベビーフェースなのに（笑）。

斎藤　そんな状況にＡＷＡ首脳部が首をかしげちゃって。

鹿島　暴力的な〝ワル〟が人気者になるって感覚が、わかってなかったんですね。

――だから、アンチヒーローの先駆けでもあるんですね。ストーンコールドが出てくる10年以上前で、内藤哲也の**ロスインゴ**の30年前ですから（笑）。

斎藤　ウォリアーズはヒール的なスタイルなのにもの凄く人気があったから、ベビーにするしかなくなったんです。それで、ＮＷＡクロケット・プロに移籍してからは、ラシアンズがライバルになりましたけど、当時は冷戦構造がまだ残っていたから、ロシア人コンビっていうのはアメリカでは自動的にヒールになるわけです。だからカード的にはちょうどよかったんだと思うんです。

鹿島　同じようなワルのタッグチームだけど、アメリカ対ソ連という構図で自動的にベビーとヒールが決まるわけですね。

――ラシアンズのふたりは、本当はロシア人どころか、ホークとアニマルのバウンサー時代の地元の仲間ですよね（笑）。

斎藤　偽ロシア人に変身したニキタ・コロフとクラッシャー・クルスチェフは、ウォリアーズの地元の仲間。ＮＷＡクロケット・プロで「イワン・コロフの甥っ子が来る」というストーリーを作ることになったとき、アニマルが友達のスコット・シンプソンを連れて来て、頭もツルツルに剃ってニキタ・コロフに変身させた。

鹿島　自分たちのライバルを作るのに、地元の友達を呼んできたと（笑）。

【ロスインゴ】
内藤哲也を中心とする新日本プロレスの反体制派ユニット。正式名称はロス・インゴベルナブレス・デ・ハポン。スペイン語で「日本の制御不能な奴ら」を意味する。

斎藤　ニキタ・コロフはプロレス的センスが素晴らしかったから、すぐトップになりました。当時のＮＷＡクロケット・プロには世界王者のリック・フレアーがいて、まだ若手だったスティングとか、マグナムＴＡ、レックス・ルーガー、バリー・ウインダム、タッグ屋のタリー・ブランチャード＆アーン・アンダーソン、ロックンロール・エキスプレス（リッキー・モートン＆ロバート・ギブソン）、ミッドナイト・エキスプレス（ボビー・イートン＆デニス・コンドリー）らがいて、いちばんいい時代でもありましたね。ＷＷＥに対抗できる唯一の団体みたいな感じで。ダスティ・ローデスがプロデューサーで。

――ローデスが90年代新日本における長州力だったわけですね。

斎藤　ウォリアーズは若くして番付はリック・フレアー、ダスティ・ローデスに次ぐポジションまで登り詰めるんですけど、そこにＷＷＥからオファーが来ちゃうわけです。

鹿島　魔の手が伸びてきた（笑）。

斎藤　ビンス・マクマホンも以前からウォリアーズがほしかったと思うんですよ。でもなかなか契約内容というか条件に首を縦に振らないから、**デモリッション**を作っちゃった。

――ウォリアーズ〝みたいな〟チームを、お手盛りで出したわけですよね。

斎藤　デモリッションは、ウォリアーズのようなバッキバキの筋肉質ではないし、ピンとこないところもありましたけど。ビンス・マクマホンからすればデモリッションを作ったので、一時は「もう、アイツらはいらねえや」って感じだったと思うんですね。あとは権利上、すべてがＷＷＥのものにならないことが気に入らないっていうのもあったと思いま

【デモリッション】
80年代後半から90年代初頭にかけて、ＷＷＥで活躍したタッグチーム。ロード・ウォリアーズと同様に映画『マッドマックス』の世界観をモチーフとしている。メンバーはアックス（マスクド・スーパースター）、スマッシュ（バリー・ダーソウ）。のちにクラッシュ（ブライアン・アダムス）が加入した。

す。ポール・エラリングの偉いところは、司法書士と弁護士に書類を申請してもらって、ロード・ウォリアーズの版権・知的所有権を写真、映像、活字まで網羅的に取っていたんです。それによってグッズも自分たちの権利によって作れるし、NWAクロケット・プロがウォリアーズのグッズを作ったときには、自分たちにロイヤリティが入るシステムを作って、ちゃんと管理していたんです。

鹿島 当時のプロレス界では画期的ですよね。

斎藤 でも、その版権を所有していた法的根拠があったからこそ、WWEと契約したときにリングネームはロード・ウォリアーズではなくなって、リージョン・オブ・ドゥーム（LOD）になっちゃったんですよね。

鹿島 あれはちょっとザワザワしましたよね。

――ファンからすると、まったく認めたくない改名でした（笑）。

斎藤 ちょっと違和感ありましたよね。また、コスチュームの色合いも微妙に違ってたりして。WWEがデザインしたものは赤いリムが入っていて、黒プロテクターじゃなくて赤プロテクターだったりとか。

――SWSの東京ドームに出たときは、そのスタイルでしたよね。

斎藤 お金の面ではたぶん、WWEに行ってからのほうがよかったと思うんです。でも、それによって全日本プロレスとの関係が切れてしまったし、彼らにとってWWEという空間の居心地はそれほどよくなかったと思う。

「WWEがホークの性に合わなかったというのは、一匹狼だった江夏豊が管理野球の広岡西武に入った感じですかね（笑）」（鹿島）

――WWEでは、マッチメイク面での待遇もよくなかったですよね。

斎藤　WWEに行ってからの最初の定番カードは、LOD vsナチュラル・ディザスターズでした。ジョン・テンタとタイフーンという、自分たちよりふた回りもデカい相手。

鹿島　あー、そうだった。

斎藤　だからあれはわざと個性を殺されたか、意地悪をされたような気がします。普通、売り出すつもりなら、しょっぱなはよく見える相手を当てるでしょ？

――ジョン・テンタやタイフーンは、さすがにリフトアップできませんもんね（笑）。

斎藤　当たり負けしちゃうし、LODが強そうに見えない。

鹿島　獲っておいて飼い殺しにするというのは、ビンスの考えだったんですか？

斎藤　いろんな説があるんですけど、基本的にビンス・マクマホンは自分の会社のオリジナルのプロデュースではない選手については、あまり積極的に動かないんです。他団体から獲りはするんだけど、たとえばLODとアルティメット・ウォリアーのどっちがかわいいかって言えば、アルティメット・ウォリアーのほうがはるかに番付は上にしておくんですね。LODとデモリッションでも、なんとなくデモリッションのほうが格上のような感じのプロデュースだった。

——日本の感覚だと、デモリッションなんてはるかに下ですけどね。

斎藤　ウォーロードとバーバリアンっていうコンビもあったでしょ？

——あれなんか、完全にウォリアーズのコピーですよね。

斎藤　見た目がまったく同じじゃんっていうチームだった。だからホークとアニマルがあまりよく見えないようにわざとやってるんじゃないかっていうことが、いっぱいあったんです。ボクもそういう違和感がずっとあった。

鹿島　そこは不思議ですよね。外様には冷たいとか。

斎藤　WWEって、どんな大物でもいじりたがるというか、キャラクターをWWE的に作り変えちゃうところがありますよね。だから、WWE在籍中はあまり幸せな時期じゃなかったんじゃないかなって思います。

鹿島　そうでしょうね。

斎藤　それでブレット・ハートvsブリティッシュ・ブルドッグ（デイビーボーイ・スミス）のインターコンチネンタル選手権が、ロンドンのウェンブリー・スタジアムに7万人を集めた『サマースラム1992』の当日、ホークが「俺、帰る」って突然WWEを辞めちゃったんです。それでロンドンから自分で飛行機代を払ってミネソタに帰ってきちゃった。アニマルは「もうちょっと我慢してみようよ」って説得したんだけど、ホークは「俺はこのカンパニーが嫌だから。俺は帰る！」って。それが1回目の解散ですよね。

——それもまたロックバンドみたいですよね（笑）。

斎藤　ふたりの仲は凄くいいと思うんですけど、ホークがもうＷＷＥにいることに耐えられなかった。そうしてそれから数カ月後にマサ斎藤の誘いに応じて、新日本で佐々木健介と**ヘルレイザーズ**を結成するわけです。

鹿島　ホークはＷＷＥみたいな大企業が性(しょう)に合わなかったんですかね？

斎藤　それもあったと思います。ＷＷＥでは選手が凄く管理されていて、たとえば何時に会場に入り、何時に出たとか、行動がいちいちチェックされるんです。

鹿島　一匹狼だった江夏豊が現役の最後の頃、管理野球の広岡西武に入って誰も得をしなかったっていうことがありましたけど。そんな感じですかね（笑）。

斎藤　バックステージにホワイトボードがあって、「何時にミーティング」とか、そういう試合以外のノルマがたくさんあるんです。番組内のトークの部分なんかでも、『ロウ』を観ていると生中継でしゃべってるように見えるけど、あれはあとでインサートするために、試合前の16時くらいの時点で撮ってあるんです。だから、そういった出番も含めて「何時にどこに集合」「コスチューム着用でスタンバイ」なんていう拘束がいっぱいあって、それでホークが嫌になっちゃったと思うんです。

鹿島　その逆で来ていた人ですもんね。

――全日本や新日本時代も、「ホークは目を離すとすぐいなくなる」って言われてましたもんね（笑）。

斎藤　これは余談になりますが、そのＷＷＥ時代に仲良くなったのが、性格的に自由人の

【ヘルレイザーズ】
1992年に、ＷＷＥを離脱したホーク・ウォリアーとパワー・ウォリアー（佐々木健介）が新日本プロレスで結成したタッグチーム。スコット・ノートン＆トニー・ホームからＩＷＧＰタッグ王座を奪取するなど、90年代の新日本を代表するタッグチームだった。

ケリー・フォン・エリックだったんです。

――ケリーとウォリアーズは、80年代後半に若きスーパースターだった者同士ですよね。

鹿島 同じ境遇だから、わかり合えるものがあったんですかね。

斎藤 ロード・ウォリアーズがLODになったように、ケリーもケリー・フォン・エリックを名乗らずに、テキサス・トルネードに改名した。またケリーの場合、ダラスの〝鉄の爪王国〟という父親（フリッツ・フォン・エリック）のマーケットもなくなってしまい、最終的には非業の最期を遂げるわけですけど。

「ホークもアニマルももの凄く才能があったけれど、ポールがいなければ開花するのにもうちょっと時間がかかっていたかもしれない」（斎藤）

――そう考えると、ロード・ウォリアーズって80年代にプロレスを変えた新しいタッグチームというイメージでしたけど、じつは古き良きテリトリー時代のアメリカンプロレス最後のスーパースターでもあったわけですよね。

斎藤 そうですね。ケリーもウォリアーズも地方分権のテリトリーがあった時代の最後のスーパースター。その地方分権のプロレスを壊滅させたメジャーリーグＷＷＥに行ったはいいけれど、そこには違和感しかなかった。

鹿島 80年代では新しいチームだったけど、90年代をまたぐと状況や立場が大きく変わったわけですよね。

斎藤　それまで若さと勢いで突っ走ってきたふたりが、90年代に入るとちょっとベテランのグループになってくるでしょ。それでも毎年〝3割バッター〟でいなければいけない。WWE時代のLODはけっこう負けてるんですよね。そうなるとロード・ウォリアーズの魅力が台無しなんですね。ああいうチームって、負け始めたら価値が落ちてしまうから。

――それもまたロックバンドっぽいですよね。「デビューから3枚目のアルバムくらいまでは最高だったのに」みたいな（笑）。

斎藤　でもワールド・ツアーは続くし、アルバムは出し続けなきゃいけない。おもしろいのは、80年代後半から90年代前半に少年時代を送ったアメリカのファン、テレビ視聴者層のカジュアルなファンの多くはWWEしか観ていないから、あのWWEというパッケージの中でのLODとして、アニマルとホークのふたりを記憶しているわけです。

鹿島　あ～、なるほど。「ロード・ウォリアーズ」ではなく「リージョン・オブ・ドゥーム」として憶えていると。

――ボクは2019年、ニューヨークでのレッスルマニアウィークに行われていたファンイベント『レッスルコン』のサイン会に行ったんですよ。それぞれのブースでレスラーがサインや撮影会をしていて、アイアン・シークのところには大行列ができていたんですけど、隣のアニマル・ウォリアーのブースはけっこう閑散としていて、さびしい気持ちになったんですよね。

斎藤　おそらくターゲット層が違うんでしょうね。

――そうなんですよ。ブレット・ハートがいちばん人気で、90年代育ちくらいのファンが中心な感じでしたから。

斎藤　アイアン・シークはネット社会になってから突然再ブレイクしたんです。ツイッターでブロークンイングリッシュのまま、毎日とんでもないツイートを連発して。

鹿島　それ、まるっきり、いまの長州さんそのままじゃないですか！（笑）

斎藤　それによって昔を知っているファンだけじゃなく、いまの若い人にも変な人気が出た。それって最近の話なんですよ。

鹿島　日本もアメリカも80年代、90年代のスターは強いですね。

斎藤　アイアン・シークは、ホーガンが初めてWWF世界ヘビー級チャンピオンになったときの原点の人ですよね。また、見た目があの頃とほとんど変わらないんですね。

――スキンヘッドに髭というわかりやすさもありますけど、変わらなすぎですよね（笑）。

鹿島　あと、アイアン・シークは映画にもなりましたよね。

斎藤　ネット社会になってもう一花咲かせた、アイアン・シーク現象を描いたドキュメンタリー映画が作られたんです。それぐらいの再ブレイクだったんです。ファンフェスでそのアイアン・シークの隣だったというのは、アニマルはちょっと気の毒でしたね。

鹿島　WWE時代、ポール・エラリングはどうしていたんですか？

斎藤　WWEはホークとアニマルとだけ契約して、「ポール・エラリングは来ちゃダメ」っていうスタンスだったんです。

鹿島　完全にコントロールするために、司令塔のポールを切り離したわけですね。

斎藤　でも、ホークがWWEを離脱する最後のウェンブリー・スタジアムの試合では、ポール・エラリングもハーレーにまたがって一緒に入場しているんです。それは、WWEがホークの引き止め交渉をしようとしたとき、ふたりが「ポールがいなければ、俺たちは交渉しない」と言うから、WWEはわざわざアメリカからロンドンまでポールを呼び寄せたんです。結果的にホークは離脱しましたけど、それぐらいポール・エラリングという人の存在は大きかったんです。

――そして最終的に、ロード・ウォリアーズはポール・エラリングと一緒にWWE殿堂入りしましたよね。

斎藤　だからポール・エラリングは、ボクらが思っている以上にロード・ウォリアーズブランドの完成に大きな役割を果たしていたんです。リングに上がって、プレイングマネジャーみたいな役もするけど、彼らの本当のビジネス・マネジャーでもあった。

鹿島　タッグチームを結成したとき、地元の先輩としてポール・エラリングがいなかったら、その後のウォリアーズはなかったわけですもんね。だから、いろんなタイミングが合致してスーパースターっていうのは生まれるんですね。

斎藤　もちろんホークもアニマルももの凄く才能があったけれど、ポールがいなければ開花するのにもうちょっと時間がかかっていたかもしれない。WWEというビッグカンパニーがすべてをプロデュースするようになる前のイチから自己プロデュースができた時代の最後のスーパースターたちが、〝ウォリアーズ世代〟だったんだと思うんです。

第8回

“ガチ”という言葉の意味

今やテレビ番組でも頻繁に聞かれ、子どもでも日常的に使うようになった「ガチ」という言葉。その元である「ガチンコ」は相撲界の隠語であるが、「ガチ」という言葉はもっとカジュアルに「本気」「真面目に」「真剣に」という意味で、「マジ」に近い形で使われている。

一方で「ガチ」の対義語のような形で「プロレス」という言葉が使われるシーンも少なくない。かつて「八百長」という言葉で揶揄(やゆ)されることが多かったプロレス界にとって、それは宿命でもあるのか？「ガチンコ」とは「シュート」とは、そして「プロレス」とは何か？

1954年に行われた力道山vs木村政彦の伝説の一戦を通してあらためて考えてみたい。

（『KAMINOGE108』2020・12）

「ボクらが何十年も観続けてもまだ理解しきれないプロレスというジャンルを、全部わかったような調子で語る人の感覚のずさんさ」（斎藤）

――今回は禁断のテーマというわけではないですが、あえて「ガチンコ」というお題でトークしていこうかと思うんですよ。いま、あまりにも「ガチ」みたいな言葉が安易に使われているじゃないですか。

斎藤　子どもも学生も、「ガチで」っていう言葉を日常で凄く使うんですよね。

鹿島　普通の言葉になりましたよね。日常会話の中で頻繁に出てくるような。

斎藤　その「ガチで」っていうのは「マジで」に代用できるわけでしょ。でも語源は「ガチンコ」というお相撲の世界の俗語ですからね。力道山によってお相撲の文化や生活習慣がそっくりそのままプロレスの世界に持ち込まれ、そういったスラングの類も同時に入ってきたということですね。

鹿島　もっと言うと、世間では「プロレス」っていう言葉も、ボクらからすると間違った使われ方をされることが多いじゃないですか。

斎藤　そうなんです。「なんだ、どうせプロレスじゃん」みたいなことを言う人がいるけど、そうやって「プロレス」を「ヤラセ」「デキレース」「お芝居」という意味で使っている人は、間違いなくプロレスをまともに観たことがない。これは単なる偏見であり差別です。

――ヘタしたら「ガチ」の対義語とか「予定調和」の代替語みたいに使われたりしますよ

ね。

鹿島　そう。だから前号の『ＫＡＭＩＮＯＧＥ』のコラムでも書いたんですけど、アメリカ大統領選挙でトランプとバイデンの討論会があったじゃないですか。お互いに割って入ったりしてひどかったですよね。その言い合いのレベルの低さについて、ボクが聴いたラジオ番組で、ある政治学の大学教授が「あれは本当にプロレスみたいなものですね」って言ってて。

斎藤　ツイッターで見かけましたね。

鹿島　「ＷＷなんとか」とかって、ＷＷＥのことを揶揄したりして、その人は以前から同じたとえをしているらしいんですよ。「こういうことを言うとプロレスファンに怒られるんだけどね」って言いながら。

――「怒られる」とわかっていて、また同じことを言うっていうのがタチ悪いですね。それくらい、プロレスなんていくら貶（おとし）めてもいいっていう。

鹿島　ボクは以前、フミさんに違うラジオ番組で「むしろトランプはＷＷＥから何かを学んだんじゃないか」というお話をしてもらいましたけど、これは似ているようで全然違う話ですからね。その教授は、あの討論会のレベルの低いセレモニー的なたとえとして「プロレスだ」って言ってるんですよ。プロレスを知らないのに、知らないことを隠そうともせず。

斎藤　でも、そういうコメントで「プロレス」という単語を使っていることで、むしろその人の教養というか知性の底が知れてしまいますね。

鹿島 ちゃんとした番組で、その教授もアメリカの外交とかには詳しいんですけど、そのレベルの低さのたとえでよりによって自分が詳しくないジャンル、プロレスという言葉で語ってるんですよね。「トランプがいろいろ言うのは最初からお約束で、バイデンもそれを受けてお約束で返している」みたいな、そのたとえを「WWなんとか」って言ってて。

斎藤 それはもう何重にも間違っているじゃないですか。だってテレビ討論会はヤラセではない。トランプは本当にそういう人だし。プロレスに対する偏見以前の誤った認識ですよ。

鹿島 ボクはいつも声を大にして言うんですけど、「茶番」とか「手を抜いている」っていう意味でプロレスって言葉を使う人がいますけど、プロレスは全然手を抜いてねえじゃんっていう。むしろWWEなんてエリート中のエリートしか上がれない、技術が洗練された人たちじゃないですか。もちろんトランプはWWEに登場したことがあって、あそこで何かを学んだはずですけど。「プロレスのマイクパフォーマンスの見様見真似を政治に持ち込むのは問題だね」っていう切り口ならまだいいですけど、そうじゃなくプロレス自体にたとえていることに、ちょっと呆れましたね。

斎藤 プロレスという言葉を「低俗なもの」のたとえとして使う人は、その人自身の論理のレベルが非常に低いですよ。プロレスは好き嫌いがあるジャンルであることはたしかだし、興味がない人にはまったく興味を抱けないものであることもわかります。だからといって、ボクらが何十年も観続けてもまだ理解しきれないプロレスというジャンルを、全部わかったような調子で語る人の感覚はあまりにもずさんです。

鹿島　どんなに社会的にいい解説をしていても、自分の興味のないジャンルに対しては、平気で無知と偏見を垂れ流してしまう。これはもう他人事じゃないと思いましたね。

――だからこそ、いちいち「違うよ」と言っていく必要があるわけですよね。

鹿島　そう思います。また逆に言えば、あいかわらずそういうたとえに出てきてしまうほど、「プロレス」とか「ガチ」という言葉が一般に浸透しているということでもあるのかなと。

「凄く軽々しく使われていますけど、本来『ガチ』とか『シュート』みたいな言葉こそ気をつけて使わなきゃいけない」（鹿島）

斎藤　「ガチ」という言葉が、いまや隠語ではなく一般語になったことはたしかですね。「ガチンコ」の語源を知らないいまま広まってしまった。

鹿島　プロレスの世界では「ガチ」とともに「セメント」って言葉が一時期せめぎ合っていた気がしますけど、ガチが残りましたね（笑）。

斎藤　「ガチンコ」は相撲界にちゃんと存在する言葉ですけど、「セメント」という言葉がどこから来たのかは、ちょっと不確かなんです。アメリカのレスラーが場外乱闘をするときに「セメント（のフロア）に叩きつける」という表現を用いたりするのですが。

鹿島　あっ、そうなんですか。

斎藤　日本におけるプロレスの隠語は、基本的に相撲かアメリカのどちらかからもたらされたものですけど、アメリカ人レスラーが「セメント」と言っているのをボクはあまり聞いたことがない。日本のプロレス界においては「シュート」と同義語で使われてきたことはわかるんですけどね。

――昔の新日本の選手たちは、道場でのいわゆる〝**極**（き）**めっこ**〟のことを「セメントの練習」って言ったりしますよね。

斎藤　ある世代がそういう使い方をしていたっていうことかもしれない。

鹿島　「シュート」という言葉は、昔から使われていたんですか？

斎藤　「シュート」そして「ワーク」という言葉は、アメリカで昔から使われていた言葉です。「狙撃する」っていう意味でのシュートですから。

――物騒な言い方をすると「殺しにいく」ですよね。

斎藤　だから（カール・）ゴッチ先生は「シュート」という言葉が嫌いだったんですね。「そんな卑（いや）しい言葉は使うな！」って感じで。特にレスラー以外の人がそういったスラングを使ったりすると、凄く嫌悪感を露わにしていました。

鹿島　それこそ「わかったような口を利くな」ってことでもあったんでしょうね。

斎藤　ゴッチ先生の前ではそういった下品な言葉を使っちゃいけないんです。だから佐山

【極めっこ】プロレスの道場で行われる関節技のスパーリングのこと。日本プロレスでは上田馬之助が、新日本プロレスでは藤原喜明が無類の強さを誇ったことで知られる。

（サトル）さんが最初に「**シューティング**」って言葉を使ったときも、「何がシューティングだ。狙撃でもするのか？」ってあまりよく思わなかったんです。単語そのものの響きとしてもね。

――「おまえ、それ〝射精〟って意味だぞ」って言ったという話もありますよね（笑）。

鹿島　だから本来、「ガチ」とか「シュート」みたいな言葉こそ、気をつけて使わなきゃいけないんですよね。凄く軽々しく使われていますけど。

斎藤　言葉の理解の仕方という意味では、「ガチ」そのものがあまり正しく理解されていないという部分もあると思いますね。

――あと、プロレスの「シュート」と総合格闘技をごっちゃにしてる人も凄く多いと思うんですよ。競技としての総合格闘技とシュートって、また全然違うものなのに。

斎藤　総合格闘技は1秒でも早く相手に勝てばいいものだけど、シュートはあくまでプロレスの中で起こることですからね。でも、シュートと総合がごっちゃになっている人というのは、特にプロレスを見始めたとき、すでにMMAが存在していた比較的若い世代に多いと思うんですよ。たとえばYouTubeに上がっている力道山vs**木村政彦**の試合映像に興味を持っているアメリカ人って、いまかなりいるんですけど、彼らはみんな「プロレスラー対総合格闘家によるMMAの試合」っていう理解であの試合を捉えているんです。

――なるほど。アメリカではアームロックが「キムラ」と呼ばれるほどメジャーな存在だから、「〝MMAの始祖〟である木村政彦が、プロレスラーに負けた試合」として捉えられ

【シューティング】
初代タイガーマスク佐山サトルが1984年に創始した新格闘技。キックボクシングの打撃、レスリングや柔道の投げ、そして関節技をミックスした総合格闘技の先駆け。現在の修斗。

【木村政彦（きむら・まさひこ）】
柔道全日本選手権13連覇という記録を持つ伝説的な柔道家。1950年代初頭、プロレスラー及び柔道指導者として海外を渡り歩く中、51年10月、ブラジルのリオデジャネイロで現地の柔術家エリオ・グレイシー（ヒクソン・グレイシー、ホイス・グレイシーらの実父）と対戦し勝利。帰国後、日本で本格的にプロレスラーとして活動し始めるが、54年12月22日、力道山に敗北。その後も地元熊本

てると（笑）。

斎藤　でも、あれはプロレスラー対プロレスラーによるプロレスの試合ですからね。

――日本でも『**木村政彦はなぜ力道山を殺さなかったのか**』という本の印象もあって、木村政彦は「プロレスラー力道山の卑怯な騙し討ちに遭った偉大な柔道家」というイメージですけど、れっきとしたプロレスラーですもんね。

斎藤　力道山よりもキャリアでは1年先輩のプロレスラーです。

鹿島　だから力道山vs木村政彦っていうのは、相撲出身のプロレスラーと柔道出身のプロレスラーによる、プロレスの試合で起きた出来事なわけですよね。

斎藤　そうです。いま、アメリカ人が力道山vs木村政彦の映像を勝手に編集してナレーションをつけたドキュメンタリーみたいなものがYｏｕＴｕｂｅとかに何種類か上がっているんですけど、ＭＭＡとして語っているからちょっとおかしいんですよね。プロレスの試合だから力道山と木村政彦はロックアップするわけですけど、それを「いまクリンチしています」とか、ヘッドロックのときに「首を絞めている」とか。

――プロレスの試合をＭＭＡとして実況すると、そうなってしまう（笑）。

鹿島　しかも古い映像だから、いくらでも解釈できてしまうってことですね。

斎藤　それで力道山が暴漢に刺されて死んだことも、おそらくネットの知識として知っているんでしょうけど、「力道山が刺されたあと、最初に容疑者として浮かび上がったのは木村政彦だった」とか言ってるんです。

県で起こした自身の団体国際プロレス団などでプロレス活動を続けるが、58年に廃業し、61年に柔道界に復帰した。

【木村政彦はなぜ力道山を殺さなかったのか】
増田俊也による木村政彦の生涯を描いた長編ノンフィクション。新潮社刊。第43回大宅壮一ノンフィクション賞、第11回新潮ドキュメント賞を受賞している。

鹿島　「木村政彦はなぜ力道山を殺さなかったのか」ならぬ「じつは殺したんじゃないか」説（笑）。

斎藤　そんな説は一度も出たことないのに、そんな英語のナレーションが映像に被せられてるんですよ（笑）。

「厳密に言うと、力道山vs木村政彦はシュートですらないという可能性も考えられる。そう簡単にすべてを定義することはできない」（斎藤）

鹿島　話としてはおもしろいですけどね。「積年の恨みからの犯行」として容疑者として浮上って（笑）。でもアメリカにはそれを信じている人も少なからずいるってことですもんね。

斎藤　こういうまったくありえない話が、さも真実のようにひとり歩きすることもいまの時代はあるということです。また力道山vs木村政彦の映像がフルレングスで残っていないということも、研究を困難にしている。

鹿島　ボクも何パターンか映像を観ましたけど、どれもダイジェストなんですよね。

斎藤　序盤戦はふたりともクリーンファイトを意識してか、お互いに笑みをたたえるようなシーンがあったり、なんか変な感じはあるんですね。ボクの中でいちばんの違和感は、最後、力道山に張り手を食らった木村政彦がうつ伏せに倒れてノックアウトされますよね？　それは画的には惨敗に見えるけど、「俺はもうこのまま起きないで寝ておくわ」っていう感じにも見えるんです。

——力道山に異変を感じた木村政彦が、立とうと思えば立てたけれど、〝寝た〟んじゃないかと。

斎藤　だから厳密に言うと、シュートですらないという可能性も考えられる。実際、力道山が木村の顔面を蹴り上げ、張り手を入れてボコボコにしたと言えばたしかにそうだし、よく言われる「本当は引き分けにするはずだったところを力道山が途中で裏切った」というのは、きっとその通りなんだろうけど、にもかかわらず、両者は試合後はいちおう握手している。だからフィクションもノンフィクションも含めて、試合後に生まれた話というのはいろいろあるのではないかと感じます。

——残された映像や、限られた証言だけでは、まだわからないことが多いわけですよね。

斎藤　この試合にかぎった話ではないですけど、「プロレス」っていうのは、そう簡単にすべてを定義することはできないんです。力道山vs木村政彦にしても、66年というとてつもなく長い時間が経過した現在でもまだまだ新しい仮説を立てることができる。

——そもそも、なぜ力道山が仕掛けたのかといえば、やはり日本プロレス界のトップになるためには、木村政彦の存在が邪魔だったってことですよね？

斎藤　あの試合が行われた1954年（昭和29年）って、力道山による〝天下統一〟が始まった年なんですね。その年の2月に**力道山&木村vsシャープ兄弟**が行われて、12月には もう力道山vs木村が実現しているんです。日本のプロレス界っていうのは、最初から力道

【力道山&木村vsシャープ兄弟】
1954年2月19日、蔵前国技館で行われた日本初の本格的な国際試合。NHKと日本テレビが同時テレビ中継し、新橋駅前の街頭テレビの前には2万人の群衆が押し寄せたと言われている。のちに2月19日は「プロレスの日」に認定されている。

山の日本プロレスが独占していたわけではなく、山口利夫の（旧）全日本プロレス、木村政彦が熊本で立ち上げた（旧）国際プロレス団などがあって、当時すでに多団体時代だったんです。

鹿島　群雄割拠で「誰が天下を取るのか？」という状況に実際あったと。

――だから力道山vs木村政彦は、団体のエース同士の対戦でもあったわけですね。

斎藤　一般的な知名度や格付では、柔道の神様である木村政彦のほうが、元関脇で相撲を廃業してややブランクがあった力道山よりグレードが高かったかもしれない。しかしながら力道山のまわりには、〝プロレス文化を日本に導入した人たち〟がいたんです。つまり、力道山個人が凄いイマジネーションで、プロレスという新しいスポーツエンターテインメントをたったひとりでアメリカから輸入したわけじゃなくて、それ以前からアメリカ側から日本へのプロレスの輸入計画は始まっていたんです。

鹿島　個人で立ち上げたベンチャー企業じゃないってことですね。バックにもっと大きな存在がいるという。

斎藤　力道山がまだ相撲界にいた頃から、表社会も裏社会も含めてアメリカのエンターテインメント産業を日本に持ち込むために動いていた人脈ネットワークがあって、三菱電機という大スポンサーがいて、テレビという新しいメディアがあって、プロレスは初めて成り立つものだった。だから力道山は、そのプロレスという日本における新しいスポーツエンターテインメントを担う人に〝選ばれた人〟であり、木村政彦はそのチョイスではなかった、とも言えるんです。

——だからこそ、日本プロレスの幕開けである力道山&木村政彦vsシャープ兄弟は、最初から力道山が格上という暗黙の番付だったわけですか。

斎藤　そして、そのシャープ兄弟との試合で、木村政彦が「格下扱いで、負け役をやらされた」と新聞紙上でコメントしたことは、のちの力道山vs木村への**アングル**になっていくんですね。

鹿島　それはリアルな状況も含めたアングルということですよね？　おもしろいなあ。

斎藤　力道山との試合が行われた29年後の1983年（昭和58年）に、木村政彦は創刊したばかりの『**ビッグレスラー**』と『Number』のインタビューを立て続けに受けて、「力道山戦の真実」みたいな記事が掲載されましたね。

——「ルールを破った力道山を殺そうと思った」という、のちの『木村政彦はなぜ力道山を殺さなかったのか』の元となるような記事ですよね。

斎藤　このインタビューは、記事としては『Number』のほうが有名なんですけど、発売日でいうと『ビッグレスラー』のほうが2カ月早いんです。そこで木村政彦は「プロレスというのは、勝ち負けに関してはプロモーターの言う通りにしなきゃいけないんです」っていうコメントを当時の活字メディアでは初めて出している。続いて、スポーツ雑誌としてはもっともグレードが高いとされる文藝春秋の『Number』ではもう少し踏み込んでしゃべっていて、「力道山戦は最初は引き分けにするつもりだった」「その後、リター

【アングル】
プロレスの対立関係あるいはドラマ性を際立たせるための設定および盛り上げるための仕掛けのこと。

【ビッグレスラー】
80年代前半に立風書房から発行されていたプロレス雑誌。月刊からのちに週刊化された。木村政彦インタビューは同誌の創刊第2号の目玉企画だった。

ンマッチで全国を回ってお金儲けしようという話だった」そして「勝ち負けに関しては『その都度ジャンケンポンで決めよう』と言った」というようなことが書いてあるんです。

「木村政彦は柔道家として本当に凄い人。だけどプロレスにはとんでもない野心家が近くにいるんだから気をつけなきゃいけなかった」（鹿島）

鹿島　当時としてはかなり暴露的な内容だったわけですね。

斎藤　でも、プロレスにおける勝ち負けの部分がプロデュースされているものであったとしても、「ジャンケンポンで決めてもいい」という程度の理解なんですよ、木村政彦という人は。ボクらがこの連載で何度も論じてきたように、勝敗がプロデュースされているものであれば、勝っても負けてもいいわけではなく、むしろ勝たなきゃいけないんです。

鹿島　逆説的に、プロレスは勝ち負けに凄く重要な意味があるという。

――実際、力道山vs木村政彦は、シュート云々は別として、勝つのと負けるのとではえらい違いがあったわけですもんね。それはのちの武藤敬司vs高田延彦と同様に。

斎藤　武藤vs高田の場合は、負けたUWFインターナショナルはその翌年に崩壊してしまいましたからね。それぐらい大きな影響と結果が出ることなんです。

鹿島　それをジャンケンポンで決めていいものだと信じている木村さんは、まさか仕掛けられるとは思っておらず、呆然とするしかなかったというのにつながりますよね。厳しいことを言うと。

斎藤　だから心はまだ柔道家というか、プロレスラーでありながら、プロレスというものの本質を本当の意味で理解できていなかったのかもしれない。

鹿島　当時の状況を考えれば、「力道山がいつ仕掛けてくるか」くらいの用心深さは必要だったのでは、とも思いますよね。

斎藤　柔道の試合で〝八百長〟をするんだったら、強い者が弱い者にわざと負けてやる場合や「勝ち負けはジャンケンポンでいいよね？」ということもあるのかもしれない。でもプロレスはそういう〝八百長〟ではないんです。

——仮に勝ち負けが演出されたものであっても、それは〝八百長〟とは別物ですもんね。

斎藤　そうです。勝ち負けがプロデュースされるものであったとしても、力道山からすれば絶対に勝たなきゃいけなかったんです。

鹿島　そのプロレスにおける勝ち負けの意識の差が、とんでもなく対照的ですよね。

斎藤　そこが一生の明暗を分けちゃった気がします。

鹿島　木村政彦は柔道の神様であり、プロレスはあくまで金を稼ぐ手段。あえてプロレス界に名を残す必要もなかったわけですよね。

斎藤　でも力道山はそのあともずっとプロレスで生きていく人。だから絶対に負けられなかった。

鹿島　あえて言えば、木村政彦はその間隙(かんげき)を突かれたっていうのはありますよね。ちょっと呑気すぎたのかなっていう。

——力道山はプロレス界統一のために、木村政彦を本気で〝消そう〟としていたわけですもんね。

鹿島　だからあえて言えば、「木村政彦はなぜ力道山に殺されずに済んだか」ってことですよ。

——それぐらい物騒な時代ですもんね（笑）。昭和29年といえば、戦後10年も経っていない。

鹿島　そういう時代においては、ちょっと呑気すぎたんじゃないかとも言える。先日の自民党総裁選における岸田（文雄）さんじゃないですけど。「安倍（晋三）さんが総裁の座を禅譲」って、そんなわけないだろって岸田さん以外みんな思っていたのと同じで。

斎藤　本人だけそれを信じて総裁選に出ちゃって。

鹿島　そうです。それで最後までアベノマスクを着けていたじゃないですか。結局、そこを菅（義偉）さんにかっさらわれるっていう。おめでたすぎるんですよね。

斎藤　岸田さんの場合、自己評価と他者の評価の乖離を理解できなかったんでしょう。

鹿島　で、ここは強調しておきたいんですけど、木村政彦は凄い人なんですよ。柔道家としては。だけどプロレスのリングに上がるのであれば、とんでもない野心家が近くにいるんだから気をつけなきゃいけなかった。

斎藤　ボクは力道山vs木村政彦の対立の構図自体が、プロデュースされたものだと思っているんです。というのは、あの試合が決まる前、「力道山のプロレスはショー」「シャープ兄弟とのタッグマッチでは負け役を演じさせられた」「真剣勝負でやったら私は負けません」という意味の木村政彦のコメントが、朝日新聞の大阪版に載ったわけです。それはそういうコメントを引き出そうとした人がいたわけです。しかも、その記事が掲載されてすぐに力道山vs木村の発表記者会見が行われているから怪しすぎるんです。

——その発言自体、来るべき力道山vs木村政彦を煽るための〝トラッシュトーク〟だったんじゃないかと。

斎藤　何から何まで手際がよすぎるんです。そう考えると、やっぱりアングルなんです。だから力道山と木村の対立というのは最初からお膳立てされていて、それを木村政彦はすべてマスコミによる演出と思っていたけれども、そうではなかった。そこも含めて木村政彦という人は、プロレスの渦に巻き込まれて撃沈した人なんだと思います。

「森羅万象ではないですけど、わからないことだらけのまま前へ進んでいかなければならないものなんでしょう」（斎藤）

鹿島　なるほど！　プロレスの恐ろしさが理解できず、無防備すぎたんですよね。

斎藤　力道山との試合のあと、木村政彦はすぐにプロレス界から姿を消したわけではなくて、熊本に帰って自身の団体、国際プロレス団で興行を続けたんです。でも当時のテレビ創成期に東京でやるイベントの規模と、熊本でのイベントの規模とでは雲泥の差があって、

【トラッシュトーク】
主にプロレスや格闘技の試合前、記者会見などで対戦相手を汚い言葉で罵ること。試合を盛り上げる一環であると同時に、格闘技においては対戦相手を心理的に揺さぶるためのものでもある。

木村政彦が自分がプロモーター、プロデューサーとして団体を作ってもそれは勝ち目がなかった。また、国際プロレス団で呼んだ外国人レスラーに「ネブラスカの野牛」というニックネームのインチキレスラー、**ゴージャス・マック**という人がいたんですけど、その男が日本で宝石強盗を働いたりしちゃって。

鹿島　あー、ありましたね。『東京アンダーワールド』という小説にも出てきました。

斎藤　だから、いっぱい食わせ者をつかまされてしまう人なんですよ、きっと。

――お人好しというか、気がいい人なんでしょうね（笑）。

斎藤　ゴージャス・マックはアメリカでは「アイツ、プロレスなんかやってねえだろ」って言われるような即席レスラーで、それをわざわざ対戦相手にして、宝石強盗までやられてるわけですから。まさに戦後の復興期らしいエピソードではありますが。

鹿島　木村さん自身、興行に向かない人なんでしょうね（笑）。

斎藤　プロレスでお金を稼いでも、どこまでいっても「プロ」ではなく「アマ」の人だったのでしょう。そもそもプロ柔道で失敗してハワイに行って、現地で柔道を教えるはずだったのに、気がついたらプロレスのリングに立っていたという人ですから。運命に翻弄されてしまうタイプだったんだと思うんです。

――それでプロレスのあとは、ブラジルで**バーリ・トゥード**までやっているわけですもんね。

斎藤　バーリ・トゥードもやったし、その前にはエリオ・グレイシーとも闘って勝ってい

【ゴージャス・マック】
駐留アメリカ軍人で、力道山に敗れたあとの木村政彦復帰戦の相手。東京・帝国ホテルで宝石商を監禁し宝石を強奪する事件を起こし逮捕されるという、前代未聞の不祥事を起こした。

【バーリ・トゥード】
ポルトガル語で「なんでもあり」を意味する主にブラジルで行われていた格闘技対戦形式の名称。現在の総合格闘技はルールが整備され、MMA（ミックスド・マーシャル・アーツ）という競技となっているが、かつてはバーリ・トゥード、もしくはNHB（ノー・ホールズ・バード）と呼ばれた。

るんだから凄い人ですよ。そして、いまではMMAの世界で、ダブルリストロックが「キムラ」という名前で呼ばれるほど、格闘技の世界では再評価されている。でもプロレスラーとしての命運は、力道山戦で事実上尽きてしまった。

——だから木村政彦は最強の柔道家で、バーリ・トゥードの先駆けとなった偉大な選手ですけど、ボクはリアルファイターであるがゆえに「ガチンコ」と「八百長」というハッキリとした白と黒しかわからず、「プロレスにおけるシュート」なんていう、どちらでもない世界が理解できなかったんじゃないかと思うんですよ。

鹿島　あ〜、グレーゾーンがわからないからこそ、「ガチ」じゃない試合で無防備だった。そう考えるとわかりやすい！

——プロレスラーであれば、そのグレーゾーンの怖さを理解しているじゃないですか。たとえばジャイアント馬場vsアントニオ猪木が実現しなかった大きな理由のひとつとして、「猪木が裏切るかもしれない」という疑念が最後まで晴れなかったから、と言われてますよね。

斎藤　馬場さんは、同じリングに上がったが最後、「猪木は何をしてくるかわからない」と思っていたでしょうね。

鹿島　おもしろいのは、猪木さんはのちに前田（日明）さんとの一騎打ちを「時期尚早」だと拒否するんですよね。かつての逆の立場で（笑）。

——「前田が何かやってくるに違いない」という疑念が晴れなかったんでしょうね（笑）。

斎藤　でも、それがプロレスなんでしょう。そういうこともありうる世界。

鹿島　馬場さんも猪木さんも、プロレスにおける勝ち負けがいかに大事かがわかっていて、その上で「リングに上がれば何が起こるかわからない」という警戒心も当然持っているわけですもんね。

斎藤　そういう意味で、木村政彦という人は本質的にプロレスラーではなかったんだろうなと思いますね。「ガチンコ」か「ガチンコじゃないもの」しかない。だから、ガチじゃないプロレスの勝敗はジャンケンポンでもいいやという感覚。でも力道山はプロレスラーである以前に相撲取りだったので、相撲の価値観としての「ガチ」も「ボンナカ」も「その中間にあるもの」も最初から知り尽くしていたと思うんですよ。幕内まで行った人なので。

鹿島　なるほど！　相撲から検証が必要かも。

斎藤　つまり「ガチンコ」という言葉があるっていうことは、そうじゃないものもあるということだし。「ボンナカ」や「注射」「星の貸し借り（売り買い）」「八百長」という言葉があるのもまた、そうじゃないものがあるということですからね。

鹿島　それはプロレスや相撲にかぎらず、政治の世界でも何でもみんなそうじゃないですか。いまは「白か黒か」「0か100か」でしか考えられない人が多いですけど、そんな簡単なもののわけがない。

斎藤　プロレスも同じです。「ガチ」か「八百長」か、なんてそんな単純な物差しだけで理解できるものじゃないんです。森羅万象ではないですけど、わからないことだらけのまま前へ進んでいかなければならないものなんでしょう。だからこそ、ボクらはずっとプロレスを考え続けているわけですしね。

第9回

プロレスから学んだマイノリティの意識

2020年11月、NIKEが発表したコーポレートCMが反響と批判を呼んだ。

日本に向けたその内容は、日本国内でマイノリティとして生きる、在日や黒人の子どもたちが日本人からいじめや差別を受けているというニュアンスの描写があり、「日本人を貶めるCMだ」と騒ぎ立てる人たちが出てきたのである。

（『KAMINOGE109』2021・1）

「ヘイト、あるいはヘイトスピーチの定義とは、自分の意思だけでは変えられない属性に対する攻撃のこと」（斎藤）

――2020年、年内最後の収録になるわけですが、この春に連載開始したこの『プロレス社会学のススメ』は早くも大人気なんですよ。

鹿島　ありがとうございます。毎回お話しさせていただいていると、いかにプロレスが社会と地続きかっていうことがわかりますよね。

斎藤　このコロナ禍の真っ只中という揺れ動く時代に連載開始した、ということにも意味があると思います。

――2020年を振り返ると、テニスの**大坂なおみ選手の活躍**で日本でも**BLM運動**が話題になりましたよね。黒人差別の問題って、日本人だとピンと来ない人も多かったとは思いますけど、変な話、ボクはプロレスファンとしてなんだか他人事じゃない気がしたんですよ。子どもの頃、プロレスファンというだけで無意識の差別みたいなものを受けていたぞって（笑）。

鹿島　なるほど。70～80年代というボクらの子どもの頃は、プロレスがテレビのゴールデンタイムで毎週放送されていて全国的に凄く人気がありましたけど、一方で、その引き換えに通りすがりの愛のない人が平気で「こんなもんはインチキだ」って言っていた時代でもあったんですよね。プロレスに対する蔑みみたいな。

【大坂なおみ選手の活躍】
2019年のテニス全豪オープンで初優勝をはたし、アジア人初の世界ランキング1位となった。

【BLM運動】
アフリカ系アメリカ人に対する白人警察官の暴行をきっかけにアメリカで始まった抗議運動。ブラック・ライブズ・マターを略してBLMと呼ばれる。大坂なおみは、2020年の全米オープンの試合に、黒人襲撃事件への抗議の意味を込めて、犠牲者の名前を記したマスクを着用して出場した。

――プロレスに対する〝ヘイトスピーチ〟を、学校なんかでもしょっちゅう浴びせられてましたよね（笑）。

鹿島　だから言ってみれば、少数派、マイノリティの立場というものを、子どもの頃に「プロレスファン」ということで体験しているわけですよね。

斎藤　差別されちゃう側として、ですね。プロレスが「取るに足らないどうでもいいもの」として片づけられる場面は、いまよりずっと多かったと思います。

鹿島　ボクはあの頃からのプロレスファンだからこそ、そういった少数派を蔑むような態度はやめようって思えたので、それはよかったと思うんですよね。そして90年代に入るとプロレス界は多団体時代に突入したじゃないですか。あの頃、価値観の多様性というものを学べたと思うんですよ。

――プロレスファンとして、マイノリティである自分と、多様性の尊さを同時に体験することができたと。

鹿島　そうなんです。だからボクなんか最近、「こういうことがまだセンシティブな話になってるのか」というのを、プロレスファンだからこそひしひしと感じていたりもするんです。たとえば最近だと、**NIKEのCM**が賛否両論あったりとか。

――差別やいじめの問題を考えさせるようなCMですよね。

鹿島　NIKEは以前も大坂なおみ選手を応援した素晴らしい広告を出していて、今回も企業として意見を出しているんですけど、そうすると「日本人はみんな差別していると言

【NIKEのCM】
2020年にスポーツメーカーNIKEが放送した、日本における人種差別やいじめ問題を提起したと考えられるCM。ネット上では一部で批判の声も上がったが、その一方で賛同する声も多く寄せられた。

うのか？」みたいな意見が出てきてしまう。

斎藤　あのＣＭには、在日コリアンやアフリカンの出自を持つミックスの子どもたちが学校や町中で受けているいじめや差別の現実が誇張なく描かれていたと思うんですね。実際、こういうことがあるんだろうなって。

鹿島　学校で生活している中で少数派の側から描いたＣＭですよね。でも、あれに対して「日本を陥れるＣＭだ！」「もうＮＩＫＥは買いません！」みたいなことが、ツイッター上にはあふれていた。

斎藤　あれは炎上の仕方が異様な感じがしましたね。「これは日本人ヘイトだ！」と言った人がいましたけど、そもそも「ヘイト」という言葉の定義を間違えている人が多いわけです。ヘイト、あるいはヘイトスピーチっていうのは単に罵詈雑言や悪口という意味ではなくて、自分の意思では変えられない属性に対する攻撃、差別のことなんです。肌の色だったり、セクシャリティ、つまり性的指向、性的自認に関することであったり。日本では特に在日という出自に関すること、民族的バックグラウンド、被差別部落に対する差別を指すことなんです。

――多数派が、少数派の自分の意思だけでは変えられない属性を攻撃することですね。

斎藤　だから、たとえ日本人が日本人（のある価値観）を揶揄したとしても、それはヘイトにはならなくて「このＣＭは日本人へイトだ！」って文言がそもそも誤りです。

鹿島　だから「日本人」という大きな枠と、自分という「個人」が一緒になっちゃっているんですよね。主語がでかい。あのＣＭはべつに日本人を否定しているわけじゃなくて、「ボクらは普通に生活をしていて、マイノリティ側からの視点は足りていなかったな」とか、どうしても他人事になってしまうっていうことを啓発するものじゃないですか。「こっちの見方を忘れないようにしようね」っていう。

斎藤　それはアメリカだったら小学生のときに習うことです。同じ学級にアフリカンもいれば、ネイティブアメリカンもいる。南米系のヒスパニックもいるし、我々のようなアジア系の人もいる。子どもの頃に「肌の色や宗教上の慣習で差別、区別をしてはいけません」っていうのは、学校生活、日常生活のイロハのイとして学ぶことです。

鹿島　だから、あのＣＭを見て「ＮＩＫＥはもう買いません！」って言っている人たちっていうのは、自分は絶対に差別する側や加害者側にはならないんだっていう無意識のうぬぼれですよ。

斎藤　そういう意味で、「子どもの頃からプロレスが好きだったから、自分は差別される側にいた」っていうのは、人によってはずいぶん飛躍した話だと捉えるかもしれないけれど、少なくとも差別される側の気持ちが、そういう人たちよりはややわかるという部分はあると思うんです。

鹿島　「これって自分があの頃に言われた立場に似てるな」って考えるきっかけになったとすれば、かならずしもオーバーじゃない話だと思うんですよ。

斎藤　日本って、アメリカよりもプロレスというジャンルの社会的ステータスがずっと高かったんですね。地上波ネット局のテレビのゴールデンタイムで毎週放送されていて、力道山の時代から高度経済成長の時代を通じて国民の大多数が馬場さんや猪木さんといったプロレスラーのことをよく知っているなんて、アメリカでは考えられないこと。それでいながら、近所のおじさんから学校の先生まで、プロレスファンの少年に対して平気で「あんなもんは八百長だ」って言っていたんですよね。

――ボクは学校の先生が授業中に突然プロレスの話をし始めて、「あんなものは八百長だからな、堀江!」って、名指しで言われたことがありますからね（笑）。

斎藤　ようするに「そういうものが好きなおまえはバカだ」みたいな意味でね。昔のプロレスファンは、多かれ少なかれ、そういう経験を何度もしていると思う。

鹿島　だからボクはプロレスでそういう思いを味わったので、自分の知らないもの、興味がないものでも「あんなもんは」って言わないようにする。そういうことを学べたのでよかったですよ。

「黒人レスラーの異名にはみんな〝黒い〟が付いていたという過去を学んだ上で、アップデートしなきゃいけない」（鹿島）

――昔のプロレスファン同士の仲間意識って、そういう「同じ境遇にあるもの同士」ということでシンパシーを感じていた部分があると思いますからね。

鹿島　いまの日本でも、ジャンルのマイノリティの人ってそういう思いだと思うんですよ。だからあのNIKEのCMが描いていることは他人事じゃないんです。

斎藤　あそこにもある、ここにもある現実ですね。

鹿島　これをプロレスというジャンル内で言うと、黒人レスラーにも差別と闘ってきた歴史ってあったんじゃないですか？　下世話な話で言うと、ディック・マードックが黒人レスラーが嫌いで絡みたがらなかった、みたいな話がありましたよね。

斎藤　それは活字を通じて伝えられたことで、どこまでが事実だかはわからないんですけどね。ディック・マードックが公の場で「Nの言葉」といわれる差別語を使ったわけではないし、「俺は黒人が嫌いなんだ！」っていうことをメディアで公言していたわけでもないんです。ただ、やっぱり南部テキサスの人ですからね、真相はどうだったのかはわかりません。

鹿島　マードックが生きていたら、おそらくトランプに1票入れてましたよね（笑）。

——赤い帽子を被っている姿が想像つきますね（笑）。

斎藤　**KKK**に知り合いがいたとか、そういう噂は実際あったんですが、ボクも怖くて、マードック本人にそこまでは聞けなかったんですけど。

——「KKKに入会しているという噂がありますが」って、なかなかプロレスのインタビューでは切り出しにくいですもんね（笑）。

斎藤　それから、マードックとブッチャーが不仲だから同じシリーズに呼べないっていう

【KKK】
白人至上主義を唱えるアメリカ合衆国の人種差別的秘密結社。クー・クラックス・クラン（Ku Klux Klan）略してKKK。特に1920年代には黒人に対して数多くの暴行事件を起こした。主に60〜70年代に活躍したプロレスラーのキラー・カール・コックスは、頭文字をあえてKKKにしたとされる白人至上主義ギミックのヒールだった。

定説みたいなものもたしかにありましたけど、全日本プロレスの1975年の「オープン選手権」にはふたりが同時に来日していて、リング上で絡んでいるんです。

——その後、新日本で一度だけシングルマッチをやっているんですよね。

鹿島　その前に、1981年の「闘魂シリーズ」で、ブッチャーが対戦相手としてマードックかディノ・ブラボーのどっちを選ぶかっていう場面があって、観客はみんな「マードックとやれ！」って言ってるのに、ブッチャーはディノ・ブラボーを選んで、みんな「えーー！」ってなったときもありましたよね。

——だから1975年の「オープン選手権」でブッチャーとマードックの不仲を察した馬場さんは、その後、ふたりを同じシリーズに呼ばないようにしたけど、80年代に入りマードックとブッチャーを引き抜いた新日本は逆に「仲が悪いなら、ふたりを闘わせよう」となったんじゃないかと思うんですよ（笑）。

鹿島　試合が壊れるかもしれない刺激的なカードだって。当時の新日本ならやりそうですね（笑）。

斎藤　それでもボクは、活字的なストーリーに尾ひれがついたっていう部分のほうが大きいと思います。

——まあ、1シリーズ、同じバスで日本全国を回っているわけですもんね。

鹿島　今日はボクが小さい頃に読んでいた、子ども向けの『プロレス百科』を持ってきたんですけど。たとえば「黒い軍団」とか「黒い魔神」とか「黒い呪術師」とか、黒人レスラーにはみんな「黒い」が付いてるんですよ。

斎藤　いまでは活字的に表現しにくいものがありますよね。比較的現代に近い第二次UWFでも、ノーマン・スマイリーを「黒い藤原」と呼んでいたり。

鹿島　そういう過去があったことを学んだ上で、アップデートしなきゃいけないですよね。

斎藤　日本人の感覚からすると、アメリカには黒人がもの凄くたくさんいると思われていますけど、やはり白人と黒人が同数いるわけじゃないんですよ。白人人口が8に対して黒人人口は2くらいの割合でしかないので、数の上でもマイノリティではあるんですね。それでアフリカ系アメリカ人というのは、ご先祖様が奴隷だった史実があるわけです。

――もともとアメリカ大陸にアフリカ系黒人はいないわけで、みんな奴隷として連れてこられた人ですもんね。

斎藤　約200年前まではみんなそうで、日本に置き換えると江戸時代です。だから、先祖といってもたかだか7～8代くらい前なんですよ。

――では、黒人レスラーの歴史もそんなに古くはないってことですよね。

斎藤　黒人レスラー第1号ではないけれど、最初に黒人レスラーとして有名になったヴァイロ・スモール（ブラック・サム）っていう人がいて、彼は1880年代のスターなんです。

――19世紀末からアメリカに黒人レスラーはいたんですね。

斎藤　生まれたのは1854年と言われています。

――黒船が浦賀に来航した頃ですね（笑）。

鹿島　そう言われると、凄い時代からいたんですね（笑）。

斎藤　南北戦争があったのは1861～1865年なので、ヴァイロ・スモールが少年時代に奴隷解放の戦争があった。それで16歳のときが1870年なので、南北戦争は終わって奴隷制度が撤廃されたあとですが、16歳でブラスナックル（素手）のボクシングでデビューして、それからカラー・アンド・エルボー、いわゆるロックアップのルーツになっているレスリングに転向して相当活躍した人なんです。

――そのヴァイロ・スモールが黒人レスラーの先駆けだと。

斎藤　31歳くらいで引退しているので、それほど長くない15年のキャリアだったんですが、その後、次の黒人レスラーが出てくるまでにはかなりの時間を要したんです。

鹿島　それはなぜなんですか？　第1号が現れたら、次々と出てきそうなものですけど。

斎藤　ひとつの理由として考えられるのは、レスリングが主に北部で盛んなインドア競技だったという史実も関係しているんです。

「ボボ・ブラジルはテレビ時代の黒人スター第1号と言っていい選手。そして絶対的なベビーフェースだった」（斎藤）

――南部と北部の文化の違いもあったと。

斎藤　そうなんです。基本的には殴り合いのボクシングは黒人選手が比較的多かったのですが、ヨーロッパ系のスポーツである水泳やレスリングには、なかなか黒人選手が出てこなかった。それもきっと差別なんでしょうけど。いま、50～60代の日本人が子どもの頃に、ミュージシャン以外で最初に知った黒人って、ボボ・ブラジルだと思うんですね。

鹿島　きっとそうでしょうね。

斎藤　ボボ・ブラジルは、1951年デビューだから、ヴァイロ・スモールが活躍してから70年以上経っているんです。ブラジルとほぼ同世代で〝セーラー〟アート・トーマスとか、ドリー・ディクソン、ルーサー・リンゼイ（日本でのカタカナ表記はルッター・レンジ）、スウィート・ダディ・シキらもいたことはいたんですけど、凄く少なかった。各テリトリーにひとりいるかいないかでしょう。

鹿島　マイノリティもマイノリティですね。

斎藤　いまはWWEにもたくさんいますよね。MVPの軍団でシェルトン・ベンジャミン、ボビー・ラッシュリー、セドリック・アレクサンダーがいて、そのライバルがビッグE、コフィ・キングストン、エグザビア・ウッズのニューデイ、24／7チャンピオンのR・トゥルース、レジナルド。RAWタッグ王者のストリート・プロフィッツ（アンジェロ・ドーキンス＆モンテス・フォード）のふたり。女子部門ではビアンカ・ベレアー、サーシャ・バンクスらがスターです。

――黒人対黒人の軍団抗争ができるぐらいいると。

斎藤　アフリカン・アメリカンっていうカルチャーで言えば、ロック様（ドゥエイン・ジョンソン）も黒人レスラーのカテゴリーに入っているんです。そして日本でいちばん有名な黒人レスラーのアブドーラ・ザ・ブッチャーは「スーダン出身」ということになっているので、黒人ではあるけどアメリカンとは違うギミックになっている。

――日本みたいに、大雑把に「黒い」で括らないわけですね（笑）。

斎藤　ボボ・ブラジルと並ぶスーパースターで、忘れちゃいけないのが、ベアキャット・ライトと**アーニー・ラッド**ですね。

鹿島　アーニー・ラッドの話で言うと、ボクの記憶ではジャイアント馬場&ジャンボ鶴田vsアーニー・ラッド&ブルーザー・ブロディという試合があって、ラッドのほうがブロディより格上のような気がしたんですよ。

斎藤　それはラッドのほうが歳上でキャリアもずっと上で、NFL出身だからでしょうね。

鹿島　あー、なるほど。

斎藤　ラッドはWWE殿堂入りしていますけど、アメリカンフットボールでもホール・オブ・フェイムですから。

鹿島　日本で考えるよりも、向こうではるかにスーパースターなんですね。

斎藤　格は凄いですよ。ブッシュ大統領のスピーチの中で名前が出てくるくらい有名ですから。日本で言うと、大相撲の横綱くらいです。超メジャーなアスリートなので、どこに行ってもメインイベントしかやらない人でした。

【アーニー・ラッド】
NFLサンディエゴ・チャージャーズ殿堂入りもはたしている大型黒人プロレスラー。デビュー当時はフットボールのシーズンオフにリングに上がる兼業レスラーだった。1974年に新日本プロレスに来日し、アントニオ猪木の持つNWF王座にも挑戦している。

——黒人レスラーは、アメリカマット界の歴史において、どのように地位を築いていったんですか?

斎藤　先ほど言ったように、1861年~1865年の南北戦争がきっかけで奴隷解放がなされましたが、それから100年経っても、バスケットボールやフットボールのアリーナ、スタジアムで黒人が座れる席と白人が座れるセクションが完全に分けられていたんです。ボボ・ブラジルがスーパースターになったあとも「このホテルは宿泊できません」「このレストランは黒人は入ってはダメ」とかね。だからこそ1960年代の公民権運動があった。それを快く思わない白人男性に**マーチン・ルーサー・キング牧師**が殺されてしまうわけですけど、その時代をモロに生きていたのがボボ・ブラジルであり、ベアキャット・ライトだった。また、差別に反対するデモ活動などに実際に参加した、サンダーボルト・パターソンというレスラーもいましたね。

——当時、アメリカマット界でボボ・ブラジルはどんな立場だったんですか?

斎藤　ボボ・ブラジルのステータスは高かったと思うんです。どこに行ってもメインを取っていたし、バディ・ロジャースvsボボ・ブラジルのタイトルマッチでブラジルが幻のNWA世界チャンピオンにもなったことがあった。また、アメリカの黒人人口は圧倒的に南部に集中しているんですけど、ボボ・ブラジルにかぎっては、ザ・シークvsブラジルの因縁ドラマが北部のデトロイトで60年代から80年代まで30年も続いて、ブラジルが絶対的なベビーフェースだったんです。

【キング牧師】
1960年代に黒人への差別撤回を訴える公民権運動の指導者として活躍したマーティン・ルーサー・キング・ジュニア。64年にその功績が認められノーベル平和賞を受賞したが、68年に白人至上主義者の凶弾に倒れ暗殺された。

鹿島　あっ、そうなんですか。デトロイトはシークのお膝元というイメージですけど。

斎藤　シークはデトロイトのプロモーターなんですけど、ずっとその事実を公開しないでやっていたんです。シークは英語を話せない、マイクアピールすら1回もやらない大悪役。ただただ怖い〝アラビアの怪人〟を演じ続けた。

鹿島　長年、自分がプロモーターであることも明かさず、生涯ヒールだったのは凄いですね。

斎藤　会場で売られていたプログラムには、奥さんのジョイスさんのお父さんの写真を「社長」として載せていたんです。そうやって一座を率いていた。

鹿島　遠山の金さんみたいな（笑）。

斎藤　シークの宿命のライバルだったボボ・ブラジルは、テレビ時代の黒人スター第1号と言っていい選手。ベースボールでは1950年代まで、ニグロ・リーグという黒人だけのリーグがあって、白人プレイヤーと黒人プレイヤーを分断していた時代があった。プロレスもテレビ放送が始まったあとでさえ、白人対黒人の試合というのは映像的にはちょっとプロデュースしにくい面があったのでしょう。

「シンがデトロイトではベビーフェースだったって、いまならSNSですぐに情報が広がりますよ」（鹿島）

斎藤　そうでありながら、なぜシークvsブラジルが30年続けられたかというと、黒人のブラジルが一貫してベビーフェースで、悪いのは中東系のシークという形だったからなんです。当時のアメリカにおいて、黒人のヒールというレイアウトは、差別を煽る結果になる危険性もあってプロモーターがちょっと躊躇するところではあったんでしょう。

——なるほど。ベビーとヒールという構図を超えて、観客に火がつきすぎるというか。シャレにならないと。

斎藤　まあ、シャレにならないですよね。だから公民権運動のあとでさえ、南部テネシーあたりでは白人対黒人のマッチメイクをせずに、いい黒人対悪い黒人のカードにすることで変なバランスをとって、かつてはニグロチャンピオンシップっていうタイトルまであった。そんないびつな平等だったんですね。

鹿島　白人には白人の、黒人には黒人のタイトルがあることが平等だと。

斎藤　戦後、１９４７年に**ジャッキー・ロビンソン**がメジャーリーグで先に時代の表舞台に登場してきます。

——黒人初メジャーリーガーですね。

【ジャッキー・ロビンソン】
1946年にブルックリン（現ロサンゼルス）ドジャースに入団し、47年に1軍入りをはたしたアメリカMLB初の黒人選手。ジャッキー・ロビンソンが付けていた背番号42は、現在メジャーリーグ全球団で永久欠番となっている。

斎藤　ベースボールが人種の壁を破ったということで、他のスポーツも右に習えで白人と黒人が同じリング、フィールドにいるっていうシチュエーションが増えていったんです。

鹿島　プロレスはそういう社会情勢がモロに反映されますよね。

斎藤　ボボ・ブラジル本人がそのムーブメントの指導的立場にあったわけではないでしょうけれど、彼を応援していた政治的グループが全米黒人地位向上協会（ＮＡＡＣＰ）に訴えたんです。「ブラジルの扱いはひどいよ」ということで。ブラジルのためだけではないけれど、ワシントンＤＣで人種差別反対のデモがあったことは事実なんです。誰かが風穴を開けるしかないですからね。

鹿島　ボボ・ブラジルがスターだったからこそ、プロレス絡みのそういった運動のアイコンになったわけですね。

斎藤　そうなんです。ボボ・ブラジルは、大衆娯楽のスターとしてもの凄く有名だったので。ベースボールはジャッキー・ロビンソンだけど、テレビで人気があるプロレスという労働者階級向けのエンターテインメントではボボ・ブラジルだと。この「ボボ・ブラジル」というリングネームがそもそも差別的ではあるんです。「ボボ」っていう単語が「クロちゃん」っていうニュアンスなので。しかもこの人はブラジル人じゃないでしょ？

――「ブラジル」っていう名前は「黒人差別のないブラジルという国に憧れて」っていう話もありますもんね。

鹿島　じゃあ、黒人であることのアイデンティティを複合的に取り入れたリングネームにしているんですね。

斎藤　本名はヒューストン・ハリス、もともとミシガン州ベントンハーバーの果樹園でトラクターを運転していた人なんです。だからブルーカラーですよね。でもシークさんに聞いたら、彼らは親友同士なんですね。

鹿島　30年も抗争を展開するほど手が合ったということですもんね。

斎藤　ボクが1994年にサブゥーを訪ねてミシガンに行ったとき、シークさんの家にもお邪魔させてもらったら、「今日は持病のヒップが痛いから来られないんだけど、そうじゃなかったらボボも来て一緒にメシを食うはずだったんだよ」って言ってました。当時、シークとブラジルは70歳くらいですよ。お互いの家を行き来していたんですって。

——ボボ・ブラジルがベビーでシークがヒールっていうのは、シークが典型的な白人のアメリカ人ではなく、アラビア人というキャラクターだったからでもあるんですか？

斎藤　それもあると思います。シークさんは作られたアラビア人ではなく、お父さんとお母さんはシリアの人なので本物なんです。実際に家の冷蔵庫を開けさせてもらったらキビっていうレバノンの食べ物とか、シリアのパンだったり、種類の違うグリーンオリーブ、酸っぱいヨーグルト、そういうエスニックな食材ばっかりが入っているんですよ。家で食べるものは、ほとんどアラビアの食べ物で。

——では、黒人スターのボボ・ブラジルがベビーで、本物のアラブ系であるシークがヒールをやって、何十年もデトロイト地区を盛り上げてきたわけですね。

斎藤　ずっと同じ人がメインを張るっていう意味では、アメリカのプロレスの成り立ちというかレイアウトとしては正統性が高くて、そこではボボ・ブラジルが主役だったということですね。ブラジルは世界チャンピオンにはなっていないんですけど、ＵＳチャンピオンとして活躍した。「ＵＳチャンピオン」っていう表現は、アメリカ人には「世界チャンピオン」に聞こえるんです。

――アメリカ各州が〝国〟であり、合衆国が〝世界〟という感覚なんですよね（笑）。

斎藤　ちなみに、タイガー・ジェット・シンは、デトロイトではベビーフェースだったんです。日本に来たときは、シークのスタイルを完全コピーしてヒールをやっていましたけど、デトロイトのリングではいい者のインド人なので。

鹿島　いい者のインド人（笑）。

斎藤　かつては「ベビーをやっているところは日本の雑誌には絶対に載せるな！」と言ってましたね。そして日本で猪木さん相手にヒールをやっているシンの姿をビデオで観たシークさんは、鼻で笑っていたんですよ。シークさんの完コピだったので。

鹿島　なるほど。これがいまだったら「日本の雑誌に載せるな」と言っても国境とか関係なくＳＮＳで情報が広がりますからね。やっぱりその土地によって使い分けるっていうのはいいですね。

斎藤　天下のＷＷＥのルーツは、ビンス・マクマホン・シニアのＷＷＷＦですよね。実際はその半年くらい前にＷＷＷＡというプロトタイプがあったんです。ＮＷＡが枝分かれして、世界チャンピオンのバディ・ロジャースがなかなか東海岸に来なかった頃、東海岸にもチャンピオンを作ってツアーをする組織として、1963年にWWWAを立ち上げて、その初代チャンピオンが黒人のドリー・ディクソンだったんです。だから黒人を主人公にするということは、そんなにハードルが高くなかったというか、プロモーターからすれば観客動員力があれば白人でも黒人でもそういう部分での偏見はなかった。どちらかといえば、黒人はベビーフェースで使ったほうが、使い勝手がよかったんです。先ほども言ったとおり、ヒールだとちょっとシャレにならない、というのもあって。

「悪いヤツは民族に関係なく悪いし、肌の色がなんであってもいい者はいいっていう。それがあるべき姿」（斎藤）

――その黒人がベビーフェースのスターをやっていたというのは、当時のアメリカのプロレス界は、いわゆるマイノリティや、あるいはやや生活水準の低い人たちがアリーナに来ていたっていうのもあるんですか？

斎藤　まあ、それもあったでしょうね。プロレスが、ブルーカラーのエンターテインメントであったことはたしかなので、デトロイトでいえば、黒人のベビーフェースであるボボ・ブラジルとアラビア人のシークの試合をほとんど1年中やっていたんです。毎週金曜の夜にそれをやって、毎回1万人入っちゃう。

鹿島　凄いなー（笑）。

斎藤　デトロイトでは毎週金曜にコボ・コンベンションセンターに行くっていうプロレスファンの生活習慣があったんです。

――日本でも昭和の時代は、毎週のように野球場の外野席に行っていた人がいたのと同じですね。

斎藤　そんな感じだと思います。プロ野球だって行く人は毎週のように行きますよね。

――仕事が終わってから飲み屋に行くのと一緒だっていう。

斎藤　アメリカのプロレス会場も大人はでっかいカップでビールを飲んで、子どもはコカ・コーラ。それでポップコーンやホットドッグを食べながら楽しむという習慣。

鹿島　いいですよね。働いたあとに週末はプロレスを観るっていう。健全ですよね。

斎藤　そういうわけで、昔はヒールの黒人レスラーはあまりいなかったんですけど、いまはいっぱいいます。WWEでいえば、ボビー・ラッシュリーが大ヒールです。黒人がベビーしかできなかったということも、じつは差別的なことですから。

鹿島　それがいまや、黒人が普通にヒールをできる時代になったということですもんね。

斎藤　そのほうがむしろ平等なんですね。だから黒人のヒールに対して、〝N〟の言葉だったりとかそういう差別的な野次っていうのは、いまはなくなったと思います。

鹿島　「黒人だから」ブーイングを飛ばしているわけじゃなくて、「ヒールだから」ブーイングを飛ばしているという。

斎藤　そうです。悪いヤツは民族に関係なく悪いし、肌の色がなんであってもいい者はいっていう。それがあるべき姿だと思うんですね。リング上にかぎらず、学校や一般社会においてもね。先ほど言い忘れましたけど、いまアメリカの学校では、口に手を当てて「オホホホホ〜！」ってネイティブアメリカンの雄叫びの真似とかしちゃいけないんです。ネイティブアメリカンの子どももいますからね。MLBのクリーブランド・インディアンズも球団名をガーディアンズに変えることになった。

鹿島　アメリカだと黒人だけじゃなく、先住民族の問題もあるわけですよね。〝狼酋長〟**ワフー・マクダニエル**なんかは、いつまでいたんですか？

斎藤　ワフー・マクダニエルは現役を30〜40年ほど続けました。NFLのスーパースターからの転向だったので最初からヒーローだった。ただ、ネイティブアメリカンの場合は、ちょっとインチキなキャラクターも多いんです。たとえば平田淳嗣ですか。

——カナダで頭をモヒカン刈りにして、ネイティブアメリカンを自称していた**サニー・トゥー・リバーズ**ですね（笑）。

斎藤　チーフ・ジェイ・ストロンボーも本当は白人だし、意外とそこは難しいと思うんですね。ネイティブアメリカンは白人の開拓者に駆逐されて、武力によって、事実上少数民族にされてしまったという史実があって、しかも、それがアメリカ合衆国の歴史のスタート地点になっている。

鹿島　ステレオタイプだと、昔の西部劇では悪者ですよね。

【ワフー・マクダニエル】
チャクソー族、チカソー族の血を引くネイティブアメリカンのプロレスラー。狼酋長の異名を持ち、コスチュームは頭に羽飾りを付けたインディアンスタイル。そして最も得意とした試合形式もインディアン・ストラップデスマッチだった。

【サニー・トゥー・リバーズ】
新日本プロレスの若手レスラーだった平田淳嗣が、80年代前半にカナダ遠征中に名乗ったネイティブアメリカンギミックのリングネーム。モヒカン刈りでファイトし、カナダの先住民族居住区では大変な人気を博した。

斎藤　侵略した白人のほうがいい者になっていますからね。

鹿島　そこからしてめちゃくちゃじゃないですか（笑）。『ダンス・ウィズ・ウルブズ』とかで、そもそも同胞なんだっていう。

斎藤　そのあたりは神秘的なものとして描かれていますね。ネイティブアメリカンに関する文献を読むと、大昔から葉っぱを吸っていたり、神秘的なものや呪文とか、宗教的な生活という意味では白人からするとてもミステリアスな人たちっていう感覚があったと思うんですね。真っ黒な髪に、真っ黒な目じゃないですか。黒人とは異なる質で髪の毛が黒くて、目が黒くて、だけど骨格は白人っぽくてデカかったりする。そして英語じゃない言語を話す。

鹿島　日本でも80年代くらいまで「インディアン」って普通に言ってましたよね。

斎藤　そうですね。それを「ネイティブアメリカン」に直したんですね。あれは1492年に新大陸を発見したコロンブスが、インドと誤認して名づけたものだったので。

――昔は「インディアン、嘘つかない」とか、よく言ってましたもんね（笑）。

鹿島　だから、そういうのも時間をかけてアップデートしていったわけですよね。

斎藤　白人のカウボーイの武器が拳銃だとしたら、ネイティブアメリカンはトマホークや槍で人を斬るっていうイメージが作られた。日本人でいうと刀なんでしょうけど。そこがファンタジーというかフィクション的にステレオタイプになっていったという部分はあるかもしれない。

——ワフー・マクダニエルをはじめとした、インディアンギミックのレスラーの得意技はトマホークチョップですもんね。力道山の空手チョップと同じ意味合いで。

斎藤　わかりやすいといえばわかりやすいですね。

——だからプロレスって、マジョリティとマイノリティの社会構図をひっくり返したものが多いですよね。

斎藤　差別をそれっぽく描いちゃうと本当に差別になってしまうけれど、もう一方ではそうじゃない描き方もありますよっていう提示もできるでしょう。

「力道山の出自は秘密にしなくちゃいけないことだったっていうのが、現代のNIKEのCMにつながっていますよ」（鹿島）

——ルチャ・リブレもそうですよね。マスクマンっていうのはマヤ文明やアステカ文明の神々で、素顔のルードは悪いスペイン人っていう。

斎藤　スペイン人はメキシコを侵略してきた外敵だったわけです。

——それで先住民の神様が、悪いスペイン人であるルードをやっつけるということが基本の構図。

鹿島　日本でも、力道山が最初にデカい白人のシャープ兄弟を日本に呼んで倒すっていうのも、戦時中の日本対アメリカが色濃く反映されているわけですもんね。

斎藤　シャープ兄弟はややフィクションなんですね。あのふたりはじつはアメリカ人じゃなくて、アメリカで活躍するカナダ人だったんです。でも太平洋戦争において日本が戦争をした相手はあくまでも〝鬼畜米英〟なので、力道山が空手チョップで倒す相手はアメリカ人じゃなきゃいけなかった。カナディアンだとやや成立しにくいですからね。

――だからプロレスってパラレルワールドですよね。実際はメキシコはスペイン人に征服されたし、日本はアメリカに戦争で負けたけれど、リング上ではマヤ、アステカの英雄がスペイン人を駆逐して、日本人がでっかいアメリカ人を倒す。メタファーとしてそういったものが描かれているという。黒人やヒスパニックのベビーフェースというのも、マイノリティの逆襲ですし。

斎藤　WWEの前身のWWWFのチャンピオンだったブルーノ・サンマルチノはイタリア移民で、東海岸一帯のイタリアン・アメリカンのヒーローだった。のちのシルベスター・スタローンの映画みたいなものですね。そのあとに出てきたペドロ・モラレスはプエルトリカンだから、モチーフ的には『ウエスト・サイド・ストーリー』。それからブルーノ・サンマルチノの前のニューヨークのヒーローは、〝アルゼンチーナ〟アントニオ・ロッカ。だから人種のるつぼであるニューヨークには絶大な人気を誇るエスニックヒーローというのがずっといたんですよね。むしろ黒人スターより、こっちのほうが人気者だった。そしてバディ・ロジャースはいわゆるWASPで、キャラクター的にはいわゆるヒールだった。

鹿島　なるほどねー。

【WASP】
ワスプは（ホワイト・アングロサクソン・プロテスタント）の略称。白人アメリカ人のプロテスタント層、イギリス系の上流階級層を意味する。アメリカのエリート層、中産階級の高所得者層を指す場合もある。

斎藤　アメリカの50年代から60年代の『ハッピー・デイズ』的な時代っていうのは、レイアウトのわかりやすさでいえば、鼻持ちならないハンサムな白人をヒールにしたほうがよかったんでしょうね。

鹿島　その東海岸一帯で、歴代エスニックヒーローをチャンピオンにしてきたWWFが、1984年から全米進攻を始めるときに白羽の矢を立てたのは、金髪でマッチョなモロアメリカ白人のハルク・ホーガンだったというのも、象徴していますよね。

斎藤　ホーガンは、イランがアメリカの敵だった時代に、アイアン・シークを倒してチャンピオンになった。マーベル・コミックのスーパーヒーローみたいなイメージで、全米ツアーを回るヒーローとして凄くわかりやすい存在だったんですね。

——プロレスが、USチャンピオンが〝世界〟だった時代のマイノリティに向けた娯楽ではなく、アメリカの最大公約数を相手にしたビジネスになっていった象徴が、ハルク・ホーガンだったわけですよね。

鹿島　やっぱりプロレスを見れば、その時代の世相がわかりますよね。

斎藤　最後に、やや取り扱い注意的なテーマをひとつ提示してもいいですか？

——はい、どうぞ。

斎藤　力道山は戦後、日本を代表する、時代を代表するスーパースターになりましたが、大相撲時代は公表されていた出身地がプロレスラーとしての現役時代は隠されていたし、メディアもそれを暗黙のルールとして死守した。一部では「じつはね……」っていう形で情報がリークされることもあったけれど、亡くなったあとまで日本人として描かれていた。だから隠蔽された差別構造はずっとあったと思うんですね。

鹿島　力道山の出自は、それまで絶対にタブーだったわけですよね。戦後復興を背負ったのは、あくまで〝日本人スター〟でなくてはならないという。

斎藤　力道山という戦後最大のスーパースターが、結果的に民族的バックグラウンドを明らかにすることができなかった。それが現在進行形の在日の差別問題にもつながっている。

鹿島　そのタブーだった、秘密にしなくちゃいけないことっていうのが、現代のＮＩＫＥのＣＭにつながっていますよね。

斎藤　もちろん、日本のプロレスは力道山から始まっているし、プロレスというジャンルが日本人、外国人を問わず、多種多様な価値観を認め、それを共有し、共生していることをファンは知っている。だからプロレスファンだったら、あのＮＩＫＥのＣＭに対して「こんなものは普通の日本人に対する攻撃だ」って言う人は、あまりいないと思うんです。

鹿島　プロレスの何を見てきたんだっていうことになりますからね。

斎藤　ボクらはプロレスを見ると同時に、プロレスラーのさまざまな人生を見ている。そしてプロレス自体が、世間から「あんなもの」と言われがちな宿命を持っているからこそ、ボクらは世間の偏見に対してわりと敏感だし、そういったことを自分と無関係ではない何かとして捉えることができる。そういう大切なことをプロレスを通じて自然と学んできたんだと思うんです。

第10回

アンダーテイカー完全引退で考える“怪奇派”のルーツ

2020年11月22日(日本時間23日)、WWEスーパースターのひとり、ジ・アンダーテイカーがリング上で引退セレモニーを行った。ビンス・マクマホン会長の呼び込みを受け、〝あの鐘の音〟が響き渡る中、ゆっくりとリングに上がったテイカーは「30年もの間、対戦相手を安らかに眠らせてきた。そしていま、アンダーテイカーを安らかに眠らせるときが来た」と正式に引退を宣言し、世界中のファンに別れを告げた。

ビンス・マクマホン会長は「彼のレガシーは永遠に生き続ける」とその功績を讃えたが、まさにテイカーの功績とはプロレス史にとって計り知れないものだったのである。

(『KAMINOGE110』2021・2)

「テイカーがコスチュームと帽子をリングに置いて去って行ったのは、山口百恵がステージ上にマイクを置いたのと同じ」（斎藤）

――ちょっと時間は経ってしまいましたけど、2020年11月に行われたWWE『サバイバー・シリーズ』で、ジ・アンダーテイカーがついに引退しましたね。

鹿島　ある意味で、90年代以降のWWEの象徴だった存在がリングを去るという。

斎藤　ハルク・ホーガンがチャンピオンだった時代から、何世代にもわたって、その時代その時代のキーパーソンとともにメインイベンターの地位を共有してきた人です。

――また、アンダーテイカーは〝**怪奇派レスラー**の最高傑作〟とも呼ばれていますよね。なので今回は、そのものズバリ、怪奇派レスラーについて掘り下げてみようと思うんですよ。「怪奇派」なんていう存在がいるのは、あらゆるプロスポーツの中でもプロレスぐらいじゃないですか（笑）。

鹿島　「怪奇派」という言葉自体、プロレス以外では聞かないですからね（笑）。

――だから、プロレスをプロレスたらしめる大きな要素のひとつかなと思いまして。

鹿島　たしかにそうですね。

――で、まずはフミさんにアンダーテイカーの引退について語ってもらいたいんですよ。

斎藤　今回、正式に引退というアナウンスがされましたが、2017年の『レッスルマニア33』で、テイカーはローマン・レインズに敗れて、コスチュームと帽子をリングに置い

【サバイバー・シリーズ】
毎年秋に開催されるWWE年間4大特番のひとつに数えられるPPVイベント。軍団対抗の生き残り戦（イリミネーションマッチ）が組まれることが特徴。

【怪奇派レスラー】
怪人、怪物ギミックのプロレスラーのこと。

て去って行った時点で、それが事実上の引退宣言だったと言われていたんです。

――ボクサーがグローブをキャンバスに置くのと同じ意味合いですよね。

斎藤　そうでしょうね。平成世代の日本人にはあまりピンとこないかもしれませんが、山口百恵がステージ上にマイクを置いたのとまったく同じシチュエーション。テイカーが無言で去って行って、それでおしまいと思われていたのが、サウジアラビアの大会ではオトナの理由で復活しちゃったっていうのがあるんですけど。

――オイルマネーで、死の谷からよみがえらされちゃったという（笑）。

斎藤　だから、「今度こそ本当に引退」ってことでしょうね。それで昨年11月の『サバイバー・シリーズ』は、いつものロゴではなく、テイカーのシンボルマークと「30」という数字だけが書かれていたんです。あれを見たとき、最初「なんだろう？」と思ったんですけど、アンダーテイカーが誕生して30周年のその日に引退という意味だったんですね。

鹿島　もともとアンダーテイカーが出てきたのが、30年前の『サバイバー・シリーズ』だったんですよね？

斎藤　テイカーの正式デビューは１９９０年の『サバイバー・シリーズ』なんです。そのときはテッド・デビアス率いるミリオンダラーチームと、ダスティ・ローデスをリーダーとしたドリームチームの4対4イリミネーションマッチで、ミリオンダラーチームの「X」として、デビアスが連れて来た秘密兵器がテイカーだったんです。

――『サバイバー・シリーズ』ってもともと、**新日本vsＵＷＦの5対5イリミネーション**

【新日本vsＵＷＦの5対5イリミネーション】
1986年3月26日、東京体育館で行われた新日本プロレスとＵＷＦの5対5全面対抗戦。10人タッグマッチ形式で始まり、負けた選手、もしくは場外に落ちた選手から脱落していく、当時としては珍しい生き残り戦形式で行われた。途中、ＵＷＦの大将である前田日明は、上田馬之助の場外心中により脱落。最後は猪木が高田延彦、木戸修を連続で倒して新日本の勝利となった。

が元ネタなんですよね？

斎藤　厳密に言うと、新日本プロレスのオリジナルではありませんが、第1回『サバイバー・シリーズ』は1987年ですから、1986年（昭和61年）に行われた新日本vsUWFの映像を観たアメリカの関係者が「これはおもしろい！」とインスパイアされた部分があったことはたしかでしょうね。

――スターをズラリと揃えたチーム戦のおもしろさを観て。

斎藤　ひとりずつメンバーが減っていって最後まで生き残ったチームが勝利というゲーム性の高い試合形式がスリリングでした。

鹿島　あの形式で新日本vsUWFをやったというのが最高なんですよね。

――一歩間違えたら不穏試合になりかねない緊張関係でありながら、ゲーム性のある試合形式で名勝負に昇華させたという。

鹿島　また、新日本側の助っ人として**上田馬之助**が入ったことで、より展開が読めなくなりましたよね。ボクはあの試合前、「上田馬之助は最後の最後で猪木を裏切るんじゃないか」みたいなシミュレーションをしていたんですよ。

――新日ファンからすると、「上田は本当に味方なのか？」みたいな疑心暗鬼があって（笑）。

鹿島　そうやって試合前からいろいろ思いを巡らせるおもしろさがあったんですよ。「あえて上田馬之助を正規軍に入れた、猪木の意図はどこにあるのか？」みたいな。

斎藤　あのとき、上田馬之助はずっとコーナーに控えて試合開始からずっと出てこなかっ

【上田馬之助（うえだ・うまのすけ）】
1940年、愛知県出身。大相撲を経て60年に日本プロレスに入門。日本プロレス崩壊後はアメリカに活動拠点を移した。髪の毛を金髪に染めた狂乱ファイトで知られる日本マット界における日本人ヒールの先駆け。81年に盟友タイガー・ジェット・シンとともに新日本から全日本に主戦場を移したが、86年に新日本に復帰。UWFの抗争では新日本側の助っ人として重要な役割を果たした。2011年死去。享年71。

たんですよね。〝刺客〟みたいな感じで。それで1回だけゆらーっと出てきたと思ったら、前田日明の蹴り足をつかんで場外心中というまさかの展開だった。

鹿島　あれは最高でしたね。「このための上田馬之助だったのか！」って。

――ＵＷＦファンからすると、悔しいけど「やられた！」って感じ、ある意味、脱帽でしたね。

鹿島　あのへんから上田馬之助に対する見方も変わりましたよね。それまではタイガー・ジェット・シンにくっついて、反則をすることしかできないという認識だったのが、よく見るとガタイもいいし。

――あの5対5でも、前田に次ぐデカさですからね。

鹿島　しかも元相撲取りで日本プロレス出身、力道山門下生というすべての幻想が詰まっている。

――日プロでいちばん寝技が強い、〝元祖シューター〟という再評価のされ方もしましたしね。その上田を、腕を買われて雇われた食い詰め浪人みたいに使ったのが、猪木さんのセンスのよさですよね。

斎藤　時代劇の一人一殺みたいな衝撃的な場面でした。あれこそまさにイリミネーション。また上田馬之助の身長と体格がないと、前田のキックをつかんだまま同体で場外に落ちるっていうシーンは作れなかったでしょう。あれはいまどきのプロレスファンのみなさんに観てほしいですね。

「寅さんみたいなものですよね。渥美清さんも一切プライベートや素の顔を見せませんでしたから」(鹿島)

――上田馬之助は1984年(昭和59年)に全日本プロレスでやった、全日本vsタイガー・ジェット・シン軍団の元祖イリミネーションマッチ(馬場&鶴田&天龍&プリンス・トンガvsシン&上田&バズ・タイラー&鶴見五郎)にも出ていますから。ある意味、名手なんですよね。

斎藤 そのあと、別のイリミネーションでは前田が猪木さんと場外心中というバージョンの試合もありましたよね。

――あれは1987年(昭和62年)8月に『サマーナイトフィーバーin国技館』で行われた、**ニューリーダーvsナウリーダー**の世代闘争でのイリミネーションマッチですね。新日vsUWFのときにやられたことを、前田日明が猪木さんに対してやり返すという(笑)。

斎藤 それで前田さんが「やったー!」ってガッツポーズで大喜びするんですよね(笑)。あれはアメリカのマニア層も大好きなシーンなんですよ。いま、昔の日本の映像を観返している人がけっこう多いので。

鹿島 新日本プロレスワールドとかでも観られますしね。

斎藤 いま30歳の人でも1990年生まれでしょ? だから1986年とか1987年はまだ生まれてもいない。その頃の試合のクラシック映像が観られているんです。

【ニューリーダーvsナウリーダー】
1987年に勃発した長州力、藤波辰巳、前田日明らのニューリーダー軍とアントニオ猪木、マサ斎藤、坂口征二らのナウリーダー軍がぶつかった新旧世代闘争。結果はうやむやなまま抗争はわずか4カ月たらずで終結した。

――そして『サバイバー・シリーズ』の元ネタが新日本にあったことに気づくという。だから日本のプロレスって、スポットの発明みたいなことをしてるんですよね。

斎藤　日本のプロレスのネタがアメリカでパクられること自体は全然悪いことじゃない、むしろいいことだと思う。

鹿島　WWEを通じて世界に広まったわけですもんね。

――では、ちょっと話が逸れたんで、このへんで話を元に戻します。

鹿島　上田馬之助で盛り上がりすぎちゃいましたね（笑）。

――アンダーテイカーは『サバイバー・シリーズ』でのイリミネーションマッチに突然登場したのが、初お披露目だったわけですよね。

斎藤　そうです。テッド・デビアスがどこぞから発掘してきた秘密兵器として、「ゴーン」と鐘が鳴ってアンダーテイカーが現れ、イリミネーションマッチなのにあのゆっくりとしたスピードで入場してくるっていうシチュエーションになっていた。それでいきなり3人くらい場外に落として消したんですね。だけど結局、自分も落とされてその日は無言のまま去っていくんですが、そこから30年も続くアンダーテイカー物語が始まるわけです。

――謎の怪人として登場して、最初から大物扱いという。

斎藤　翌年の『サバイバー・シリーズ』では、ホーガンを倒してWWE世界王者になったので、やっぱりはじめから凄い格付けだったんです。

鹿島　デビュー1年でホーガンを倒すわけですからね。

斎藤　アンダーテイカーに変身してからは1年ですが、じつはその3年前に別のキャラクターでデビューしていたんですけどね。

――1990年3月には、パニッシャー・ダイス・モーガンとして新日本にも来ていましたもんね。

斎藤　WCWではミーン・マークという名前でやっていたり、それこそ本当のデビュー戦は（テキサス州）ダラスでマスクを被ってテキサス・レッドというリングネームでブルーザー・ブロディと対戦しているわけです。ただ、そのへんの歴史はWWEでは伏せられていて、アンダーテイカーとしての歴史はちょうど30年。そして2020年の『サバイバー・シリーズ』では、ローマン・レインズvsドゥルー・マッキンタイアという、WWE王者と**ユニバーサル王者**が闘う頂上対決のあとに、アンダーテイカーの式典が組まれていた。だから格の上では現チャンピオンよりテイカーのほうが上という扱いですよね。そして、最近はカメラに映らなくなった御大ビンス・マクマホンがちゃんとリングに上がってホスト役としてイントロダクションをしていたし。

鹿島　WWEのトップに30年君臨し続けるって、途方もなく凄いことですもんね。もともと怪奇派って長く続くイメージがないんですけど、アンダーテイカーがそこまでもった理由は何が考えられますか？

斎藤　やはりビンス・マクマホンがWWEでプロデュースしたオリジナルキャラクターの最高傑作だからでしょう。以前、ロード・ウォリアーズがお題のときにもお話ししました

【ユニバーサル王者】
WWE世界王者と並ぶ、WWEにおけるトップのチャンピオン。WWA王座がスマックダウンの管轄なのに対して、ユニバーサル王座はロウで管轄されている。

けれど、ビンスは他団体でプロデュースされたキャラクターはあまり大事にしないところがあるんですね。アンダーテイカーはＷＷＥがゼロから作り上げたキャラクターであり、怪奇派というむずかしいカテゴリーの最高傑作ですからね。

――骨壺を持ったマネジャーのポール・ベアラーを含め、世界観が完璧でしたもんね。

斎藤　「デスバレー（死の谷）からやってきたデッドマン」ですから、人間ではない何かということで、それを演じたテイカーさん自身、実生活も含めてそれに同化していった。

鹿島　もう渥美清の寅さんみたいなものですよね（笑）。渥美清さんもプライベートは見せない、トーク番組やバラエティにもほとんど出ず、素の顔を見せませんでしたから。

斎藤　だからファンだけじゃなくて、選手やスタッフにもテイカーさんはテイカーさんだっていう共通理解がありました。

鹿島　バックステージでもテイカーはテイカー。

斎藤　テイカーさんには個人用のドレッシングルームが用意されていて、みんながいる大部屋には入りませんでしたね。

鹿島　だからこそ神秘性が保たれていたわけですね。

「マスクマンの出現が、プロレスをプロレスとして楽しむようになった象徴的な出来事と言えるかもしれない」（斎藤）

斎藤　テイカーさんよりキャリアが上のリック・フレアーや、同じ時代を歩んできたストーンコールドであっても、「アンダーテイカーだけは別格」っていう扱いというか関係性がありましたね。それはやはりもっとも長くWWEのトップに君臨し続けたという実積があるのでしょう。ブレット・ハート、ショーン・マイケルズ、ストーンコールド、ザ・ロック、あるいはジョン・シーナやブロック・レスナーなど、WWEの顔と呼べる存在は各時代ごとにいましたが、テイカーさんはそのすべての時代に、それこそ時代に関係なく存在していたわけだから。だってホーガンの時代からずっといるんですよ？

鹿島　WWEの生き字引ですよね。

——『ゲゲゲの鬼太郎』の「♪おばけは死なない〜」じゃないですけど、やっぱりデッドマンは永遠の命を持っているという（笑）。

斎藤　しかもWWEに長くいただけではなく、一度も前座をやらずにずっとメインイベンターのポジションですからね。もちろん近年は試合数が極端に減って、ここ10年くらいは「試合は年に一度、レッスルマニアだけ」みたいな状態が続いていましたけど、テイカーさんはその1試合のためだけに、かならず（コンディションを）仕上げてくるんですね。50歳近くになってもノータッチトペをやったりする。

——それも2メートル級の巨体でやるわけですからね。

斎藤　フィニッシュのツームストン・パイルドライバーは、トリプルHやショーン・マイケルズをのぞいて、カウント2で返した人はほとんどいないんです。なぜ、そのふたりは返せたかといえば、ＷＷＥのリングにはいろんな人が来て、いろんな人が去っていきましたけど、トリプルＨとショーン・マイケルズはずっとＷＷＥの観客に人生そのものをディスプレイしてきたので、テイカーさんの中でも、このふたりには仲間意識があったのではないかと思われます。

鹿島　歴史を踏まえて、認め合っているというのが凄いですよね。

斎藤　トリプルＨとショーン・マイケルズは、若造的な顔つきから中年オヤジになるまでずっとＷＷＥにいますが、テイカーさんの場合は、ずっと同じキャラクターで居続けているわけですから、まさにレガシーですよね。

鹿島　いまは簡単に「レジェンド」って言ってしまいがちですけど、その言葉が本当の意味で似合う人なんでしょうね。

――テイカーが登場する合図である、あの鐘の音が「ゴーン」と鳴ると、アリーナの空気が変わりますからね。

斎藤　それだけファンの深層心理まで、あのキャラクターが浸透しているということです。アンダーテイカーはあの彼でなければ成立しなかった。観客の前に現れた瞬間から、完璧にアンダーテイカーになるんです。帽子を取ったときに白目になるとか、入場したときからコーナーに立っているときまでずっと同じ顔で直立不動のまま仁王立ちしていたりとか。それは集中力と言ってしまえばそういうことになるのかもしれないけれど、その見事なまでの完成度たるや、演じるということを超えた何かがありましたね。

鹿島　〝キャラクターを演じる〟ということを超えたからこそ、怪奇派でありながら30年にわたってトップに君臨し続けることができたということですね。

――では、怪奇派レスラーの歴史も掘り下げていこうと思いますけど、そのルーツはどのあたりになるんですか？

斎藤　おそらく最初の怪奇派と呼べるカテゴリーは、マスクマンの登場でしょうね。

鹿島　なるほど。顔を隠しているわけですもんね。

斎藤　1873年、パリに現れた「ザ・マスクド・レスラー」という人物が最初とされていて、きちんとしたマスクじゃなく、袋みたいなものを被って顔を隠した人だったんです。

――『**エレファント・マン**』みたいな感じですね。

鹿島　でも覆面レスラーというのは大発明ですよね。それがパリで誕生したという。

斎藤　アメリカよりヨーロッパのほう、特にフランスがプロレスが盛んになったのが早かったんですね。1873年というと、日本では明治6年ですから。

鹿島　日本が文明開花した頃、パリにはすでにマスクマンがいた（笑）。

斎藤　マスクマンが登場人物として成立するということは、完全に「プロレス」になっているということでしょうね。

――顔を隠した正体不明の選手が出場する「競技」って、ありえないですもんね（笑）。

鹿島　怒られますよ（笑）。

斎藤　19世紀末、フランスではプロレスがもの凄く人気があったんだけど、最初に八百長

【エレファント・マン】
19世紀末のロンドンに実在した奇形の青年の人生を描いたデビッド・リンチ監督の映画作品。主人公は先天性の特異な容姿を隠すため、外出時は片目の部分にだけ小さな穴を開けた袋をかぶっていた。

告発みたいな事件があったのもパリなんです。観客が「これ、シアターじゃないか？」っていう疑問を抱くようになっていった。フランスのプロレスはそのプレゼンテーションが多分にサーカス的な色合いだったとも言われている。だから競技ありき、あるいは力比べありきから、それを超えるものとしてマスクマンが出てきたことが、プロレスをプロレスとして楽しむようになった象徴的な出来事とも言えるかもしれない。プロレスがプロレスとして成立しているからこそ、マスクマンというその集合内の存在がいるわけだから。

鹿島　プロレスがプロレスとして成り立つようになった証（あかし）がマスクマンというのはおもしろいですね。

斎藤　そのマスクド・レスラーが興行ポスターに載ってたということは、それが売りだったということですしね。

「正体不明で、どんな顔をしているのかもわからないというのがワクワクの原点ですよ」（鹿島）

鹿島　マスクド・レスラーは観客にウケたんですか？

斎藤　たぶんウケたんだと思います。マスクド・レスラーの正体は、やがてアメリカに渡ったシーバウド・バウアーという高名な選手だったと言われているので、無名レスラーに覆面を被せたのではなく、レスリングのクオリティも高かったのでしょう。

鹿島 〝本物〟だったからこそ観客も受け入れたし、その後、マスクマンが定着するきっかけにもなったということですね。

斎藤 アメリカでの最初のマスクマンは、1916年にニューヨークに出現したマスクド・マーベル。この人の場合は正体暴きが新聞ネタになって、新聞記者にその素顔をバラされた。第二次世界大戦後は、その後の怪奇派のマスクマンの元祖的な存在として、ザ・マミーなんかもいましたね。

鹿島 ミイラ男っていうキャラクターは最高ですよね。チョップすると身体から白い粉が舞うっていう（笑）。

――ボクなんかも、子どもの頃に読んでいた『プロレス大百科』で、ザ・マミーとか怪奇派のページが大好きだったんですよ。

斎藤 ザ・シークもそこに入っていましたね。火を吐くアラビア人ってことで。だから火を毎回吐いてくれるのかと思ったら、そうでもないのね（笑）。

――滅多に火は出さないんですよね。しかも口から吹くんじゃなくて、手品みたいに手から火を出すという（笑）。

斎藤 のちの（ジャイアント・）キマラあたりも怪奇派ですよね。

――キマラも大好きでしたね。『世界のプロレス』で観て、ロード・ウォリアーズと同じくらい「日本に来てほしい！」と思ってました。

斎藤 試合内容はあまりよくないいんですけどね。

――でもキマラもアンダーテイカー同様、細部まで凝っていましたよね。アフリカのジャングルで発見され、連れてこられたという設定で、探検隊の格好をしたマネジャーが付いて（笑）。あれはきっと映画『キングコング』がモチーフですよね。

斎藤　まあ、そうでしょうね。漫画の『タイガーマスク』にも登場した囚人ギミックの覆面レスラー、ザ・コンビクト。あれなんかはまさに怪奇派ですね。シンシン刑務所から脱獄したっていう触れ込みで。

鹿島　脱獄囚がそのまま来日しちゃうっていう（笑）。

斎藤　日本プロレスの（第11回）ワールドリーグ戦に出たメディコ2号、3号は、そっくりなマスクを被ったふたりが、試合途中に場外でハグしながらすり替わるというトリックプレーがあったので、それも怪奇派マスクマンの伝統芸でしょうね。

――のちの**ストロングマシーンズ**や、**ブラックハーツ**の先駆けですよね。

鹿島　さかのぼると、ネタの元祖がちゃんとあるわけですね。

――日本のプロレス界における怪奇派の原点も、やはり正体不明のマスクマンですかね？

斎藤　やっぱりマスクマンだと思うんです。力道山の存命中にはミスター・アトミックやゼブラ・キッド、白覆面の魔王ザ・デストロイヤーが大スターだった。力道山が死んだ翌年にはザ・マミーも来ていますね。

――もともとアメリカにおけるマスクマンも、みんな「正体不明」だったんですか？

斎藤　もちろん。そうじゃなかったらマスクで顔を隠す意味がないですからね。プログラ

【ストロングマシーンズ】１９８４年8月、新日マットに突如登場した謎のマスクマン軍団。マネジャーの将軍KYワカマツが操る殺戮機械というギミックで、表情の見えない同じマスクのマシンが最大4号まで増殖。古舘伊知郎アナウンサーは「芋づるマスクマン軍団」「闘う金太郎飴集団」と称した。

【ブラックハーツ】『オペラ座の怪人』をモチーフとして、目や口の部分が空いてない真っ黒なマスクを被った覆面タッグチーム。場外で肩を組んだ円陣の状態のまま回転し、タッチをしないでの入れ替わり戦術を得意とした。90年代前半の全日本マットで人気を博した。

ムを見ると「パーツ・アンノウン」、つまり「詳細不明」「出身地不明」という文言がかならず書かれていたんですね。それは70年代、80年代に登場したスーパー・デストロイヤーの時代になっても。

鹿島　やっぱり正体不明で、どんな顔をしているのかもわからないというのがワクワクの原点ですよね。

斎藤　だから大物レスラーでも、日本ではあえてマスクマンに変身した例がたくさんあります。たとえば力道山のライバルではミスターXがいましたけど、本来は素顔のビッグ・ビル・ミラーで来日してもいいわけです、もともとビッグネームなんだから。だけどミスターXで来たほうがより凄いレスラーっていう感じがあって、商品価値が上がったんでしょうね。

鹿島　ミスターXは、ビール瓶の王冠をマスクに入れたりとかしていたんですよね。

斎藤　それで頭突きをするっていうのがマスクマンの定番のトリックプレー。デストロイヤーさんも、元アマレス王者ディック・バイヤーよりも〝白覆面の魔王〟としてプロレス史に残るスーパースターになった。

――白覆面の怪奇派でありながら、足4の字固めという必殺技を持った超実力派ということで、力道山の最後にして最大のライバルになったわけですもんね。

斎藤　覆面や正体不明といった怪奇派ギミックは、時にその選手の価値を大きく上げる効果があった。

「怪奇派はNWA王者の系譜にはひとりも出てこないけど、アンダーテイカーだけは真のトップでチャンピオンにもなった」（斎藤）

鹿島 あと、素顔ではなかなか売れなかったけど、マスクを被せればなんとかなるっていう例もありましたよね。ドリーム・マシーンとか（笑）。

――ケンドー・ナガサキ前夜の桜田一男さんですね（笑）。

鹿島 「これ、どっかで見たな……」みたいな（笑）。

斎藤 80年代のアメリカでは、ミッシング・リンクもそうだった。その正体のデューイ・ロバートソンっていう人は、あまり売れないベビーフェースだったんですね。でもミッシング・リンクとしてのキャラクターのほうがはるかに有名です。

鹿島 『プロレス・スターウォーズ』的には大スターですからね。

――ウォリアーズ、キマラ、ミッシング・リンクが『プロスタ』が生んだ3大スターですよ。だからボクはミッシング・リンクも生で観たくてしょうがなかったですからね（笑）。

斎藤 猿から人間への進化の過程（あるいはその隙間）である類人猿って、凄いギミック（笑）。

鹿島 オリバーくんみたいな（笑）。

――ボクは子どもの頃、プロレス番組の他に『**水曜スペシャル**』『**木曜スペシャル**』みたいな番組が好きだったんで、そのへんがリンクしているというか、相通じるものがあるなっ

【水曜スペシャル】 1970年代後半から80年代半ばまでテレビ朝日系列が編成していた水曜夜7時半から1時間半の特別番組枠。アントニオ猪木の異種格闘技戦シリーズや、川口浩探検シリーズで人気を博した。

【木曜スペシャル】 1970年代から80年代に日本テレビ系列が編成していた木曜夜の特別番組枠。ユリ・ゲラーの超能力番組や、矢追純一のUFO特番、引田天功の脱出シリーズ、アメリカ横断ウルトラクイズなど、数多くの傑作バラエティ番組を生み出した。

て（笑）。

鹿島　だから正体不明とか怪奇派みたいなものを受け入れられるかどうかで、プロレスを楽しめる人かどうか選別されますよね。

――「くだらない」って思ってしまったら、そこで終わりですもんね。

斎藤　日本というか昭和の大衆は、かなり早い段階からプロレスのエンターテインメント性をわりとすんなりと受け入れていたんですね。第1回ワールドリーグ戦（1959年）にミスター・アトミック（原爆男）が来たり、ミスターXも早い時期だったし、力道山のライバルがデストロイヤーだったりとか。

――〝競技〟という側面だけでなく、プロレスそのもののおもしろさが多くの国民に届いていたという。

鹿島　マスクを被って正体不明になることで、商業的な価値を高めるなんてことは、ほかにはないですからね。

斎藤　デストロイヤーさんの場合、お約束のように「俺がピンフォールで負けたら、覆面を取って正体を明かす」なんて豪語したわけです。それによって力道山がデストロイヤーに勝つこと、試合に対する関心が一気に増したりもしたんですね。本当は日本のテレビ視聴者がよく知っている、素顔でも有名な誰かさんがデストロイヤーに変身したわけじゃないから、マスクを取ったところで知らない顔が出てくるだけなのに。

――でも、その隠している素顔を見てみたいっていう下世話な興味でしょうね。ボクが小学生の頃、『週刊少年ジャンプ』で「次号、キン肉マンの素顔のピンナップが付録で付いてきます」って予告されたら、その時点でのジャンプ歴代最高の売り上げを記録したらしいんですよ。結局、顔が影になっていて見えなかったんですけど（笑）。

鹿島 あったなー（笑）。でも、『キン肉マン』が成り立つっていうのは、子どもの中ではイコール、プロレスですもんね。

――『キン肉マン』における超人というのは、みんな怪奇派レスラーみたいなもんですからね。

斎藤 だから怪奇派っていうのは子どもファンにウケるんでしょうね。テリトリー制だった時代のアメリカでは、地区によってもウケ方が違ったりするんですね。都市部中心だったＷＷＦやＡＷＡは怪奇派は基本的に置かなくて、どちらかといえば〝田舎のプロレス〟って言うと怒られるけど、南部に多いんです。

――キマラやミッシング・リンクが出現したのは、ダラスとかオクラホマですもんね（笑）。

斎藤 怪奇派は、ＮＷＡ世界王者の系譜にはひとりも出てこない。基本的にチャンピオンクラスにはなれないのでしょう。でも、アンダーテイカーは真のトップでチャンピオンになりましたから、そこがまたほかの怪奇派とはまったく違うところですね。

鹿島 怪奇派だけどＷＷＥのメインを張れて、しかも30年の長きにわたってそれをやるというのは凄いですよね。

斎藤 テイカーさんは、ハルク・ホーガンの時代から現在のローマン・レインズに至るまで、メインイベンター全員とビッグマッチで当たっていますからね。

「デーモン閣下ばりに世を忍ぶ仮の姿のときは話しかけちゃいけない。ありがたい存在であり、孤高の人でもある」（鹿島）

鹿島　その間、WWEもだいぶ変わったわけじゃないですか。でもアンダーテイカーだけは同じキャラクターとしてそこに存在し続けたという。

斎藤　しかも、マスクマンではなく素顔の怪奇派だからひときわ特別なんです。WWEスーパースターでも、WWE首脳陣と直接話ができる人っていうのは、ひと握りなんです。メインロースターでもビンスやステファニーと直接話しには行けないし、なかなかアポも取れない。だけどテイカーさんはビンスと直接話ができる何人かのうちのひとりだし、ドレッシングルームは個室で、みんなと群れたりはしないんです。

鹿島　アンダーテイカーというキャラクターを守るために、ビンスもテイカー自身もあえてそうしているという。

斎藤　アンダーテイカーという最高のブランドを守るためですね。

――ある意味では猪木さんに近いのかもしれないですね。

斎藤　そうかもしれない。

――猪木さんも、家から外に一歩出たらアントニオ猪木以外の何者でもないっていう。ほかの選手の前でも、猪木さんは「アントニオ猪木」だし。

斎藤　ＷＷＥは全米を飛行機で移動するから、スーパースターたちは空港でよくファンに発見されるんですね。でもアンダーテイカーが普段着でベースボールキャップを被って空港ロビーの椅子に座っていたりしても、「サインしてください」って言いにくい雰囲気を醸し出しているんです。

鹿島　デーモン閣下ばりに、世を忍ぶ仮の姿のときは話しかけちゃいけないっていう（笑）。――ミル・マスカラス的でもありますよね。一生マスカラスで生きるしかない人だからこそ、マスクを脱いでいるときは素顔を知っている人でも声をかけない、みたいな。

斎藤　テイカーさんもずっとそうだったんだと思います。

鹿島　ありがたい存在ですね。孤高の人でもあるという。

斎藤　テイカーさんは怪奇派なんだけど、その中でも特異な存在で、ＷＷＥの歴史に残る指折りの、屈指のスーパースターとして捉えないと、その真の功績は理解できないかもしれない。２０２０年のコロナ禍での無観客の『レッスルマニア36』でも、テイカーさんがメインだった。ＡＪスタイルズとのホラー映画みたいな試合で。

鹿島　ライブのプロレスではなく、映画のようなファンタジーに振り切ったものでしたよね。

斎藤　コロナ禍で無観客試合にするしかなくなり、「じゃあ、『レッスルマニア』はどうするの？」となったとき、アンダーテイカーがそういう世界中が直面している社会問題を超越した存在としてそこに立っていたことで、『レッスルマニア』そのものを救ったんだと思います。映画にしちゃったんだもん。

——存在がファンタジーであるからこそ、現実を超えることができたってことですよね。

斎藤　そういう存在はWWEには必要なんだと思います。テイカーさんは引退してしまいましたけど、そのあとを継ぐ怪奇派がひとりだけいるとすれば、ボクはブレイ・ワイアットではないかと思うんです。

鹿島　ブレイ・ワイアットもレッスルマニアで、幻想世界に引き込むような、普通の試合を超越したことをやっていましたもんね。

斎藤　ただ、ブレイ・ワイアットは同じ怪奇派でも、日本的な感覚ではちょっとわかりづらいかもしれない。キャラクター的には「悪魔、悪霊」なんですけど、クリスチャンの文化じゃないと悪魔の怖さという概念がいまいちわからないんですね。日本人がいまいち映画『エクソシスト』をわからなかったっていうのは「悪魔ってそんな怖いのかよ？」っていう話だったのと同じで。

鹿島　日本とニュアンスが違いますもんね。

斎藤　日本だと幽霊がいちばん怖いですけど、悪魔はそれとは違うんですね。「神」という概念がわからないと悪魔の怖さもいまいちわからないというか。

——日本だと「祟り」のほうが怖いかもしれないですね（笑）。

鹿島　村の中のローカルなものとか。

斎藤　だから悪魔とか悪霊、イービルなものってクリスチャンの国のオーディエンスじゃないとなんとなくピンとこないのかもしれないですね。

「EVIL やグレート－O－カーンは、現代のプロレスにもいまなお生息する怪奇派の存在意義を見せてくれている」（斎藤）

――日本だとそれよりも〝未知なもの〟のほうがウケるんじゃないですかね。**グレート・アントニオ**みたいに密林から連れて来たとか。

斎藤　グレート・アントニオも間違いなく怪奇派でしたね。まあ、怪奇派っていうか現実離れしたものですよね。

――言わばUMAですよね（笑）。

斎藤　でもレスラーとしてはダメで、日本プロレスの第3回ワールドリーグ戦のときもビル・ミラーにいじめられてシリーズ途中で帰っちゃったというエピソードが残っています。その後、20年ぶりくらいの二度目の来日のときも猪木さんにシメられて、パット・パターソンらにいじめられて帰っちゃったっていう続編もあった。

鹿島　弱いのに態度がデカいから、毎回シメられてしまうという（笑）。

斎藤　グレート・アントニオのようなタイプは、レスリングのスキルが高くなかったから怪奇派のギミックに頼った例ですね。

【グレート・アントニオ】
「密林男」の異名で1961年に日本プロレスに初来日した怪奇派レスラー。綱にくくりつけた満員の大型バス3台を引っ張るデモンストレーションで話題を集めたが実力が伴わず、不遜な態度からミスターXやカール・ゴッチの制裁を受け、シリーズ途中で帰国。77年10月、新日本プロレスへ16年ぶりの来日をはたすも、アントニオ猪木戦では一方的に顔面を蹴られ惨敗した。

――だからギミックがいくら秀逸でも、レスラーとしての実力がない選手はダメだってことで。

鹿島　芸人でもキャラクターというか一発芸みたいな感じで売れた人でも、そもそもおもしろい人っていうのは楽屋でも尊重されますからね。それがただの目先のキャラクターだったら軽く見られる。やっぱりそれは似てるんでしょうね。しかも振る舞いが尊大だったりしたら、「なんだコイツ？」って思うでしょう。猪木さんやゴッチさんみたいな人が。「コイツはちょっと……」っていう。

――グレート・アントニオとは逆にカブキさんなんかは、素顔の高千穂明久は実力があるけど地味だったのが、〝東洋の神秘〟という怪奇派ギミックを与えることでブレイクしましたよね。

斎藤　そうですね。実力はあったけれど強烈なキャラクターではなかった職人レスラーがカブキに変身して成功したサクセスストーリーですね。以前、カブキさんに「カブキになっていちばんよかったことはなんですか？」って聞いたら、「メインイベントで試合ができるようになったことだよ」と語っていました。

鹿島　いままでは実力はあったけど脇を固めるくらいだったのが。

――高千穂のままだとどこからどう見ても中堅レスラーですもんね（笑）。

斎藤　それがカブキになった途端にフリッツ・フォン・エリックといきなりメインでシングルマッチですよ。カブキさんがいたからこそカブキさんとたいへんよく似たキャラクターのケンドー・ナガサキさんが成立したわけですし。ふたりはあのキャラクターで同じ場所に同時にいたことはないんです。アメリカでは別の土地にいるという不文律みたいなものがあった。キラー・カーンさんは一度も日本人キャラは演じていなくて、彼はモンゴリアンですから、そこが競合しなくてよかったんじゃないですかね。

鹿島　だから日本人の若手レスラーが海外修行で、ああいったオリエンタルな怪奇派を経験するというのは、自分の殻を破るひとつのきっかけでもあったわけですよね。また、ヒールをやることで、これまで見えない世界が見えてくるっていう。

――そう考えると、**EVIL**や**グレート－O－カーン**は、もともと実力があるけど地味めだった若手選手を、現代の怪奇派として新日本がしっかりプロデュースしようとしているということですよね。

鹿島　いま、あらためてそれをやろうという。新日本が現代の怪奇派をどう作り上げていくか、どう発信していくかっていうのを見ていくのはおもしろいですよ。

斎藤　ああいうフルプロデュースのキャラクターっていうのは、いま、ほかの団体ではなかなか作りにくいと思いますけど、新日本ならうまくできると思いますね。

――O－カーンはまったく新しいキャラですもんね。

斎藤　しゃべりも一語一句プロデュースされていて、素に戻ってしゃべったらいけないわけでしょう。あれでいいんだと思います。

――作られたものだけど、O－カーン自身のSNSでのセンスなんかもあるからいいです

【EVIL（イービル）】
「キング・オブ・ダークネス」を名乗る新日本プロレスの怪奇派レスラー。

【グレート－O－カーン】
元レスリング全日本王者の岡倫之が、イギリス遠征時に変身した怪奇派レスラー。

よね。

鹿島　そこがハマるとおもしろいですよね。

斎藤　O－カーンと、ヒールになったウィル・オスプレイを組ませたのもよかった。イングランドでの接点というストーリーもわかりやすいし、この先、きっとIWGPタッグ王座も獲ることでしょう。

——O－カーンはもともとレスリングでトップクラスの実績がありますけど、現代のプロレスで売り出すのはなかなか難しいかなとも思っていたんですが、怪奇派にするという手があったという。

斎藤　トップスターになる方法論がひとつじゃないことも、またプロレスのよさですから。EVILやグレート－O－カーンは、現代のプロレスにもいまなお生息する怪奇派の存在意義とそのマーケティングを見せてくれていると思いますね。

第11回

馳浩と山田邦子の和解から振り返る『ギブUPまで待てない!!』

かつて新日本プロレスを中継していたテレビ朝日『ワールドプロレスリング』が、バラエティの要素を加えた『ギブUPまで待てない!!ワールドプロレスリング』として番組をリニューアルしたことがあった。1987年のことである。『プロレス+バラエティ=面白すぎるスポーツ番組の登場!』というコンセプトのもと、当時人気を博していた山田邦子をメインパーソナリティとしたスタジオ収録のバラエティを中心に試合中継を挟み込むという構成だったのだが、なんと視聴率は……。

(『KAMINOGE111』2021・3)

「『元気が出るテレビ‼』のプロレス予備校が、ある意味で『ギブUPまで待てない‼』の元になっていたと」（鹿島）

鹿島　今回、まずは2021年の〝イッテンヨン〟について語りたいんですよ。

――東京ドームではなく後楽園ホールのほうで、我々、昭和から観ている世代にとっての〝ビッグサプライズ〟があったという（笑）。

鹿島　そうなんです。ひさしぶりに嗅覚が働きましたね。ノアの1・4後楽園に行ってよかったですよ。なんと言っても「馳浩&**山田邦子**、和解！」ですよ。とりあえず、今年これまでのいちばんいいニュースですよ（笑）。

斎藤　明るいニュースですね。でも、いまは『ギブUPまで待てない‼ワールドプロレスリング』という番組内で、馳浩が山田邦子さんをスタジオでどやしつけたあのシーンを知らないファンもかなりいるわけですよね。

鹿島　一部の好事家がザワザワしただけで、いまのファンはぽかーんでしたね（笑）。

斎藤　あれは1987年（昭和62年）なので、34年前ですから。

――ボクらはそこまで昔な気がしないんですけどね（笑）。

鹿島　会場で観ていて、「これは歴史的な事件だ！　和解だ！」って思ったんですけど、34年も前のことという（笑）。

――ただ、あの映像はいまだにYouTubeなどにもアップされていて、ある意味プロ

【山田邦子（やまだ・くにこ）】
80年代後半から90年代にかけて自らの冠番組をはじめ数多くのレギュラーを持つなど、絶大な人気を誇った女性タレント。『ギブUPまで待てない‼ワールドプロレスリング』にはそんな人気絶頂時にメインMCとして出演。番組降板後は長くプロレス界と関わりがなかったが、近年はABEMAのノア中継でゲスト解説を務めるなど、芸能界ナンバーワンの現役プロレスファンとも呼ばれている。

レス史に残りますよ。『ギブUPまで待てない‼』といえばあのシーンという。

斎藤　『ギブUPまで待てない‼』という番組自体、昭和世代のプロレスファンにとってあまりいい思い出として残っていないですからね。

――〝黒歴史〟になっていますよね。

鹿島　『ギブUPまで待てない‼』っていうのは、それまで純粋に試合を流すスタイルだったプロレス中継に、バラエティ番組的な要素が加えられて、スタジオからの中継も入ったわけですよね。そのMCを当時人気絶頂の山田邦子さんが務めていたという。

――山田邦子さんは、あの翌年から8年連続でNHKタレント好感度調査1位ですからね。

斎藤　当時の馳浩の立場をおさらいしておくと、ジャパンプロレスが分裂して、長州軍団が全日本から新日本にUターンする中で、全日本とも新日本とも契約していなかったのが、フリーランサーのマサ斎藤と、カルガリーから帰国したばかりで日本デビュー前の馳浩のふたりだったんです。

――日テレとの契約問題がない、長州軍のワイルドカードですよね。

鹿島　だからこそ日本デビュー前ながら、長州軍を代表してスタジオインタビューを受けたわけですよね。あのとき、山田邦子さんは馳浩になんの質問をしたんでしたっけ？

斎藤　流血シーンがある試合映像を観たあと、「あの血は控え室に戻るとすぐ止まるものなんですか？」って聞いたら、馳が「つまらないこと聞くなよ、止まるわけないだろ！」と声を荒らげる流れでしたね。

――そしてスタジオが凍りつくという。まあ、馳と山田邦子さんの話はまた後半で話すとして。フミさんはあの番組で放送作家をされていたんですよね？

斎藤　はい。第1回放送から関わっていました。

――なので、今日は『ギブUPまで待てない!!』を通じて、プロレスとテレビというテーマで語っていきたいと思うんですよ。

鹿島　いいテーマですね。そもそもフミさんはどういう経緯で番組に関わるようになったんですか？

斎藤　1986年（昭和61年）の暮れなんですけど、まだ「テリー伊藤」に変身する前のIVSテレビ制作という制作会社のプロデューサーだった伊藤輝夫さんに呼ばれたんです。

鹿島　テリーさんがまだタレントになる前の、制作として超やり手のときですよね。

斎藤　当時の日曜夜8時の大人気番組『天才・たけしの元気が出るテレビ!!』（日本テレビ）のチーフプロデューサーでした。その番組内で「プロレス予備校」という、番組からプロレスラーを誕生させるという企画があったんです。

――素人時代の松永光弘さんが、タイガーマスクの格好で出演していたんですよね（笑）。

斎藤　結局、その企画自体は日テレ系の全日本プロレスとの連携がうまくいかなくて途中で頓挫（とんざ）したんですけど。そのとき、ボクもその番組にちょっと協力したこともあって、その翌年の冬、また伊藤さんに呼ばれたんです。

鹿島　『元気が出るテレビ!!』のプロレス予備校が、ある意味で『ギブUPまで待てない!!』

の元になっていたと。

斎藤　それで伊藤さんに「今度よー、ウチでよー、プロレスやるからよー」って言われて、最初は通常のプロレス中継とは別にプロレスバラエティ番組が誕生するのかと思っていたら、テレビ朝日の新日本の中継をＩＶＳが作るって話だったんです。ボクが会議に参加したときは、もう『ギブＵＰまで待てない‼』っていうタイトルも決まっていました。その番組名の由来は、テレビ朝日のゼネラルプロデューサーだった木村寿行さんからのちに聞くことになるんですが、「このままの数字（視聴率）ではゴールデンタイムは維持できない。ギブアップまで待てないよ」っていう意味だった。

鹿島　番組自体がギブアップ寸前だと。ボクらは子どもの頃、週プロなんかを通じてテレビにとっての視聴率の重要性を知りましたけど、「このままの視聴率ではゴールデンを維持できない＝プロレス自体の危機」ということですよね。

――テレビなしではプロレス団体は維持できない、と言われていた時代ですからね。

斎藤　「このままの視聴率ではゴールデンタイムは維持できない」と言われ始めたのは、１９８５～１９８６年くらいからで、猪木vsブルーザー・ブロディがあったり、前田日明を筆頭にしたＵＷＦ軍団が新日本にＵターン参戦してきた、あのへんなんです。

鹿島　猪木vsブロディも、新日本vsＵＷＦもプロレスファンは大騒ぎでしたけど、視聴率としては伸びていなかったと。

『バラエティじゃなきゃ数字は取れない』というほうに神経がいきすぎていて、最初から違和感しかなかった」（斎藤）

――あの頃、視聴率12～14パーセントぐらい取っていたので、そこまで悪くない気もするんですけど。その前の常時20パーセント以上取っていた、80年代前半のプロレスブームが基準になっちゃっているんですよね。

斎藤　まさにそうなんです。テレビ朝日からすると「ほんの3年前までは20パーセント台、ピーク時には30パーセント台も取ってたのに、なんで取れないの？」という話になるんですね。しかも裏番組に『太陽にほえろ！』や『3年B組金八先生』という強力なライバルがいた時代でもそれだけの数字を取れていたのにって。

鹿島　数字だけで判断する人はそうですよね。初代タイガーマスクの黄金時代と比べちゃって。

――『8時だョ！全員集合』が視聴率20パーセントになっただけで「人気低下」「ドリフはもう終わり」みたいに言われたのと同じですよね。「以前は30パーセント以上取ってたのに」って（笑）。

鹿島　元の基準が高すぎるっていう（笑）。

斎藤　『ワールドプロレスリング』も、当時のプライムタイムの番組として考えると、15パーセントを切った時点で、打ち切りや時間帯変更が検討されて。「もうギブアップまで待てないよ」ってことで『元気が出るテレビ!!』で高視聴率を獲得していたIVSテレビの制作チームがそのままやることになったんです。

鹿島　テコ入れのために〝高視聴率請負人〟を招聘（しょうへい）したわけですね。フミさんは『ギブUPまで待てない!!』の番組コンセプトについては、どう思っていました？

斎藤　ボクなんかは最初から違和感しかなかったです。というのは「プロレスとバラエティが合体したものを作る」という番組コンセプトが最初からできあがっていて、1時間番組なのに作家さんが4人も5人も入っていたんですよ。

鹿島　バブルですねー（笑）。

斎藤　ディレクターも4〜5人いて、プロデューサーもふたりいる。そして「バラエティじゃなきゃ数字は取れない」って、そっちのほうに神経がいきすぎていて。テレ朝も運動部ではなく、制作3部というバラエティ番組を作る部門に『ワールドプロレスリング』を移したわけですね。

――スポーツ班制作ではなくなったと。だからオープニングテーマ曲も「テレビ朝日スポーツテーマ朝日に栄光あれ」じゃなくなりましたもんね。

鹿島　たしかにそのタイミングですね。

斎藤　『ギブUPまで待てない!!』は、オープニングとエンディングの曲は**男闘呼組**を使うってことも最初から決まっていたんです。

鹿島　いたな〜、男闘呼組（笑）。

【男闘呼組（おとこぐみ）】
1980年代後半から90年代初頭にかけて活動したジャニーズ事務所のアイドルロックバンド。デビュー曲『DAYBREAK』のカップリング曲『Midnight Train』が『ギブUPまで待てない!!ワールドプロレスリング』のエンディングテーマ曲として使用されていた。

——その後の久保田利伸やチャゲアスはけっこうよかったんですけどね（笑）。

斎藤　局サイドのプロデューサーもいるんだけど、番組制作はＩＶＳにほぼ丸投げ。とはいえ、純粋なバラエティ番組ではなくプロレス中継でもあるから、地方局との共同作業を含めたスポーツ番組的なスタンスも同時に続くわけですよ。

鹿島　ということは毎回、会場とスタジオの二元生中継ですか。凄いなあ（笑）。

——全盛期の『**ザ・ベストテン**』ばりに無茶しますね（笑）。

斎藤　しかも新日本はテレ朝やＩＶＳに対して、当然のことながら試合がどのくらいの長さで、何が起こるかっていうことは一切教えないわけです。

鹿島　制作側からすると、タイムスケジュールを立てようがないという。

斎藤　そして試合時間が長くても短くても、スタジオでのタレントのトークの時間は確保しておくわけです。

鹿島　その時点でもうかなり危なっかしいですよね。

斎藤　ボクが見せてもらった進行台本には、「試合終了のゴングが鳴った2秒後には、スタジオに切り替わってその試合のトークをする」って書かれていたんですね。しかも、なんの構成も聞かされていないパネラー的なタレントさんが何人もいて、ひとりずつ話を振らなきゃいけない。だから1時間番組で3試合放送するとして、試合、スタジオ、試合、スタジオ……って3往復もできないだろうなって、最初から感じていたんです。1回目の放映は生中継スタイルで収録して、オンエアの時点では録画という形になっていたんですが、

【ザ・ベストテン】
70年代末から約10年間、TBS系列で放送されて一世を風靡したランキング形式の音楽番組。ベストテンにランクインした歌手がスケジュールの都合でスタジオに来られない場合、地方のコンサート会場から移動中の新幹線の車内まで追いかけて中継したことで知られる。

いざやってみたら総尺が2時間くらいになっちゃったから、自分たちでいろいろ煽り映像を作っておいて自分たちでそれを半分捨てたりして。「これを毎週はできないぞ」って思いましたね。

「男闘呼組を入れておけば女性の視聴率も上がるだろうとか、当時観ていて危なっかしいと思っていました」(鹿島)

鹿島　普通にやったら2時間番組にしないと収まらないわけですね（笑）。

斎藤　1時間のテレビ番組って、CMが入るから実際のオンエア時間は46分30秒くらいですよね。でも「プロレスの試合だけじゃ視聴率が取れなくなったから、バラエティ的におもしろくしてください」というところから始まってるから、いろんな企画を入れなきゃいけない。それで山本小鉄さんのプロレス教室とか、お料理コーナー、レスラーの新コスチューム募集といったミニコーナーを考えたりね。

――そんなのがありましたね（笑）。

斎藤　『元気が出るテレビ‼』で考えそうな企画をプロレス番組に入れようとしていて。いわゆるテレビマン的な発想だったら、新日本に対して「すみません。スタジオ部分がありますから、試合時間は短めに終わらせてください」って言っちゃっていたかもしれない。そもそも現場は新日本側と直接、番組内容についての交渉、ネゴシエーションもできなかったんです。制作はＩＶＳだけど、その上にテレビ朝日があって、新日本側と交渉するのは、あくまでも局側のエグゼクティブプロデューサーなんです。

鹿島　そういう風通しの悪さもあったんですね。

斎藤　当時、元テレビ朝日運動部長だった永里高平さんが出向で新日本の取締役にいて、永里さんはもともと大学時代はレスリングのチャンピオンだったんですが、昔の全国ネット局の運動部のプロデューサーには、オリンピックや国体優勝級の元アスリートがいたんですね。だからエリート同士じゃないとしゃべらないみたいな空気もあって、いち制作会社のいちディレクター、いち作家にとってはもの凄く遠い存在だったんです。

鹿島　テレ朝と新日本両方に通じている人がいると、いろいろやりやすそうなもんですけど、現場の人間にとっては遠すぎると。

斎藤　それでＩＶＳはＩＶＳで首脳陣クラスがテレ朝に行って、猪木さんや坂口征二さんを含めた会議に同席させていただくという、せいぜいその程度の関係だった。だから現場のディレクターが、猪木さんや坂口さんに「こういうことをしていただけませんか？」なんて、付き合いが浅すぎて、とてもじゃないけど言えなかったんです。要するに誰が誰と直接しゃべるかっていう交通整理さえできていなかった。

鹿島　政府の**ワクチン担当大臣**みたいなものですね。厚生労働大臣もいるのに、誰が仕切ってるんだよっていう（笑）。

斎藤　制作サイドで猪木さんと直接しゃべれる人は皆無だったんです。そもそも、プロレ

【ワクチン担当大臣】
ワクチン接種推進担当大臣。本来、新型コロナウイルスのワクチンなどは、医療、福祉、雇用などに関する行政を所管する厚生労働省が担当するはずが、２０２１年１月に当時、行政改革担当大臣だった河野太郎が新たに任命された。

ス団体サイドが現場に来てるテレビのいちディレクターに事細かくプロレスのことを教えるはずがないでしょ。

鹿島　そうですよね。ましてや、あの時代だったら。

斎藤　プロレス記者だって、何年も通い詰めて学んでいくものですから。ボクなんか新人時代、外国人選手担当だったミスター高橋さんに何度怒鳴りつけられたことか。

――のちにプロレス界の内幕を書いた本を出す人が、いちばん**ケーフェイ**に厳しかったという（笑）。

斎藤　たぶん、ボクが『ギブUPまで待てない‼』のスタッフとして呼ばれたのは「プロレスに関して、これは基本的にNGだよってことだけは教えてね」というニュアンスだったと思うんです。

――ちょっとした監修みたいな感じですね。

斎藤　たとえば、レスラーのタイツの股間の部分に男性のイチモツを思わせるヘビみたいな絵を描いて、入場でまず笑いを取るっていうのをやろうとしていたんです。

鹿島　『元気が出るテレビ‼』がやりそうですね（笑）。

斎藤　そうなんです。とにかく『元気が出るテレビ‼』がやりそうな企画をたくさん出してくるから、「その企画を新日本に持って行ったら怒られますよ」っていうネタのリストにボクがバツをつける役だったんです。

鹿島　ポリスマンですね（笑）。

【ケーフェイ】
プロレス界において、部外者に知られてはならないこと。

斎藤　あとはゲストとしてスタジオに来たレスラーのコメントにツッコミを入れて、ハリセンで頭を叩くっていうプランもあったんですけど、「それはホントに怒ると思いますよ」とか。

——もし、山田邦子さんが馳浩の頭をハリセンでぶっ叩いてたら、さらなる大惨事になっていたでしょうね（笑）。

鹿島　フミさんがそれを未然に防いでいたんですね（笑）。

斎藤　でもボクも当時は25～26歳の若手ライターだったので、力がなさすぎましたね。

鹿島　いまになって、『ギブUPまで待てない!!』のことを「あれは早すぎた」「時代を先取りしすぎた」みたいに肯定的な評価をする人もいるじゃないですか。でも、こないだ**清野茂樹**さんのラジオを聴いていたら、当時スタジオ出演していたなぎら健壱さんがゲストだったので事前に番組をもう一度観たと言うんです。清野さんは、あの番組をすべて録画しているので。そうしたら「いま観てもやっぱりヒヤッとするシーンがたくさんある」って言っていたんですよ（笑）。

斎藤　プロレスのバラエティっていう概念が具体的には見えていなかったんでしょうね。ただバラエティ的なものをプロレス中継にぶち込むっていう発想だけだったんで。

鹿島　そうですよね。男闘呼組を入れておけば女性の視聴率も上がるだろうとか。それはボクも当時観ていて危なっかしいと思ってました。

——スタジオ出演者のコメントも、たとえばいまの『アメトーーク！』のプロレス大好き

【清野茂樹（きよの・しげき）】
フリー実況アナウンサー。ラジオ日本で『真夜中のハーリー&レイス』という10年続く長寿番組を担当している。

芸人とはまったく違いますよね。いまの芸人さんは、これを言ったらプロレスファンはどう思うかまで、ちゃんと考えてしゃべってるじゃないですか。

斎藤　でも昔はそこまでの理解度、プロレス・リテラシーがなかったんだと思います。

「テレビ朝日から新日本に支払われていた放映権料があれば、アンドレだって毎シリーズのように来ちゃいますよ」（斎藤）

鹿島　だから、あのプロレスとバラエティの融合っていうのは、無理でしたよね。ただ、その一方で昔からアメリカのテレビマッチでは、スタジオのインタビューでレスラーが吠えてから試合を流すみたいなのが普通だった、というのがあったり。

斎藤　マサ斎藤さんはああいうのをやりたかったみたいですね。

――ただ、日本とアメリカって、番組の作り方が根本的に違ったんですよね。日本はあくまで試合はプロレス団体の聖域で、それをテレビ局がカメラや実況スタッフを入れて放送する形態ですけど、アメリカだとテレビをプロデュースする人から実況アナウンサーまでプロレス団体内の人で、〝一座の一員〟じゃないですか。

斎藤　アメリカはそうですね。プロレス団体が作った〝完パケ〟を電波に乗せるスタイル。

鹿島　だから、さっきの縦割りが多いみたいな弊害はないわけですよね。

斎藤　おそらく、日本とアメリカのいちばんの違いはお金の問題です。日本だと放映権料という形で、テレビ局からプロレス団体に年間で莫大な資本が投下されるわけです。それは力道山が日本プロレスを立ち上げた頃からずっと続いていたことで、新日本が通常の試合中継ではなく、『ギブUPまで待てない‼』というバラエティ形式を受け入れたのも、放送形態は変わっても、年間契約の放映権料は変わらずにもらえたからですよね。

――それが団体運営の生命線なわけですもんね。

斎藤　80年代当時、1週間単位で2500万とも3000万とも言われる放映権料がテレビ朝日から新日本に支払われていたわけですよね。そうすると月額にして約1億2000万円。年間だと15億円近くになる。それだけの予算があれば、アンドレ・ザ・ジャイアントだって、毎シリーズのように来ちゃいますよ。

――昭和の新日本や全日本が、10人規模の豪華外国人レスラーを毎シリーズ呼べたのは、ゴールデンタイムの放映権料があったからこそですもんね。

斎藤　80年代に新日本、全日本の外国人選手のトップの座にあった、アンドレ、ホーガン、ハンセン、ブロディ、ブッチャーとタイガー・ジェット・シン。彼らはアメリカ国内で活動しているどんな選手よりも、日本での1週間のギャラが高かったんですね。ハンセンは年に7回ほど日本に来ることで、アメリカのほとんどの選手よりもはるかに高い年収を日本だけで稼いでいましたから。

鹿島　昔のプロレス界は、ジャパンマネーによって多くの外国人レスラーが来たって言われますけど、その原資はどこから来ているかといえば、日テレやテレ朝といった全国ネットのテレビ局だったわけですよね。オリンピックを毎週やっているような感じというか（笑）。

――だから日本のプロレスとアメリカのプロレスのいちばんの違いって、じつは全国ネット局がずっと放映していて、莫大なお金が投下されていたってことなんですよね。

斎藤　そうですね。WWEも昨今は『ロウ』に対してはUSAネットワーク、スマックダウンにはFOXテレビがそれぞれ年間50億以上の放映権料を出していますが、番組自体はWWEの自社制作です。少なくとも80年代前半までは放映権料云々ではなく、アメリカのプロレス団体の場合はローカル局が放送してくれていただけなんです。

――放映権料を得るためじゃなく、興行の宣伝のために流していただけみたいな。

鹿島　そう考えると、あらためて民放局の存在のデカさを感じますね。プロレスだけでなく、プロ野球の巨人戦だって1試合1億円と言われてましたもんね。

――だから新日本も全日本も、その莫大な放映権料のためにも、ほかの番組に負けない視聴率を取り続けなければいけなかったわけですよね。

鹿島　数年前、ボクはテレビ関係者に話を聞いたんですけど、猪木さん、馬場さんというのは、プロレス団体の長であると同時に、毎週テレビのゴールデンタイムで高視聴率を取らなければならない、プロデューサーでもあったと。

――興行会社であると同時に、ゴールデンタイムの番組を作る制作会社のトップでもあるという。

鹿島　そしてボクらファンは漠然とプロレスは永遠に続くもんだと思っていたけど、猪木さんや馬場さんからすればいつテレビが打ち切られるかわからないし、もしテレビから切られたら、プロレスというジャンル自体がなくなるかもしれない恐怖とも闘いながら、毎週高視聴率を叩き出していた。凄いテレビマンでもあったんですよね。

斎藤　だから大衆のニーズを常に考えていたと思います。どうすればプロレスを観てもらえるか、ということを。

鹿島　毎週視聴率20パーセント以上取っていた80年代前半も、まず番組の最初にタイガーマスクを登場させて〝つかみ〟に使うとか。テレビプロデューサーとしての仕掛けも、いろいろやっていたわけですよね。ただ、その力が落ちてきたとき、テリー伊藤さんやビートたけしさんの力を借りることとなった。それが『ギブUPまで待てない‼』であり、たけしプロレス軍団であったと。

斎藤　テレビは視聴率だけが〝正義〟ですよね。どんな方法であれ、視聴率を取ればそれが正解になりますけど、逆に取れないとすぐに方向転換もするんです。新日本の放送に関して言えば、それまで通常の試合放送で12パーセントくらい取っていたのが、スタジオバラエティにしたら、最低回で3パーセントまで落ちたんですね。

鹿島　3パーセント！　それはまた凄まじい落ち方ですね（笑）。

――『ギブUPまで待てない‼』の第1回放送分が、たしか5・4パーセントだったんですよね。

斎藤　第1回はそうで、そのあと3パーセント台まで落ちちゃったんです。そうするとテレビとしては「これはダメだ！」っていうことで、わずか数週間でスタジオパートをキッパリ辞めてね。そこからはいまで言うところの煽り映像を十分に使ったプロレス中継になったんです。

「いまはプロレス団体とテレビ局の関係も成熟してきた感がある。プロレス自体の価値観を認め、そのおもしろさを伝えようとしている」（鹿島）

——だから『ギブUPまで待てない‼』の後期って、けっこういいんですよね。

鹿島　視聴率が急落したことで「やっぱりファンに寄り添った構成にしないとダメなんだ」となって、プロレス中継自体をブラッシュアップする方向に転換したというのは、功罪で言えば功の部分ですよね。

斎藤　『ギブUPまで待てない‼』をやってみて、当たり前ですが試合自体は制作会社がいじれないっていうことを現実としてひしひしと感じたんでしょう。

——だから『ギブUPまで待てない‼』は、1987年（昭和62年）3月末に始まって、9月末には終わって、元の『ワールドプロレスリング』にタイトルも戻りましたけど。その直後、1987年10月頭にやった、猪木vsマサ斎藤の巌流島の決闘と、長州vs藤波の後楽園ホールの特番は、二元中継なのに凄くいい構成だった記憶があります。

斎藤　あれは放送前日に行われた巌流島の決闘を、徹夜で編集した映像と、翌日の後楽園の生放送をくっつけたんです。

鹿島　長州の相手が、藤波になるのか、前田になるのか、**ミスター高橋のコイントス**で決まったときですよね。あの放送はよかった。だから『ギブUPまで待てない!!』はスタジオバラエティの部分だけで、どうしても功罪が語られがちですけど、それがうまくいかなかったからこそ、のちの番組作りにいい影響も与えていたことがわかりますね。

――のちのＫ－１やＰＲＩＤＥ、いまのＲＩＺＩＮといった格闘技番組の作りにもつながっていますからね。

鹿島　煽り映像なんかは、まさにそうですよね。

斎藤　対戦カードはそれまで文字だけだったのが、選手の画像やグラフィックを使うようになったりと、映像的にも進歩したものが生まれてきたのもあの頃だったと思います。だから、プロレスの試合そのものは加工はできないけれど、そこに至るまでの部分はテレビ側でも演出できるんだっていうのが、なんとなくわかったんじゃないですかね。

――試合のソフトはプロレス団体が作り、それをどう見せるかはテレビ側が工夫するという、いい意味での健全な分業体制になったという。80年代はプロレスの内幕は絶対に外には出さない時代でしたから、そうするしかなかったとも言えますけど。

斎藤　新日本も手の内をテレビ局に明かすことは、決してしませんでした。昔、テレビ朝日の偉いプロデューサーさんが猪木さんに聞きに行ったらしいんです。「プロレスっていう

【ミスター高橋のコイントス】
1987年春に全日本から新日本に移籍後も日本テレビとの契約が残っていたため、テレビ朝日の電波に乗ることができなかった長州力。同年10月5日の後楽園ホール大会からようやくテレビ解禁となり、その復帰第1戦の相手を決めるファン投票を行ったところ、藤波辰巳と前田日明の票数が極めて僅差だったため、当日リング上でミスター高橋がコイントスにて決める方法が取られ、藤波に決定した。しかし、コインの裏表は観客やテレビ視聴者には見えず、「本当は最初から藤波に決まっていたのでは？」と疑問が残るものとなった。

のはホントのところ、どういうものなんですか？　八百長ですか？」って。

鹿島　そんな単刀直入に（笑）。

斎藤　テレビ局の人だから、どうしてもそういう聞き方になるんじゃないですかね。すると猪木さんは「そういう次元で捉えてほしくない」って答えたらしいんです。

鹿島　なるほど。そんな二元論で語れるものでもないし。そう考えると、いまはプロレス団体とテレビ局の関係も成熟してきた感がありますよね。テレビ局側もスポーツなのか、八百長なのか、みたいな感じではなく、プロレス自体の価値観を認めて、そのおもしろさをしっかり伝えようとしている。

――『ワールドプロレスリング』の地上波放送こそ、（関東地方は）土曜深夜の30分番組ですけど、ＢＳ朝日では『ワールドプロレスリングリターンズ』を黄金時代と同じ〝金曜夜8時〟に放送していますしね。

斎藤　ＢＳ朝日でいい時間に放送しているという状況は、ボクらが考える以上にパワーを持っている気がするんですね。ＢＳとはいえ、普通のご家庭でも無料で観られちゃうから。

鹿島　いまは年配の人なんか、地上波よりむしろＢＳを観てますもんね。

斎藤　２０２０年からスターダムの中継がＢＳ日テレでスタートしましたけど、それによって首都圏以外での選手たちの知名度が凄く上がったようなんです。関西で試合をしたりすると、それが顕著だって聞きました。

――新日でいえば、通常の『ワールドプロレスリング』とＢＳ朝日のほかに『新日ちゃん。』（現『新日ちゃんぴおん。』）っていうバラエティ番組もテレ朝の深夜にやっていますしね。

鹿島　バラエティを『ワールドプロレスリング』の試合中継とは別にしたっていうのは、あきらかに『ギブUPまで待てない!!』の教訓が生きてますよ！（笑）

――80年代当時は、いまの何十倍もプロレス中継とバラエティの食い合わせが悪かったですからね。そりゃ、うまくいかないだろうという（笑）。

鹿島　また馳浩と山田邦子さんという組み合わせも、いま思えばよくなかった。まだ日本デビュー前の新人が、超売れっ子の女性芸能人に声を荒らげたことで、大ごとになってしまったわけですからね。

「結果的に馳はこれ以上ないインパクトでテレビデビューはしたわけです。かならず重要な役割が与えられてきた」（斎藤）

――先日、馳と山田邦子さんの一件について、馳のジャパンプロレス時代の先輩で、海外遠征時代のパートナーでもあった新倉史祐さんがツイートをしていたんですよ。新倉さん曰く、あのスタジオインタビュー前、馳は凄く心配していたらしいんです。要は、まだ自分は色のついていないデビュー前の大事なときに、番組内でおちゃらけた質問でいじられたりしたら、自分のデビューが台無しになってしまうと。それで「どうしたらいいですか?」って相談したら、新倉さんが「じゃあ、最初から一発カマしてやれよ」って言ったっていう（笑）。

鹿島　新倉さんに言われて、カマした結果だったとは（笑）。

——だから馳が「つまんないこと聞くな!」ってキレた場面って、「急にそんなに怒ること?」っていう感じだったじゃないですか。

鹿島　じつは山田邦子さんも「えっ?」っていう感じだったんですよね。

——「血はすぐに止まるんですか?」って、門外漢が素朴な質問をしただけですからね。

斎藤　ただ、あのシーンを深読みの深読みをしちゃうと、門外漢がプロレスラーに対して流血に関する質問をするっていうのは、とてもデリケートな部分だから、当然起こりうるシーン、予想できたシーンでもあったんですね。

——山田邦子さん自身は、悪気もなければ、その言葉に他意もないけれど、馳は「あの流血はインチキなのか?」っていうふうに受け取った可能性もあると。

斎藤　文脈としてね。

鹿島　馳もけっこう緊張していた感じなんですよね。

——まだ新人だし、ゴールデンタイムの生放送でナメられちゃいけないっていう気持ちもあっただろうし。

鹿島　またあの時期、プロレス番組がバラエティ路線になったということに対して、プロレスファンがイライラしているときですから、その矛先がＭＣの山田邦子さんに向かってしまった部分もありますよね。

斎藤　本当だったら、そこは隣に座っていた藤井暁アナウンサーが助け舟を出せばよかったんでしょうけどね。

——その藤井アナもオロオロしちゃってましたもんね（笑）。

鹿島　だから山田邦子さんからすれば、いびつな形で溜飲を下げさせられたっていうのがありますよね。

——プロレスファンの被害妄想というか、べつにバカにしていないのに「プロレスをバカにするな！」っていう（笑）。

鹿島　いろんなものがあそこに集約しちゃって、馳も緊張している中でナメられちゃいけない。何か言われたら言ってやろうっていうのがあって。

斎藤　結果的に馳さんはこれ以上ないインパクトでテレビデビューを果たしたわけだから、それはそれでよかったんだと思います。

鹿島　うるさ型ファンの好感度は上がりましたよね。

——あのインタビューの前後、両国でやった猪木vsマサ斎藤（1987年4月27日・両国国技館）で馳はマサさんのセコンドについて。最後、客席にいる長州に「もうダメですか？」って手で「×」を作って確認して、試合をストップするという重要な役割も果たしているわけですからね。

鹿島　テレビ的には破格のデビューをやっているわけですよね。

――そして、その年末には『イヤーエンド・イン・国技館』で小林邦昭相手にデビュー戦を行って、いきなりIWGPジュニア王者になるという。

鹿島　たけしプロレス軍団で暴動が起きたときですよね。だから、あの年はすべて馳でつながっているわけですよ。

斎藤　ロサンゼルスオリンピックの元日本代表としてプロレスに転向してから、馳浩というエリート・アスリートは新人時代からどうでもいい役だったことは一度もないんです。かならずそのときそのときの重要な役割が回ってきて、先日もオリンピック組織委員会会長の森喜朗元首相の横にちゃんと座っていましたからね。いま絶対にあってはいけない、**女性蔑視発言**がありましたけど。

鹿島　あそこでこそ、馳は「×」するべきだったんですよ。「ダメです！　ダメです！」って（笑）。

――脱いだトレーナーを投げ入れて、止めるべきシーンだった（笑）。

鹿島　そうしたら馳浩の株も上がっていたはずなんですけど、もうダメですね（笑）。

――では、いいオチがついたところで。また次回もよろしくお願いします！

【女性蔑視発言】
東京五輪・パラリンピック組織委員会の会長だった森喜朗が、JOC（日本オリンピック委員会）臨時評議会の場で「女性がたくさん入っていると時間がかかる」などと発言。国内外から批判の声があがり辞任するに至った。

第12回

独自の発展を遂げた日本の活字プロレスメディア

世界中の様々な国や地域にプロレスはあれど、プロレスの活字メディアがここまで発展していったのは日本だけだ。

試合結果がスポーツ新聞で毎日報道され、多くのプロレス専門誌を誕生させてきた日本のプロレス。

それはいったいなぜなんだろう？　その答えを、知られざる事実とエピソード、そして歴史から導き出す！

（『KAMINOGE112』2021・4）

「東スポは力道山と盃を交わした兄弟分と言われた児玉誉士夫が作った。つまり当初からプロレス報道をするための新聞だったんです」（斎藤）

――今回は「プロレスと活字メディア」というテーマで話していこうと思うんですよ。日本のプロレスが他国と比べて特殊な進化をした理由のひとつとして、プロレスを報道する活字媒体の存在が大きいんじゃないかと思って。

鹿島　プロレスの試合すら報じない『ＫＡＭＩＮＯＧＥ』みたいな媒体が存在しているわけですからね（笑）。

斎藤　『「ＫＡＭＩＮＯＧＥ」ってなんの雑誌なの？』ってよく聞かれるんですけど、プロレスの雑誌なんだけどプロレスの雑誌じゃない、こういう活字媒体はたしかにほかにはないです。

――『ＫＡＭＩＮＯＧＥ』は活字プロレスが浸透した先に生まれたものですからね。

斎藤　なぜ、日本でプロレスの活字文化がこれだけ発展したのかと言うと、まず諸外国の人々、特にアメリカ人と比べると、日本人がよく活字を読む国民だということがあると思います。日本もいまは宅配の新聞の発行部数が減ったと言われていますが、それでも読売新聞は毎日１３００万部くらい刷っている。でも、アメリカで土曜版、日曜版以外のいわゆる毎日の習慣として新聞を購読している人って少ないわけです。

――そうなんですね。

斎藤　そして、アメリカではここ10年くらいで大小何百社という地方新聞社が倒産しちゃってるんです。それはメディアの主流が活字からネットに移行したっていうこともあるかもしれないけれど、日本のプロレスと活字メディアの特殊性は、最初から新聞を含めた活字媒体がプロレスをしっかり報道していたっていう背景はありますね。そのスタート地点として力道山の日本プロレスを後援したのは毎日新聞でしたから。

――昔は自宅や通勤電車で新聞を読む人が１００パーセント近くいたわけですけど、プロレスはその新聞に載ってるコンテンツだったという。

鹿島　東京スポーツなんかは創刊当初から、プロレスと一緒に伸びてきたわけですよね。プロレスの人気を上げるための媒体でもあって。

斎藤　東スポってプロレス黎明期からあるように思われていますが、創刊したのは昭和35年（１９６０年）。力道山が亡くなる3年前なんですね。

――力道山時代の末期創刊で、日本プロレスの黎明期からあったわけではないと。

斎藤　そうなんです。ロッキード事件で有名な**児玉誉士夫**が作った新聞ですね。力道山とは盃（さかずき）を交わした兄弟分と言われた。当初からプロレス報道をするための新聞だったんです。

――それは東スポと日プロ、双方にとってメリットがあったっていうことなんでしょうね。日プロにとっては全面的に報道してくれる新聞があったほうがいいし、東スポのほうはプロレスという幹があると大きな武器になると。

斎藤　東スポは最初からプロレスと密な関係を持った新聞という大前提があって、東スポ

【児玉誉士夫（こだま・よしお）】
１９１１年（明治44年）福島県生まれ。「戦後最大のフィクサー」「政財界の黒幕」と呼ばれた右翼運動家。暴力団『錦政会』顧問。映画『日本の首領（ドン）』三部作、『日本の黒幕』などで児玉をモデルとした人物が描かれている。76年、田中角栄元首相らが逮捕された「ロッキード事件」でロッキード社、丸紅、全日空などの仲介役として巨大汚職事件の中心的役割を果たした。84年、死去。

【週刊ファイト】
新大阪新聞社が発行していた週刊のプロレス専門紙。雑誌ではなくタブロイド紙の形態で発行。東京スポーツや『ゴング』が、団体のオフィシャル発表に沿った報道だったのに対し、名物編集長だ

の出現と同じ時代に夕刊紙文化っていうのが日本にはあったわけです。なんとか新聞とか、なんとかタイムスとか。

鹿島　大阪にもたくさんあったんですよね。

――『**週刊ファイト**』の母体だった新大阪新聞なんかがそうですよね。

斎藤　ボクたちの大先輩にあたる（プロレス評論家の）**菊池孝**さんももともとは地方紙、夕刊紙の社会部記者あがりだったんです。駅売りの夕刊紙というと、いまそのカルチャーが残っているのは『日刊ゲンダイ』と『夕刊フジ』だけになっていますけど。

鹿島　タブロイド紙はそうですね。

斎藤　そういう新聞が当時は7、8紙あって、そのほとんどがプロレスを報道していた。

――扱う内容が、政治、スポーツ、ギャンブル、あとはエロっていうことですよね（笑）。

鹿島　イメージで言うと、高度経済成長期に会社で仕事をしたお父さんが帰りの電車の中で読んで、最寄り駅に着いたら網棚に置くとかゴミ箱に捨てるっていう。

斎藤　おうちに持って帰れない新聞ですね。

鹿島　でも、記者は読み捨てにプライドを持って作ってるらしいですね。最寄り駅までの娯楽を提供すると。

斎藤　そうですね、生きた媒体みたいな。菊池先生もいまそういう言葉を使っていいのかどうかわからないけれど、当時のランゲージで言えば〝サツ回りの記者〟だったわけです。いわゆる事件記者みたいな感じで。だから菊池先生も、最初の頃はプロレスの記事を書く

った〝Ｉ編集長〟こと井上義啓による、プロレスの裏の裏まで考察するような報道で一部で熱狂的に支持され、『活字プロレス』というジャンルを生んだとも言われる。

【**菊池孝**（きくち・たかし）】
1932年生まれ。立教大学卒業後、新聞社社会部記者、野球記者を経てプロレス記者に。力道山時代から2000年代まで50年以上の長きにわたり、第一線で日本のプロレスを取材したプロレス評論家。『国際プロレスアワー』（東京12チャンネル）などテレビ解説者も務めた。故人。

ことを良しとはしていなかったけれど、スポーツ担当になったことがきっかけで、気がついたら生涯プロレス記者になっていた。

鹿島　プロレスと夕刊紙は相性が良かったんでしょうね。朝刊のスポーツ紙は記事もけっこうカタめですけど、夕刊紙になるとゴシップ度が高めで。仕事が終わって家に帰るまでに読むちょっと塩分高めの記事というか、そういうのが求められてるから。

斎藤　ひとつの娯楽ですよね。

鹿島　だから夕刊紙はカロリーが高い記事が多いという。

斎藤　夕刊紙のうしろのほうには三行広告みたいなものも入ってましたから、いまで言うところの風俗情報、出会い系みたいな役割も果たしていた。

鹿島　欲望が全部入ってたわけですね。その中で東スポは、80年代までは1面はほぼプロレスで、90年代以降は「マドンナ痔だった」とかそういう方向にどんどん変わっていきましたけど。それでもプロレスを1面で報じてましたよね。

斎藤　もともと東スポの記者って、シリーズ興行の全日程についていたんです。昭和のプロレスは1シリーズが4〜6週間、長いときは8週間くらいの巡業でしたが、毎日一緒に、それこそ1年中、全国を回っていた。そうすると団体と記者、あるいは選手と記者が特殊な関係になる。地方興行で記事になるようなニュースが毎日あるわけではないので、団体からいただいたアングルを載せるっていうのが、ルーティン的な仕事になっていた。

鹿島　政治家と番記者みたいな感じですよね。

「東スポやプロレス雑誌が事実上の〝公文書〟であり歴史書になった。そうなると団体とマスコミが一緒に歴史を作ってくれたわけですね」（鹿島）

――前回、「プロレス団体はテレビ局に対して手の内をすべて見せなかった」という話が出ましたけど、東スポにはすべてさらけ出していたというか、東スポがすでに〝中の人〟なわけですよね。

鹿島　だって**藤波辰爾さんが社長時代**、東スポの記事で新日本プロレス内部の情報を知って、寝耳に水ってことがよくあったくらいですから（笑）。

斎藤　でもいまはその東スポも格闘班というチームがなくなって、遊軍の記者がプロレスと格闘技のページを担当するようになったようですね。長い間、格闘面がしっかりあって、そこを支える部署もあったんですが。

鹿島　いまは岡本記者が、内藤哲也にファミレスでインタビューして、毎回食い逃げされるっていう記事なんかでがんばってますけど。昔はもっと中に加わっていたわけですよね。

斎藤　もちろん。90年代に新日本の中枢で権力を握っていた**永島（勝司）**さんは、元を正せば東スポの猪木番記者でした。

鹿島　総理番記者が首相補佐官になっちゃったみたいな（笑）。

斎藤　そうなんです。それ以前も**山田隆**さんは馬場さんの全日本、**桜井康雄**さんは猪木さんの新日本、そしてお二人より2年ほど後輩の**門馬忠雄**さんは国際プロレス担当で、それ

【藤波辰爾さんが社長時代】
1999年に坂口征二の跡を継ぎ新日本プロレスの社長に就任。2004年まで務めた。その間、オーナーの猪木と現場監督の長州力との板挟みとなり、選手離脱が頻繁に起こる混乱期でもあったため、社内で起こったことを東京スポーツの紙面などで初めて知ることが実際にあった。

【永島勝司（ながしま・かつじ）】
元・東京スポーツ記者で1988年に新日本プロレスに入社。90年代は渉外担当・企画宣伝部長として、現場監督の長州力とともに新日本内で強い影響力を持った。2002年に新日本を退社し、長州をトップとした新団体WJプロレスを立ち上げるが、わずか1年4カ

ぞれテレビ解説もしていた。

鹿島　その棲み分けと、入り込み方が凄いですね（笑）。

斎藤　そして3人とも筆力がある方たちだったんですね。

鹿島　桜井さんなんかは、レスラーの異名、ニックネームなんかはほとんど付けたらしいですしね。

斎藤　桜井さんは当時、APやUPIの外電から、時のNWA世界チャンピオンの王座防衛戦の写真が送られてくると、その電送されてきた1枚のモノクロ写真をじーっとにらんで、想像して、脳内に試合が浮かぶと、試合経過まで書いちゃったという伝説がある。

――写真が脳内で動き出したんですね（笑）。

斎藤　それはジャーナリストとして正しいのかっていうと、たぶんスポーツの〝報道〟にはならないかもしれない。でもボクらが子どもの頃に読んでいたものの多くは、そういった物語の記事でもあったんです。

――『週刊ファイト』のI編集長が、自分の記事のことを「井上小説」と呼んでましたけど、東スポの記事もまた、オフィシャル発表の「東スポ小説」だったわけですね。

鹿島　『プロレススーパースター列伝』とか、『プロレス・スターウォーズ』は、「これは漫画だからおもしろい」と思ってましたけど、東スポの報道もそれと似たようなことをやってたわけですね。

斎藤　まず東スポ的世界観があって、そのあとに少年漫画があったんだと思います。

月で活動停止となった。

【山田隆（やまだ・たかし）】元・東京スポーツ所属のプロレス記者。ジャイアント馬場のブレーンのひとりとしても知られ、長く日本テレビ『全日本プロレス中継』の解説者を務めた。故人。

【桜井康雄（さくらい・やすお）】元・東京スポーツ新聞社所属のプロレス記者。のちに同社の運動部長、取締役編集局長となる。テレビ朝日『ワールドプロレスリング』解説者として知られ、原康史のペンネームで『激録 馬場と猪木』『プロレス太平洋戦争』などのプロレス小説も執筆。2017年死去、享年80。

【門馬忠雄

鹿島　そう考えるとプロレスの活字報道というのもほかにはなかなかない、おもしろいジャンルですよね。

斎藤　記事のディテールにはフィクションが多分に混じっていたとしても、それと同時にきっちりと試合の記録を残したという功績も、日本のプロレス活字報道にはあったんです。力道山や馬場さんのインターナショナルヘビー級王座の防衛回数や試合会場、ワールドリーグ戦の全戦績に至るまで、東スポやプロレス月刊誌が記録したからこそ、いまもそれが残っている。すべての団体がきっちりと記録をつけていたわけではなかったので。

――その記録があったからこそ、「ジャイアント馬場5000試合達成記念試合」とかができた、という。

鹿島　東スポやプロレス雑誌が、事実上の〝公文書〟であり、それが歴史書になった。そうなると、団体とともにマスコミが一緒に歴史を作ってくれたわけですね。

斎藤　本当にそうなんです。実際に60年以上にわたり情報を記録、またあるときは定説を共有してきた。ウィキペディアに載っているタイトルの歴史やある事件の経緯なんかでも、一次資料は東スポやプロレス雑誌の記事です。いまどきのネット上のプロレス関連の記事はむしろその孫引きの孫引きだったりする。

鹿島　フミさんは以前、「日本のプロレス記者には〝三大始祖〟がいる」っていう話をされてましたよね？

斎藤　そうなんです。競馬のサラブレッドはさかのぼると3頭の血統に戻ると言われてい

【もんま・ただお】
元・東京スポーツ所属で、2021年現在、最古参の現役プロレス記者。『国際プロレスアワー』『世界のプロレス』の解説者としても知られている。

【プロレススーパースター列伝】
原作・梶原一騎、作画・原田久仁信の漫画作品。80年代前半に『週刊少年サンデー』で連載され人気を博した。当時の国内外人気レスラーを題材にしたドキュメンタリーとされていたが、そのエピソードの多くは虚実交えて描かれていたと言われる。

ますけど、プロレス昭和史の文献も明治生まれの田鶴浜弘さんと、大正生まれの鈴木庄一さん、それから昭和７年生まれの桜井康雄さん。この３人に戻るわけです。

鹿島　すべてそこにサラブレッドの血があるわけですね（笑）。そうなると明治生まれの田鶴浜さんは、80年代初頭まで『全日本プロレス中継』の解説をされてたのでボクも憶えてますけど、元祖プロレス記者ってことですね。

斎藤　田鶴浜さんは、戦争で中止になり幻に終わった１９４０年（昭和15年）の東京オリンピックのＪＯＣ委員だったんです。

鹿島　凄いですね！　１９６４年（昭和39年）の東京オリンピックじゃなく、戦前の１９４０年のほう（笑）。もともとは、何をされていた方なんですか？

斎藤　もともとは、いまで言うスポーツライター、新聞記者ですね。ベルリンオリンピックが終わった翌１９３７年、田鶴浜さんはＪＯＣ委員として船でアメリカに渡った。そのとき、マディソン・スクウェア・ガーデンでプロレスを観ているんです。

——ジョン万次郎みたいな話ですね（笑）。

鹿島　文明開化みたいな（笑）。

斎藤　そこで観たのが**スタニスラウス・ズビスコ**の試合。もっと凄いことに、渡米前に「田鶴浜くん、プロフェッショナルレスリングというおもしろいものがアメリカにあるから、観てこなきゃダメだよ」って提案した人が、田鶴浜さんの早稲田大学の先輩にいるわけです。その人物とは、**アド・サンテル**と闘った庄司彦男さんなんです。驚きでしょ？

【スタニスラウス・ズビスコ】
1920年代に2度世界王者となったポーランド出身の伝説的な実力派プロレスラー。

【アド・サンテル】
日本にやってきた最初の純粋なプロレスラー。1921年（大正10年）に弟子のヘンリー・ウィーバーを帯同して来日し、講道館に対し日本人柔道家との対戦を迫り、21年3月5日と6日、2日間にわたり靖国神社相撲場で柔道衣を着用した他流試合として対戦。永田礼次郎三段、庄司彦男三段と引き分けた。

――アド・サンテルvs庄司彦男は、大正時代に行われた、日本初のプロレスvs柔道の異種格闘技戦ですよね。MMAの原点とも言われる。田鶴浜さんはその庄司さんに、「アメリカにはプロレスというものがある」と聞いていた、と（笑）。

鹿島 大河ドラマみたいな話ですね（笑）。

斎藤 力道山が存命時は、プロレス史そのものが力道山から始まらなきゃいけないから、ソラキチ・マツダとか、マティ・マツダとかタロー・ミヤケなどの話は活字にならなかったわけです。

――「日本のプロレスは力道山によって始まった」という〝力道山史観〟によって、〝紀元前〟の話は封印されたわけですね。

鹿島 でも田鶴浜さんは、その紀元前のプロレスを目撃しているのが凄いですね。

斎藤 「力道山が凄いイマジネーションと行動力で、プロレスという新しいスポーツ・エンターテインメントをアメリカから輸入した」っていうのが、日本におけるプロレスの〝表の歴史〟ですね。でも実際には、力道山は相撲を辞めたあと1年のブランクがあって、プロレス入り直前は建設現場で現場監督として働いていた。

――力道山個人が、ベンチャー企業のような形で立ち上げたという話には無理があると。

斎藤 そうなんです。日本のプロレスの表の歴史は、力道山が１９５１年（昭和26年）にボビー・ブランズ一行の進駐軍慰問興行のプロレスに飛び入り出場するところから物語は始まるんだけど、そのあとサンフランシスコに1年半送り込まれるわけです。そこでメインイベンターのお勉強、プロモーターのお勉強、マッチメーカーのお勉強、テレビ番組作りのお勉強、団体運営のお勉強をして日本に帰って来ると、日本プロレス協会ができていて力道山を待っているわけです。そのあとまた地固めでアメリカに行っているんですけど、よく考えると日本のパスポートを持っての渡米です。帰化した記録はないのに。力道山を応援する読売新聞や日本テレビ、時の自民党副総裁である大野伴睦という人がいて、協会発足のプレスリリースの発起人の欄には、その人たちと同じ段の10行くらい先に山口組の三代目・田岡一雄組長がいたり、表も裏もみんなで力道山を盛り立てたんですね。

鹿島　アイコンとして担ぎ上げられたわけですね。

「東スポはオフィシャルのようなものだから、全日本や新日本が記者会見をやるとその内容を事前に知らされていた」（斎藤）

――ベンチャー企業どころか、国家プロジェクトですね（笑）。

斎藤　そしてプロレスは、テレビという新しいメディアのキラーコンテンツになった。だから、力道山ひとりが現実ばなれしたイマジネーションとビジョンをもってプロレスを日本にもたらしたというのは昭和の寓話であり、日本のプロレスは、どう考えても最初からメディアによる巨大プロジェクトのメガイベントだったんです。

鹿島　それを考えると凄いですよね。

斎藤　その証拠に、まだプロスポーツの新ジャンルとしては実績も知名度もなかったはずのプロレス、つまり力道山&木村政彦vsシャープ兄弟のタッグマッチをいきなりＮＨＫと日本テレビの両局が放送したわけですから。

鹿島　サッカーワールドカップの日本戦みたいな感じですよね。ＮＨＫも民放もやってるっていう。

——当時の人々には、本当にオリンピックやワールドカップのような世界選手権に見えたんでしょうね。

斎藤　映像的な面では、力道山のフィニッシュホールドも、冷静に考えると「逆水平チョップ一発でフォールを奪えるの？」っていう素朴な疑問があるはずじゃないですか。

鹿島　いま風に言うと、フィニッシュの説得力としてクエスチョンマークが出てもおかしくない。

斎藤　でも、毎試合それをフィニッシュとして使い続けて、テレビの実況では「力道山の空手が出ました！」と叫び、翌日の新聞で「空手チョップが炸裂」と書かれたら、あれで勝っても全然おかしくないどころか当然のルーティンになるんですね。

——「力道山のチョップを食らったら、相手はひとたまりもない」ということが、脳にインプットされるわけですよね。

斎藤　それは、メディアの力なくしてはありえないわけです。そう考えると、力道山と日本のプロレスがいかにメディアとの親和性が高くて、活字もその中のひとつだったかがわかると思います。

鹿島　それを朝刊の一般紙が報じていたわけですもんね。

斎藤　朝日新聞は早い時期に「プロレスはきっとこういうジャンルだから」というスタンスを選択し、スポーツ面から消しちゃったんです。

――共犯関係から外れたわけですね（笑）。

斎藤　まあ、そういうことでしょうね。でも、力道山vs木村政彦の前に、木村政彦に誘導尋問みたいな形で力道山の悪口を言わせたのも朝日新聞の地方記者だった。「力道山のプロレスはショーで、実力はなく、私とは問題にならない」っていう木村政彦のコメントが朝日新聞の大阪版（１９５４年11月１日付）に載って。それから３週間後（11月27日）には日本プロレス協会が対戦発表の記者会見をやっている。じつに用意周到なんです。

――その時点ではまだ、朝日新聞もアングルの片棒を担いでたってわけですね。

斎藤　それで試合結果は、ああいった凄惨なものになって、あの力道山vs木村を機に報道を辞めてしまった媒体も多かったようなんです。ただ、どういう成り立ちのスポーツであるかは別として毎日新聞はずっと後援についていて、それで力道山時代の最後の３年くらいに満を持して、プロレスを毎日報道するための新聞、つまり東スポが登場する。

鹿島　長州さんが新日本の現場監督時代、「東スポさえあればいい」って言ってましたけど、東スポは最初から団体発表をそのまま載せるためのメディアだったわけですね。それで長州さんからすると、プロレスに理屈をつけた〝活字プロレス〟的なものはいらない、東スポ的な報道だけでいいんだ、となる。

斎藤　「俺たちがプレゼンしていないことを、なぜ書くのか」ということだったと思うんですね。一方で、東スポはオフィシャルのようなものだから、全日本や新日本が記者会見をやると、その内容を事前に東スポだけに教えたりしてきた。

――午後3時からの記者会見の内容が、なぜかその日の午後2時頃からキオスクで売ってる東スポには、すでに載っているという（笑）。

鹿島　いまでもありますよね。スクープみたいにSNSで見たものが、その日の東スポを買ったら普通に載ってるっていう（笑）。

斎藤　普通に記者会見の内容を記事にしていたら、翌朝の駅売りの各スポーツ紙に載ったあとに夕刊の東スポという順番になるから、〝身内〟には事前に教えておくんですね。

――だから記者会見のとき、デイリースポーツの**宮本（久夫）**さんあたりが、よく怒ってましたね。「もう載ってるじゃねえかよ！」って（笑）。

斎藤　宮本さんは新聞記者でジャーナリストだから、それが凄く屈辱的なことだったと思うんです。なぜ東スポだけがそうなんだって。やってらんねえやって。

鹿島　〝ひとり記者クラブ〟みたいな感じですよね。ホントにプロレスは時代の先を走ってるなと思うのが、たとえば首相会見は記者クラブに加盟している媒体はいいけどフリーは参加できてもなかなか質問が当たらないとか、そういう話になるじゃないですか。でもプロレスはずっとそうでしたよね。番記者的な人が広報の役割もしていて、ターザン山本的

【宮本久夫（みやもと・ひさお）】
デイリースポーツ新聞社の元記者。フジテレビ『全日本女子プロレス中継』の解説者を長く務めたことでも知られる。定年退職後も女子プロレスを中心に取材活動を続けている。

なそれに沿わない論評をする人がその世界では嫌われるという。いまの政治報道の構図はプロレスがずっとやってたじゃんってボクは思うんですよ。

斎藤　ジャーナリスティックな本来の意味での〝報道〟ではなく、テレビや新聞が、政府の発表をそのまま載せる〝広報〟になってしまっている問題ですね。

——安倍元首相の「読売新聞を熟読していただければいい」って言葉は、長州力の「東スポさえあればいい」と一緒ですもんね（笑）。

鹿島　だからターザン山本は、菅官房長官時代の会見における東京新聞の**望月（衣塑子）**記者みたいな感じだったかもしれない（笑）。

斎藤　山本さんは、もともと大阪の『週刊ファイト』から東京に来てベースボール・マガジン社に移籍した人なので、ジャーナリストとしてのルーツがアウトサイダーなんですね。ボクが新米記者だった頃、山本さんは記者会見に行くたびに「東スポ、ゴングだけが知っててしゃらくせえ！」って言ってましたね。

鹿島　だから、いまの政治報道の構図について賛否言われてますけど、ボクはプロレスマスコミでずっと見てきた構図だなと思ってるんですよ。

斎藤　ボクがベースボール・マガジン社の月刊『プロレス』編集部でアルバイトしていた1981年（昭和56年）の夏、山本さんと全日本のシリーズ開幕前の記者会見に行ったことがあったんです。外国人レスラーが勢揃いしていて、そこに国際プロレスが潰れて行き場を失ったジプシー・ジョーが乱入してくるっていうときで。その会見前、記者やレスラ

【望月衣塑子（もちづき・いそこ）】
東京新聞社会部記者。菅義偉前総理大臣が官房長官時代に、記者会見で毎回厳しい質問を投げかけたことでも知られる。2019年にはその活動を追ったドキュメンタリー映画『i―新聞記者ドキュメント―』も公開された。

ーはホテルのラウンジの各テーブルでお茶してたんですけど、そのとき、山本さんが「見てみろ。**ウォーリー山口**が、外国人レスラーの各テーブルに行って、会見の根回しをしてるぞ。おまえ、よく見ておけよ」って、耳打ちするんですよ。

「王道的なゴングを、サブカルのゲリラ的な週プロがひっくり返すっていうのは時代の要請でもあったと思います」（鹿島）

――これがプロレスの舞台裏だぞと（笑）。

斎藤　ジプシー・ジョーが乱入したり、ジノ・ヘルナンデスがリッキー・スティムボートを襲うとか、そういう段取りをウォーリー山口がすべて根回ししていて、要するにアングルを伝える役をしているわけなんです。

――そのウォーリーさんは、『ゴング』の〝中の人〟なわけですしね（笑）。

斎藤　記者会見は、レフェリーのジョー樋口さんが通訳をしながら行われるんですけど、質問を当てる相手が、『ゴング』の竹内宏介さんと、東スポの川野辺修さんだけなんです。川野辺さんが代表質問をして、その答えをみんながノートに取るっていう流れだった。

鹿島　それはまさに、早すぎた首相会見ですよ！（笑）

斎藤　山本さんはそれを見て、「しゃらくせえ！」と舌打ちするわけです。

鹿島　だから山本さんは異端児なのかもしれないけど、外の価値観で見れば、当然「なん

【ウォーリー山口】
本名・山口雄介（やまぐち・ゆうすけ）。1957年、東京生まれ。『ゴング』のライターとして活躍するほか、その英語力を活かして主に外国人レスラーのコーディネート、プロレスの内側に関するさまざまな役割も果たした。WWEネットワーク映像配信のPPV特番で日本語版実況を務めるシュン山口は実弟。故人。

だこれは？」って思うわけですよね。

斎藤　山本さんはああ見えて、ちゃんとジャーナリストなんです。「団体が喜ぶことよりも読者が喜ぶことを記事にしなかったら、なんの価値もないぞ」と教えてくれました。

鹿島　その頃の山本さんはやっぱり凄いですね。いま、思わず「その頃の」って言っちゃいましたけど（笑）。

斎藤　アブドーラ・ザ・ブッチャーが全日本から新日本に電撃移籍したときも、噂はキャッチしていたけれど、団体から情報はもらっていないボクたちは、「（新日本の定宿の）京王プラザホテルに宿泊しているはずだ」ということで、ホテルのロビーで山本さんと半日くらい張ってたことがあった。逆にタイガー・ジェット・シンが新日本から全日本に移ったときは、全日本の定宿だった品川の東武高輪ホテルのロビーでずっと待ってました。

鹿島　ロビー外交ならぬロビー取材ですね（笑）。

斎藤　写真週刊誌みたいな感じですね。

鹿島　それは完全にジャーナリストですよね。つかんだ情報を頼りに、自分の足で直接行っちゃうわけだから。

——そういう報道姿勢が、プロレス雑誌の週刊化、『週刊プロレス』誕生につながったんでしょうね。

鹿島　当時は、外国人レスラーの引き抜きや、選手離脱、新団体設立なんかが続いていたので、王道的な『ゴング』を、サブカルのゲリラ的な週プロがひっくり返すっていうのは時代の要請でもあったと思います。

斎藤 『ゴング』だったら二の足を踏んじゃうようなことが次々と起こったんですね。たとえば、タイガーマスクが突然引退宣言したあと、佐山さんを大きく取りあげたら新日本に睨まれるからやらないとか。

――団体分裂によってマット界の秩序が崩れたことで、東スポ、ゴング体制のオフィシャル発表路線も崩れていったということですね。

斎藤 当時、第一次UWFやジャパンプロレスのことを「第三団体」と呼んでいました。新日本、全日本のオポジションとなる第三団体の旗揚げというのは大事件で、その記事を書くということは、新日本を刺激するということでしたから。

鹿島 新日本のご機嫌をうかがっていたら、UWFやジャパンの記事は書けなかったんですね。

斎藤 週プロだけじゃなく、『ゴング』も『ファイト』も『ビッグレスラー』も、新日本や全日本が嫌がっても、ちゃんと事実を客観的に報道しないと成り立たなくなっちゃったんです。

鹿島 ちゃんとした情報を求めてる人からすると、「なんでここを書かないんだ!」ってなりますよね。

斎藤 週サイクルの専門誌が4誌（紙）出揃い、競争が激しくなったことでより早く、より正確な情報を記事にせざるを得なくなったんだと思います。

鹿島　それまでは新日本か全日本、どっちかの団体の巡業についていって密な関係になれば報道はできたんだけど、ジャーナリストとしての姿勢も求められるようになってしまったわけですね。

斎藤　第一次ＵＷＦから新間さんが離れて、独立独歩の道を歩もうとしたとき、新日本側は「ＵＷＦは潰れたので、ウチと再合体して収束した」と記者会見で発表していたんだけど、山本さんがＵＷＦ**浦田社長**に話を聞きに行ったら、「いや、ウチは次のシリーズもやりますよ」と言うので、その情報も載せる。だから、あの時代からプロレスマスコミがジャーナリズムになったのではないかと感じます。

――新日本側の発表と異なることでも載せたわけですね。

鹿島　そうなると、いろんな情報が出てるから読者としても読み比べせざるを得ないですよね。だからあの頃の各媒体のプロレス報道はおもしろかったし、それこそ各誌読み比べる、いまのボクの芸風につながるものがありますよ。

斎藤　第三団体が出てくることによって、マット界のバランスが崩れると考えた人もいて、馬場元子さんが１９８４年（昭和59年）頃ですか、山本さんに「あんたが余計なことをするから、あんなのができちゃったでしょ。第三団体はいらないんだから」って釘を刺したんです。

鹿島　それは権力者の発言ですね（笑）。

――２大政党で秩序がせっかく保たれてたのに、余計なことするな、と（笑）。

【浦田昇（うらた・のぼる）】
中央大学卒。レスリング全日本選手権、レスリング学生選手権に連続優勝。実業家として活躍していたが、84年、中央大の先輩・新間寿に懇願されて〝第一次ＵＷＦ〟社長に就任。新日本プロレスへの吸収問題、佐山聡移籍問題での強要罪、団体の倒産などプロレス界の数々のトラブルに巻き込まれた。その後。修斗コミッショナーを歴任。２０１４年1月死去。享年73。

斎藤　それで当時、週プロの記者が全日本の取材に行くと、だいたい会場入口でいじめられるわけです。取材パスも青いパスと赤いパス（それぞれ1社につき2名まで）があって、青いパスでは制限があるけど、赤いパスならバックステージ、控室まで行ける。ボクとかを見ると「はい、青」って最初から青いパスをくれて区別するんです。

鹿島　元子官房長官ですね（笑）。

――でも、当時はコメントブースなんてないから、控室まで行かないとコメントも取れなかったんじゃないですか？

斎藤　そうなんです。だからコメントを取りたいから青いパスでバックステージに入ろうとすると仲田龍リングアナが近づいてきて、「あんたのパスは青だからとにかく出て行け！」って。なんともいえないいじめみたいな空気があった。

――昔からあのキャラクターだったんですね（笑）。

斎藤　週プロでは、東スポのようにレスラーが言ってもいないことを膨らませて書いたらダメ、ちゃんと選手が言ったとおりの言葉で書かなきゃダメだっていう山本さんのコーチングがあったんです。

鹿島　凄くまっとうな報道の仕方を採り入れたってことですね。

「もしかしたら、かつての活字プロレス読者のようなプロレスファンそのものが絶滅しかけているのかもしれない」（斎藤）

鹿島　自分の言葉を持ってる人ですよね。

——だからこそ、アングルだけにとどまらないコメントをしゃべる選手がどんどんスターになっていきましたよね。前田さんにしても長州さん、天龍さんにしても。

斎藤　あとから考えてみれば、それがやがてプロレスのアングルになっていくという面もあった。

鹿島　先に本音の言葉があるからこそ、そこにリアリティが生まれるわけですよね。

——ただ、そうやって自由報道で力を持った週プロが、最終的には長州力に目をつけられることになるわけですよね。

斎藤　週プロが創刊される前のデラプロ（『デラックスプロレス』）時代、維新軍としてブレイクした時代の長州力と山本さんは、超仲良かったんですよ。

——長州の自宅まで行ってたわけですもんね。

斎藤　だけど、その長州力も〝作る側〟に回ると、「ああいう記事の書き方はやめてくれ」というスタンスになったんだと思います。プロレス団体から見れば東スポ、『ゴング』の書き方でいいんだと。ジャーナリズムなんていらないとなった。

鹿島　広報に徹してくれたほうが、団体としてはやりやすいってことですよね。

斎藤　論評をされると、「かえって俺たちのプロレスを難しくするからやめてくれ」っていう発想はずっとあったと思うんです。でも、プロレス村のさらに奥深いところのプロレスマスコミという村社会の中であってもジャーナリスト的な姿勢が確立されたことは良かったと思うんです。

鹿島　ホントそうだと思いますよ。だからこそ、日本のプロレスは特異な発展を遂げたんだと思いますから。

——でも、新日本の週プロ取材拒否を受けてのターザン山本退陣によって、プロレスメディアの報道姿勢が、極めてオフィシャル発表に近くなっていったじゃないですか。それは、ターザン辞任から20年以上経って、さらに顕著になっている気がします。

斎藤　いまの週刊プロレスは新日本プロレスマガジンみたいですね。表紙をめくると最初の見開きに新日本の年間契約の広告が毎号どーんと載ってるわけです。そうなるとページをめくって4ページ目の巻頭カラーは、必然的に新日本の試合グラビアになるんです。

鹿島　広告を出稿してもらってる手前、へたなことは書けないというのは、テレビCMや新聞広告なんかでもたびたび問題視されますよね。

——あと、いまはSNSの時代じゃないですか。たとえば、ある論評記事があって、選手がSNSで「それは自分が意図していることと違う」「ちゃんと話を聞きに来てから書いてほしい」とか書くと、ファンはすべて選手が正しくて、その記事は無価値みたいに断罪されるという。そんな風潮もある気がするんですよ。

鹿島 それは**河野太郎問題**と同じですね。河野氏が「フェイクニュース」とツイートすればそれだけで信じちゃうみたいな。ホントは論評とか検証があってもいいはずなのに「いや、だって本人が言ってるじゃん」で終わってしまう人もいる。

――本来、どんなプロスポーツや、映画のようなエンターテインメントでも、批評があるのは当たり前だと思うんですよね。それはすべて、監督や選手に単独取材した上で書かなければないものでもないし。

鹿島 それはけっこう大きい話ですよね。演者本人が「自分の考えとは違う」と言ったところで、その論評は観た人が思ったことだから間違いではないわけですよ。だけどファンからすると、「本人が言ってるんだから」となってしまう。ちょっと薄いトランプ手法ですよね。

斎藤 ボクもいまのファンがプロレスをどう捉えているのか、ちょっとわからない部分があるんです。プロレス団体が提供するものをそのまま受け入れて、あえて「おもしろい」「おもしろくない」と論じないファンが多いような気がします。

――マスコミに対して批評を求めてない気がしますね。たとえば、昨今のＩＷＧＰ王座統一問題についても「飯伏幸太と内藤哲也の考えが対立しています」とか「ファンからは、こういう意見が多いです」という〝情報〟を報道してくれるだけでよくて。「両方のベルトの歴史を考えると、こうこうこういうわけで、本誌は統一に反対です」みたいな、論評は必要としない。むしろ「批判」と捉えて嫌がるようなところさえあるんじゃないかと。

【河野太郎問題】
2020年5月7日、当時防衛大臣だった河野太郎が『「イージス・アショア」秋田市の候補地を事実上断念』というNHKニュースをツイッターで引用し「フェイクニュース」と断言。しかし結局、6月15日に河野太郎防衛相は「イージス・アショア」の配備計画を停止すると表明。「フェイクニュース」発言こそがフェイクだったと非難を浴びた。

鹿島　なるほど。批評自体がいらないんだと。

――だからボクは、そういったファンのニーズの変化を感じて、コラムなんかでは〝いい話〟ばかり書くようになっていたりするんですけど（笑）。

鹿島　そこは、いまの世の中にもつながる大事な話だと思いますよ。〝美談〟や〝感動〟しかいらない、みたいな。しかも、プレイヤー側までそう思っているとすると、けっこう深刻な話になりますよね。

斎藤　もしかしたら、かつての活字プロレス読者のようなプロレスファンそのものが、絶滅しかけているのかもしれない。もちろん、いまのプロレスが好きなファンでも活字プロレスが好きな層もいるでしょうけど、媒体自体がなくなっている現実もある。2006年、2007年に『ファイト』も『ゴング』もなくなり、駅売りのスポーツ紙の『内外タイムス』『レジャーニューズ』あたりもなくなってしまった。かといって、いまの『週刊プロレス』を昔からのプロレスファンがずっと継続して読んでいるとは思えないし。

鹿島　最後にきて大事な話が出ましたね。批評がない空間はジャンルとしてそれでいいのかっていう。これはプロレスだけじゃなくてじつは世の中の話にもつながってますからね。

斎藤　いま電車に乗ってもスポーツ新聞を読んでいる人なんてまったくいないですよね。家で読売、朝日、毎日といった一般の新聞を読んでいる人も少ない。新聞も読まない、テレビのニュースも観ないでネット情報に頼るという層が確実に増えています。記者が書いたものが活字として世に出るまでには、担当編集者がいて、編集長がいて、校閲があって、取材された側のチェックがあって、それなりに高いハードルがある。ネット上の文字はそういったプロセスを全部すっ飛ばして世に出てしまうことがある。読者の側ではこの区別がつかない層が確実に増えている。

鹿島　ネットニュースが無料で読めるじゃん、みたいな。なんだったら、ネットの記事すら必要なく、見出しだけでいいじゃんっていう。でもそれは結局、論評はいらないってことですからね。論評すると「なにをお前は批判してるんだ！」ってなるという。そうしたら権力側は、もうやりたい放題ですよ。

斎藤　でもネットの情報だけを追っていくと、特に中年以上の人たちがある日、いきなり陰謀論にハマったりする現象が起きているんですね。地球温暖化のこと、従軍慰安婦のこと、アメリカの大統領選のこと、そしてコロナ禍とワクチンのこと。陰謀論と気づかないまま陰謀論にほんろうされてしまう。

鹿島　本来、取材して裏どりしたものを提供してくれるのが記者であり、メディアなんですけど。それがいらないとなると、〝ネットに真実がある〟みたいな話になっちゃうじゃないですか。

斎藤　「メディアが書かない真実」みたいなものを、なんで2〜3分ちょこっとググっただけで、発見できると思ってしまうのか？　出どころすら怪しい〝真実〟とやらのほうを信じてしまったりするのか？　だからリテラシーが大切なんです。

鹿島　この「プロレスと陰謀論」は、いろいろ語れると思うので、またあらためて別の回でやりましょう。これは絶対におもしろい話なので。

――では、また次回、さらに深く語っていきましょう！

第13回

プロレスから学ぶ「疑わしい情報」の取り扱い方

日々、インターネットを中心としたあらゆるメディアから発信される〝ガセネタ〟（誤情報）。

現代社会では、情報の真偽の見極めや、疑わしい情報に惑わされないための術を身につけることがとても重要になっている。

本当なのか、嘘なのか？　思えば、我々プロレスファンは、子どもの頃から〝半信半疑〟という視点を獲得していたはず。

（『ＫＡＭＩＮＯＧＥ１１３』２０２１・５）

「〝内部情報〟的なものを聞いちゃったら、これは誰かに言いたい、伝えたいって、その瞬間はなってしまう」（鹿島）

――前回の最後に「プロレスと陰謀論」について少し触れましたけど、今回はあらためてそのテーマでトークしていきたいと思うんですよ。

斎藤　いま、ボクらひとりひとりに要求されている、メディア・リテラシーの重要性の話でもあります。

鹿島　情報の取り方、付き合い方が問われているという。それで言うと、少し前の話になりますけど、3月1日に猪木さんの〝死亡説〟っていうのがマスコミの間で駆け巡りましたよね。

斎藤　その時点では表には出ませんでしたが、関係者やマスコミの間で情報が錯綜しました。それも午後のほんの数時間だったんですけど。

鹿島　ボクも新聞記者の方から「鹿島さん、猪木死亡説が出ています」っていうLINEをいただいて、「えっ⁉」って驚いたんです。でも、そこで「これはほかの人にすぐに言ったらダメだな」と思ったんですよ。

斎藤　たとえばツイッターであげちゃったりするのはまずいってことですよね。

鹿島　そうなんです。でもボク自身、その衝動に駆られてしまったことも事実なんですよ。普段だったら、政治とか社会の話でのリテラシーっていうのは頭でわかっているんですけど、プロレスという自分のいちばん思い入れのあるジャンルで「そういう説が出ている」という、いわば〝内部情報〟的なものを聞いちゃったものだから、これは誰かに言いたい、伝えたいって、その瞬間はなりましたね。

――特ダネをつかんだような気持ちにさせられたわけですね。

鹿島　だけどそこでグッとこらえて。事実であればいずれ公式でも出るだろうから、それまで待とうっていう。

斎藤　ツイッターなどを使って、ボクらの発信で「という噂が出ています」っていうことをしたら、ハンドリングの仕方によってはボクたちが噂を流したことになってしまう。

鹿島　その噂が出た2日後、まさにターザン山本さんが「デマを流した」としてネットで糾弾されていて（笑）。

――業界内ではその噂はすでに鎮静化されていたのに、2日遅れで世に出してしまったという（笑）。

斎藤　山本さんがそれをしてしまったのは、さもありなんという感じですが……。あの噂がある程度の信憑性を持って業界内に広まった背景には、猪木さんが高齢で入院されているということと、心アミロイドーシスという難病を公表していること。それから、ちょうどあの日にリハビリ映像がＹｏｕＴｕｂｅにあがったことですよね。

――あれは業界内で広まった噂を打ち消すような形で出たんでしょうけど、観る人にとってはタイムラグもあったかもしれないですよね。あと、その1週間ちょっと前が猪木さんの誕生日で、誕生日メッセージ動画もアップされていたんですけど、猪木さんって普段、人前に出るときは髪も染めて、スーツ姿でバシッとして出るじゃないですか。ところがあの動画は入院中なのでパジャマ姿で白髪が目立って髪の毛もボサボサだったので、一気に老け込んだように見えた。その記憶が新しかったので、余計に「噂は本当なんじゃないか?」と思われたんじゃないかと思います。

鹿島　その後、いろいろチェックしてみたら、翌週に出た『FLASH』3月23日号に「アントニオ猪木、3月1日、駆け巡った死亡説。〝生きてるよ、バカヤロー〟」という記事があって。その中の死亡説の発信源は誰なのかというくだりで、「某メディアの記者は本誌の取材にこう明かす。3月1日の昼すぎにあるプロレス関係者から『猪木さんの具合が悪くなってる』という連絡があった。それで急いで『猪木がヤバいらしい』と会社に連絡をしつつ、裏取りのために警察や内閣情報調査室の関係者に取材を始めた。すると夕方になって猪木危篤という話が飛び交い出したので、もしかしたら私かもしれません」と書いてあったんです。

――裏取りのためにいろんなところに連絡したことで、噂として広まってしまったと。

鹿島　それで興味深いのは、この記者がなぜ警察や内調に問い合わせたかといえば「猪木さんは北朝鮮とのパイプがあるので、その動きはおそらく公安関係者も追ってるだろう」ということで確認したと。そこで話が大きくなっちゃって「発信源は自分じゃないか」って言っているんですけど。これはガンツさんが言ったように、あるプロレス関係者から「猪木さんの具合が悪くなってる」と連絡があったから自分の信頼できる筋に裏取りをしていたら話が大きくなっちゃったっていう。もしかしたら具合が悪くなってるって言った人も、YouTubeの動画を観ただけだったのかもしれないですよね。

――ボクはその後、別件で新間寿さんの取材をしたんですけど、新間さんのところには警視庁関係の人から連絡が来たらしいですね。

鹿島　じゃあ、話の辻褄としては合いますね。

斎藤　結局、どのようにして、それが噂にすぎなかったと判明したのかというと、関係者がそれぞれ確認を急いでいる中、たとえば元『週刊ファイト』編集長のフランク井上こと**井上譲二**さんが、藤波辰爾さんに電話をしたわけです。そうしたら藤波さんも驚いて猪木さんの携帯を鳴らしてみたら、猪木さんご本人が出て。藤波さんが「猪木さんは生きてます」と譲二さんに返したから、プロレスマスコミの古めの人々もそれで知ったんです。

鹿島　凄い〝テレフォンショッキング〟が行われていたわけですね（笑）。

――猪木さんに直電できる藤波さんだからこそわかったという。

鹿島　今回の猪木さんの死亡説は、誰がうっかり漏らすか、不用意かっていうのが浮き彫りになり、みんなのリテラシーが問われたんですけど。一方でプロレスというジャンルは、そういう噂話の宝庫だったじゃないですか。

――人の生死に関わらない噂話は、関係者が毎日のようにしているという（笑）。

斎藤　まあね（笑）。

【井上譲二（いのうえ・じょうじ）】
1952年、神戸市生まれ。ニックネームは I 編集長の命名によるフランク井上。大阪芸大卒。77年から『週刊ファイト』特派員としてニューヨークに駐在。94年6月より同紙編集長に。06年の休刊を機に新大阪新聞社を退社してフリー。著書に『闘魂最終章 アントニオ猪木「罪深き太陽」裏面史』『「つくりごと」の世界に生きて プロレス記者という人生』『昭和プロレス版 悪魔の辞典』などがある。大阪在住。

鹿島　プロレスファンはそこで鍛えられたものが凄くあると思っていて。先日も映画史・時代劇研究家の春日太一さんとイベントをやった際、「ボクらが陰謀論にハマらず、いまの時点で大火傷せずに済んだのは、子どもの頃にプロレスに関する情報で鍛えられたからだ」っていう話になったんですよ。やっぱりあの頃ってネットもなかったし、ボクなんかは「これ、怪しいな」っていうような雑誌も含めて全部を読み込んだ上で、自分の中で悶々としていた部分があったので、そういうので鍛えられたし。なんだったら簡単に情報が裏切られた瞬間も経験しているので、そこはけっこう強かったなって。

「ドナルド・トランプが『CNNはフェイクニュースだ』と言うと、アメリカの大統領がデタラメを言うわけがないとそのまま信じる人がいる」（斎藤）

――ボクらは子どもの頃から、プロレスの試合やプロレス雑誌に熱狂しながらも、どこか半信半疑で見ていましたもんね。

鹿島　日本のプロレスは活字メディアが発達していて、プロレス雑誌も複数出ていたし、業界外でプロレスに愛のない出版物なんかでもプロレスの記事がけっこうあったじゃないですか。その中で「これはどうなんだろう？」という情報があったとき、「じゃあ、逆の人の意見を聞いてみよう」と複数のソースを確認する重要性というのは、プロレスで学んだ気がします。プロレスによって、ボクはいろんな視点の意見や情報を収拾してみようって思うようになりましたね。

斎藤　かつては各メディアの性格をボクらがまあまあ理解していたというか、マスコミを見分ける術(すべ)みたいなものを、ある程度は身につけていたと思うんです。ところがネットは信憑性の高いものと低いものがごっちゃになっているにもかかわらず、その見分け方をあえてわかりづらいようにしているところがある。見た目が綺麗なページだったりすると、それがデマサイトなのかどうなのか、簡単にはわからないんです。

鹿島　特に海外からの情報だと、よりわからなくなりますよね。「海外の新聞によると」って書かれると、日本人は弱いところがあるから。

斎藤　たとえば『**ニューヨーク・タイムズ**』や『**ワシントン・ポスト**』は昔からある大新聞ですが、同じような名前のタブロイド紙『**ニューヨーク・ポスト**』と『**ワシントン・タイムズ**』は、記事の信憑性に雲泥の差があることはあまりにも有名ですよね。

鹿島　『ニューヨーク・ポスト』って、名前の響きだけ聞くと一流メディアだと思ってしまいがちだけど（笑）。

――朝日新聞と『**アサヒ芸能**』ぐらい違うっていう（笑）。

斎藤　それなのに両方とも同等の信頼性を持ったメディア、あるいは情報ソースとして平気で使っている人がたくさんいます。

鹿島　そこもボクらプロレスファンは、東スポで鍛えられているんですよ。東スポの記事

【ニューヨーク・タイムズ】
米国ニューヨーク州ニューヨーク市に本社を置くニューヨーク・タイムズ・カンパニーが発行している日刊新聞紙。ワシントン・ポスト、ウォールストリート・ジャーナルと並ぶ高級紙として知られる。日本の朝日新聞社と提携している。

【ワシントン・ポスト】
米国ワシントンD.C.の日刊新聞。世界的に影響がある高級紙であり、購読者は高学歴層が大半。リベラルな編集方針で知られる。

【ニューヨーク・ポスト】
米国ニューヨーク市の保守系日刊タブロイド紙。セレブリティゴシップサイトも運営している。

【ワシントン・タイムズ】

で「英国紙『**ザ・サン**』によると」って書かれていると「ああ、そういう類の記事ね」って(笑)。

――東スポの「ネッシー生捕り」とか「2メートルのうさぎ発見」とかの記事って、提携していたタブロイド紙『ザ・サン』とかアメリカの『ニューズ』紙の〝スクープ〟の転用なんですよね。言わば、引用リツイートというか(笑)。

鹿島　ボクらはそういった記事をさんざん読んできているからわかりますけど、免疫がない人は「イギリスの新聞がこう書いている」となれば、日本の読売や朝日のような新聞が報じているのかと勘違いしてしまう。実際のところは「いやいや、イギリスの日刊ゲンダイや夕刊フジみたいなものだから!」ってことなのに。

斎藤　だからこそ、その見分けが大事なんですね。それから、もっと気をつけなきゃいけないのは、たとえばドナルド・トランプみたいな人が「CNNはフェイクニュースだ」と記者会見で発言する。そうすると、まさかアメリカの大統領がデタラメを言うわけがないだろうという感じで、そのまま信じる人が一定数いるんです。ボクらからすれば「CNNがインチキニュースってことはいくらなんでもないよ」っていうのは、ちょっと考えればだいたいわかるはずなのに。

鹿島　トランプの「フェイクニュース」発言をそのまま鵜呑(うの)みにしてしまう人だと、会話にならないんですよね。たとえば「CNNのここのニュースの報じ方がおかしい」って言うのであればまだ論議は成り立つんですけど、CNN自体を「フェイクだ」って言われち

1982年に世界基督教統一神霊協会の教祖、文鮮明が創刊した保守系日刊新聞。共和党支持を表明している。

【アサヒ芸能】
徳間書店から刊行されている週刊誌。エロやスキャンダラスな記事が中心のいわゆるゴシップ誌。

【ザ・サン】
イギリスの日刊タブロイド紙。ゴシップ中心の人気大衆紙で多くの発行部数を誇る。

やうと。

斎藤　ＣＮＮも朝日新聞もアンチはいると思うんですよ。でも、あれほど大きな独立したマスメディアを「フェイク」だと言うのはちょっと話にならない。

鹿島　結局はそれを言いたい人の都合のよさになっちゃうんですよね。

――プロレスにおける情報の信憑性という話で言うと、ネット黎明期の2ちゃんねるとか玉石混交だったじゃないですか。そこには鹿島さんのように半信半疑で接する人もいますけど、怪しげなケーフェイ話をまるごと信じちゃうような人もいて、それがいまだにひとり歩きしているところがあると思うんですよ。

鹿島　前にも話で出た、業界の人が誰も使わない言葉が、ネットの中では〝隠語〟として普通に使われているってやつですよね。

斎藤　「勝ちブック、負けブック」「誰がブック書いたの?」とか。ブックという言葉を〝台本〟のことだと勘違いしたまま、信じてしまってる人が一定数いましたね。

――もともとは**タダシ☆タナカ**とその信者数名が書き込んでいたものが、ミスター高橋本で妙に補完されて、間違った形でネットの中に「真実」として残っちゃったりしていて。

鹿島　しかも厄介なことに、プロレスに興味がある人が勘違いとか論争をしているならともかく、プロレスをひとつの知識として、ちょっと聞きかじった感じで「ああ、ブックね」「プロレスってブックがあるんでしょ」みたいな感じで済ませちゃう人もいるじゃないですか。

【タダシ☆タナカ】
自身が作り出した造語「シュート活字」を標榜するプロレスライター。本名は田中正志。

――だから陰謀論と同様、「ネットの真実」みたいなものって、伝播力が妙に強いところがあるから困りますよね。

斎藤　子どもの頃からプロレスが大好きで、年齢が高いマニアでも、その罠にハマってしまう人がいて、何十年もプロレスを観ているのに「最終的には自分が知りたかったのはブックだった」って言っている人がいる。「それを知りたくて40年も50年もプロレスを観ていたの⁉」って、それも驚きだけど、それがその人の目的だとしたら、何十年もプロレスを観てきたのは、それがゴールではなくて、ようやくスタート地点のはずです。

鹿島　それこそ猪木さんなんて、引退する間際に「いまだにプロレスがわからない」って言っていましたけど、あれがたぶん最大の真実だと思うんですよ。

斎藤　ボクもそう思います。

「自分が気に入らない答えを見て『これは切り取りだ』って言うのは何も言っていないのと同じ。記事はすべて切り取りなんだから」（鹿島）

鹿島　ボクらが子どもの頃は、まだゴールデンタイムで放送してたから、プロレスに対して否定的な大人の声っていうのはいまよりもあったじゃないですか。それに対して不安な気持ちになる自分もいましたけど、半信半疑のまま猪木さんの試合を自分の目で観て、自分が納得するものだからっていう付き合い方をしてきた。でも、いまって信じるか信じないか、どっちかに転んだら、もう真っすぐしかないじゃないですか。
——プロレスって、信じて裏切られて、感動して失望して、その連続ですよね。それを一度のネガティブな事象や情報で切り捨てるのはもったいない。プロレスを純粋に愛していたが故に、ネットの裏情報やいわゆる暴露本で大きなショックを受ける人もいるでしょうけど。
鹿島 だから先のアメリカ大統領選で陰謀論を展開していた**Qアノン**とかもそうだけど、「そんなのにひっかかって」って、ただ笑ってバカにしているだけではダメだと思うんですよ。態度として、自分がそっちに行く可能性もあったっていうふうに考えておかないと。理解を示すのではなくて。
斎藤 日本でも**J−Qアノン**というのがありますね。いわゆる陰謀論を展開して、「3月4日にトランプがもう一度大統領に就任する」なるデマを本気で信じていた人たちが。
——アメリカ合衆国ではなく、アメリカ〝共和国〟の大統領になるっていうのもありましたね(笑)。
鹿島 あと、アメリカのQアノンって、母国語の英語でストレートに陰謀論を展開していますけど、日本のいわゆるJアノンって、英語がわからない人も多いじゃないですか。だから二次加工され、日本だけで独自に培養された陰謀論みたいなものも生まれている。その日本発の陰謀論を流す人も、デマだとわかっていてやっているのか、それとも悪意でやっているのか。

【Qアノン】
アメリカの極右の陰謀論者集団。その主張のひとつに「アメリカは闇の政府によって長年支配されており、トランプ(元)大統領は政府、企業、メディアを使って彼らと密かに戦っている救世主である(大意)」というものがある。

【J−Qアノン】
日本のQアノン信奉者。Jアノンとも呼ばれる。

斎藤　そういうものに触れたときに問われるのが、メディアリテラシーですよね。スマートフォンがこれだけ急速に広まったことで、ネットの情報に免疫がない、新聞やニュースの見出しに疑問を抱かない旧活字層が、むしろ陰謀論にわりと簡単にハマってしまうパターンが増えている。

鹿島　それって、ボクが猪木さんの死亡説を聞いたときの気持ちとちょっと似ていて、「まだまわりに知られていないことを知った」ということに、どこか優越感を抱いてしまうんですよね。

斎藤　ほかの人より先に〝真実〟を知っちゃったというふうにね。それがデマだとは思わないし、思いたくない。

鹿島　そこがいちばん厄介で。陰謀論にハマる人って、自分ではいわゆる〝情弱〟だなんて一切思っていなくて、逆にほかの人よりもネット検索でよりリサーチしているっていう自負があるんですよ。

斎藤　でもグーグルでキーワードを数分検索しただけで、どうして「メディアが書かない真実」とやらにたどり着けると思っちゃうのかなって。

鹿島　こないだおもしろかったのは、「自分の田舎のお母さんが陰謀論にハマってしまった」っていう記事があったんです。それを読んでみると、2020年の5～6月、コロナ禍で自粛生活の真っ最中に田舎のお母さんがやることないからネットを1日に何時間も見始めちゃって、それでまさにQアノンの陰謀論にハマってしまったっていう。それで「自分はこれだけネットで勉強して真実を知ったけど、テレビや新聞は何も報じていない」って憤っていると。だから「自分はほかの人よりよく知っている」と思い込むことで生まれた優越感で、ますます信じ込んでしまうっていう。

斎藤　そっちに流れがちの層の多くは、ふた言目には「テレビの偏向報道」だとか「あれは切り取りだもん」と言いがちなんです。でも、すべてのメディアの記事やニュースは根本的には切り取る作業です。切り取って編集して伝えるのが報道です。

鹿島　要約ですもんね。ボクらは国語のテストでもさんざんやってきたじゃないですか。「ここからここの文章の中で要点を抜き出しなさい」っていう。その要点を報道している。もっとまともな言葉で言えば、それが「編集」なわけで。

斎藤　切り取るのは当たり前で、何をどう切り取ったか、それによってどんなバイアスがかかったのかかっていうことを論じるのはもちろん大切だけれど、伝家の宝刀みたく「切り取り報道だ」という一種の呪文に落とし込むのは、そこで思考が停止してしまっているように感じるんです。

鹿島　もっと言えば、その報じ方っていうのは、各局、各紙が違ってもいいんですよね。だけど自分が気に入らない答えを見て「これは切り取りだ」っていうのは、何も言っていないのと同じ。記事はすべて切り取りなんですから。

斎藤　「この発言をこう捉えるのは意味が違う」というならともかく、ですよね。

鹿島　だからボクもプロレスの試合を観たあと、記者の主観も入った週プロの試合リポートを読んで「こういう見方もあるのか」と鍛えられ、楽しみましたけど。脊髄反射のように「切り取りだ！」って言っている人は、週プロを読んで「偏向だ！」って言っているようなものですよね。「いや、そりゃ偏ってるよ」っていう。

――『週刊ファイト』なんか完全に新日本プロレスに偏ってましたからね。あとスポーツ報知やデイリースポーツに対して「巨人、阪神びいきすぎる。偏向報道だ！」って言っても仕方がない（笑）。

鹿島 それは読売新聞と朝日新聞も同じだし、それぞれボクは野球の観客席にたとえて「1塁側」「3塁側」と呼んでいますけど、そういうメディアの性格を踏まえた上で付き合えばいい。でも、いまは「週刊ファイトは偏ってる！」って真顔で言っている人が幅を利かせている気がするので、「偏ってるのとフェイクは違うよ」って言いたいですね。

「昭和の新日本プロレスは、製作総指揮・監督・主演、すべてアントニオ猪木。ミスター高橋はクリエイティブにはかすってもいない」（斎藤）

――あと、いわゆる暴露本との付き合い方も問われたと思うんですよ。あれにしっかり受け身を取って、自分なりに判断すればいいと思うんですけど、まるっと信じてしまって残念ながらプロレスを楽しめなくなってしまった人や、プロレスを変にわかった気になってしまった人がいたりして。

斎藤　**ミスター高橋本**をはじめとした暴露本を100パーセント信じちゃうのは、それを読んでいる本人のプロレス観に対する自信のなさの表れでもあると感じます。自分自身で観る側としてのレベルを上げていって、揺るぎないプロレス観を構築できていない場合、どうしても外からの情報に頼ってしまう。

鹿島　「元レフェリーが言うことだから、これはたしかな情報なんだろう」ってことで全乗りしてしまうんでしょうね。

――ミスター高橋本が出る前から、ネット上にはタダシ☆タナカ信奉者みたいなのが一部でいましたけど、「ブック、誰が書いた?」的な、ネットだけのスラングも含めたものが妙に定着してしまった気がしますね。

鹿島　ボクなんかもスケベですから、いろんな媒体を読むのが好きなんですけど。真偽不明で「これは人前では言わず、個人の嗜みにしたほうがいいな」っていう情報は胸の中に入れておいて、それがたとえば読売新聞や毎日新聞などで出てきたら「これは外で言っても大丈夫な情報だな」と判断する、使い分けを自分の中でやっているんですよ。

――読売、毎日というのは新聞ですから、当然、裏取りをしてから記事になっているはずなので、情報に対する信頼度が違いますもんね。

鹿島　そうなんです。真偽不明でちょっとディテールが信用できるっていうくらいの情報に全乗りするっていうのは、かなり危ないんです。

斎藤　ごく一般的な活字の力としてファンが信用してしまうというのは理解できないこと

【ミスター高橋本】
新日本プロレスの元レフェリー、ミスター高橋が引退後に執筆したプロレスの暴露本群。『流血の魔術 最強の演技 すべてのプロレスはショーである』『マッチメイカー プロレスはエンターテイメントだから面白い』『プロレス影の仕掛け人 レスラーの生かし方と殺し方』『知らなきゃよかったプロレス界の残念な伝説』などがある。

はないんです。自分では調べようがないことを、ミスター高橋が書いてくれたんだと思ってしまうというのは。

――〝当事者〟の証言という信頼性ですよね。

斎藤 でも、ちょっと違う角度から見てみれば、レフェリーのミスター高橋がレスラーでありプロモーターである猪木さんや坂口さんに対して「今日の試合はこうしろ」って命令できるはずがない。そういう立場にはないなっていうのはわかるはずなんです。

鹿島 そうなんですよ。遠征先の巡業風景を少しでも現場で見たことがある人は「いや、そんな状況はないよ」ってわかるわけじゃないですか。

斎藤 ミスター高橋は、猪木さんに対してそんな口はきけない。こう言ってはなんだけど、当時の新日本プロレスに限ったことではなく、プロレスの現場におけるレフェリーのポジションはそんなに高くないというか発言力はそこまで大きくない。

鹿島 でも本を読んだだけで、しかもレフェリーが言ってることだからって全乗りしちゃうと、「マッチメーカーもやったことがあったレフェリーのミスター高橋は権力を握ってたんだな」って思ってしまう。

斎藤 そこも確信犯的な書き方をしていて、まず「新日本プロレスでは、……マッチメイカーの仕事をした時期があった」（『マッチメイカー プロレスはエンターティメントだから面白い』）といった記述があって、それを前置きとして、プロレスというのはご存知のとおり演出がなされてるものですから、じつはレフェリーがいちばん権限があるんです、というロジックに導いていきます。信じてしまいますよね。なぜ確信犯的かというと、暴露本の具体的な内容について新日本や猪木さんからクレームがつくはずがないからです。書かれた側は無視します。えっ、そんな本あるの？　知らない、と。

鹿島　そこには何か凄い飛躍した部分が含まれているんだけど、前提までが正しければ、もしくは信用できれば、それを飛び越えたものまで人は信じちゃうってことですよね。

――それはまさに陰謀論と同じですよね。デマの間にもっともらしい情報がまぶしてあるという。

斎藤　そもそも、ミスター高橋が演出したプロレスを、〝アントニオ猪木〟がすんなり演じてくれると思いますか？

鹿島　よく考えるとそうなんですよね。

斎藤　昭和の新日本プロレスというのは、製作総指揮・監督・主演、すべてアントニオ猪木です。ミスター高橋はクリエイティブにはかすってもいない。レフェリーは黒子です。

――猪木さんって、ビンス・マクマホンがメインイベントをやってるのと一緒ですもんね。

斎藤　そうですね。猪木さんとビンスは近い。

――ビンスとハルク・ホーガンが合体したのが猪木さん（笑）。

斎藤　新間寿さんが〝過激な仕掛け人〟と呼ばれているけれど、本当の仕掛け人は常に猪木さんでしょ？　猪木さんが異種格闘技戦を考えた、猪木さんが藤波さんをジュニア王者にしようと考えた、猪木さんが維新軍を考えた、猪木さんがＩＷＧＰを考えたとは言えないから、新間さんを仕掛け人の〝役〟としてプロデュースした。そうしたら新間さん自身も自己催眠にかかったかのように、すべて自分が動いたように自己同一化していったわけでしょう。

鹿島　それを猪木さんも否定しませんからね。

「ちょっと知ったただけで、すべてをわかったつもりになるのはやめておいたほうがいい。それをボクらはプロレスから学ぶことができた」（鹿島）

──新間さんが仕掛け人ってことになっているほうが、猪木さんにとっても都合がよかったんでしょうね。猪木さんが自分の敵になる維新軍を作ったとなったりしたら、おかしな話になるから（笑）。

斎藤　ボクが新人記者の頃、たとえば猪木さんが両国国技館の試合後、支度部屋の畳に腰掛けて記者に囲まれると、虚（うつ）ろな目で「さっき頭を打っちゃって、よく憶えてねえんだよ」ってコメントしたりする。頭を打ってしまったことはおそらく本当なんだと思います。でも、記憶が飛んでいるかどうかはだれにもわからない。そこからは憶えてないなりの途切れ途切れの会話にしかならなかったりするんです。もちろん記者も「猪木さん、本当は憶えてるでしょ？」なんてつっこむ人はいない。

鹿島　アントニオ猪木を演じきってるわけですね。

――蝶野（正洋）さんも言っていましたよ。ブルーザー・ブロディとの初対決のとき、試合前に猪木さんが控室でブロディに襲われてケガをして、付き人の蝶野さんが駆け寄ったら、猪木さんが泣き出したらしいんですよ。「こんな大事な試合前に……あの野郎！」って。控室には猪木さんと蝶野だけで、カメラマンも記者もいない中で「この入り込み方は凄い……」って。

斎藤　プロレスが特別なところは、映画や芸術作品のように報道するならばそれもできるし、もちろんスポーツのように報道しても成立します。載せる媒体によって、お芝居のような切り口で記事を書きたい人もいるだろうし、まったくの門外漢ならば観たものをそのまま受けとめた状態で書く記事も成り立つから、いろんな語り口があっていいんです。だからこそ逆にマニアックな層は、常にリテラシーが問われている。

鹿島　裏話も含めて、すべてはプロレスを構成する情報のひとつであり、簡単に「これが真実」みたいなところに全乗りすべきじゃない、ということですよね。

――とは言っても、キャリアの長いプロレスファンって、プロレスは掘っても掘ってもなかなか真実にたどり着かないという経験をリアルにしているから、簡単には鵜呑みにしない人が多いと思うんですよ。

斎藤　これまでの経験や知識と照らし合わせますからね。

――それより、インターネットネイティブの世代のほうが「ググればわかる」っていう感覚になっているんで、自分が観ていなかった時代のプロレスも、さも知ったような感じで断罪する人が多い気がするんですよ。たとえば「猪木は格闘技路線で新日本をめちゃくちゃにした戦犯」みたいなのとか。それは事実である部分もあることはあるけど、あの2000年前後の新日本は、それまで築き上げてきた「プロレスこそ最強」「キング・オブ・スポーツ」というイメージが総合格闘技によって脅かされた、ある意味での存亡の危機だったわけですよね。

斎藤　そこは一方からの観察だけでは分析しきれないですよ。

鹿島　それはある意味で歴史修正主義に乗っかっちゃう人と同じような感覚ですよね。「自分はよく知ってるよ」って、いまの時点で結果を知ってるから、ちょっと調べただけでわかった気になって「猪木が新日本をダメにしたよね」って簡単に言えちゃう。コスパのいい気持ちよさなんですよ。

——もしくは「結局、三沢は馬場さんを裏切ったんだよね」とか。ノアとして独立に至るまでいろいろあったことをスルーして、結果の部分だけを見て断罪したり。

斎藤　それは凄くあると思います。

鹿島　経過、プロセスを端折(はしょ)って、まとめの答えだけがほしいんですよね。

——「高田vs北尾ってブック破りでしょ?」とか、簡単に言うなよ！　っていう（笑）。

斎藤　ＹＡＨＯＯ！知恵袋で初心者からのプロレスの質問があると、そういう答えに「ベストアンサー」が付いたりね。

鹿島　だから「過去はすべて知ることができる」っていう感覚が、じつは傲慢なんだということを肝に銘じておかないといけないですよね。

――それをやってしまったら、プロレスを考えるおもしろさの入り口にも立っていない気がしますよ。「リングスってワークでしょ?」とか、ネットで聞きかじった情報でわかったようなことを言う人もいますけど、プロレスから総合格闘技への過渡期っていう革命的なことが行われていた時代を想像しようとすらしないのは、どうかなって思いますよ。

鹿島　もう二度と味わえないような、いい時代を観られたんですよね。

斎藤　プロレスか総合格闘技かっていう時代性もそうだけど、ヴォルク・ハンとかディック・フライとか、プロレスがない国の人たちにプロレス的な観客との対話みたいなものを教えて、言葉が通じない者同士で試合をさせて、日本のファンを熱狂させたのは凄いこと。そして最終的には(アリスター・)オーフレイムとか、(エメリヤーエンコ・)ヒョードルのような、MMAの世界で最強と呼ばれる選手たちを世に出したんだから、前田さんの総合プロデューサーとしての功績はもっと評価されていいと思う。

――ボクらがずっとプロレスを追い続けてるのって、プロレスの深い部分を知れば知るほど、「凄いな」と思うことがたくさんあるからですもんね。それをググっただけですべてわかったかのように切り捨てるのは本当にもったいない。

斎藤　それは、その人が本当にどこまで知りたいのかということでもありますよね。ググっただけとか、その程度の結論づけで納得する人はそこまでの興味しかないんだろうし。でもプロレスが心から好きで、いろんなことが純粋に不思議で、それ以上のことを知りたければ、もっといろんなものを読んだり、観たり、自分の頭で考えたりしないと。

鹿島　ホントそうですね。たくさん読んで、観て、考えればいいんですよ。いまはネットで簡単に調べられる便利な時代だからこそ、ボクらも違うジャンルで同じ間違いをしてしまうかもしれない。ちょっと知っただけで、すべてをわかったつもりになるのはやめておいたほうがいいってことを、ボクらはプロレスを通じて学ぶことができたと思いますね。

第14回

“企業プロレス”全盛のいまこそWCWの歴史を紐解く

現在、日本のプロレス界は〝企業プロレス〟が全盛を迎えつつある。業界のトップを走る新日本プロレスとスターダムはブシロードを親会社に持ち、それを追う形のプロレスリング・ノア、DDT、東京女子プロレスなどを擁するサイバーファイトの親会社はサイバーエージェントだ。

だが90年代にメガネスーパーが新規設立したプロレス団体SWSは、その莫大な資金力を持ちながらわずか2年でその活動に終止符を打った。ほぼ同時期にアメリカでは、かのnWoブームを巻き起こし、一時はWWEと競い合うほどの勢力を誇ったWCWもまた〝テレビ王〟テッド・ターナー傘下の世界最大の〝企業プロレス〟だったが、やはりWWEとの抗争に敗れていったのだった。

（『KAMINOGE114』2021・6）

「NWAクロケット・プロモーションが経営困難になり、テッド・ターナーに団体ごと買ってもらってスタートしたのがWCWです」（斎藤）

――ちょっと前の話になってしまいますけど、2021年4月のレッスルマニアで、エリック・ビショフがWWE殿堂入りを果たしましたよね。

鹿島 あれはちょっとビックリしました。エリック・ビショフというと、90年代のWWEとWCWがいちばん競い合っていたときにnWoブームを巻き起こした、ビンス・マクマホンの仇敵みたいなイメージがあったので。それが殿堂に迎え入れられるんだって。

斎藤 WWEがあの闘いに勝利したからこその殿堂入りなんでしょうけどね。

鹿島 そりゃそうですね（笑）。

斎藤 エリック・ビショフは、新日本プロレスと業務提携していた時代のWCWの副社長。日本では活字的に「WCW社長」ということで報道されていましたが、社長だったことは一度もなくて、社長にはハービー・シェラーさんといってターナー・ブロードキャスティング・グループの顧問弁護士が登記されていた。要するにWCWというのは、〝テレビ王〟テッド・ターナーの数あるグループ関連会社の中のさらに傘下の法人だった。TBS（ターナー・ブロードキャスティング・システム）という巨大なテレビ企業の「プロレス事業部」みたいなものだから、その現場担当のトップということで、ビショフには執行副社長という肩書きがついていたんです。

【nWo】
1990年代後半、それまで絶対的なヒーローだったハルク・ホーガンがヒールに転向して、スコット・ホール、ケビン・ナッシュと結成したヒールユニット。のちに蝶野正洋、武藤敬司らもnWoジャパンを結成。アメリカと日本で、黒いnWoTシャツを着た人が街にあふれ、社会現象を巻き起こした。

――いまの日本で言うと、サイバーエージェントグループ傘下の**サイバーファイト**の代表である、高木三四郎大社長みたいなものですね（笑）。

斎藤　企業プロレスですね。だから時代的に言えば、90年代初頭に誕生して2年ちょっとで終わってしまったSWSに近い。

鹿島　メガネスーパーという企業がバックについて、選手を引き抜いて大きくなったという。

斎藤　SWSは「企業スポンサードという形でプロレス団体が発足したらどうなるか」っていう実験みたいなものだった。WCWもそれと非常に似ているんです。

――いまの日本のプロレス界は、ブシロードを親会社に持つ新日本プロレスとスターダムが業界のトップを走り、サイバーエージェントを親会社に持ち、ノア、DDT、東京女子プロレスなどを擁するサイバーファイトがそれを追うような形で、いわば企業プロレスが全盛を迎えつつあるじゃないですか。なので今回はあらためて世界最大の企業プロレスであった「WCWとはなんだったのか？」というテーマで話していけたらと思います。

鹿島　WCWというのは、NWAが90年代に入って名称変更して誕生したようなイメージがあるんですけど、そもそもどのようにして生まれたんですか？

斎藤　じつはWCWは90年代に入る前、1988年11月に誕生しているんです。2021年3月に亡くなったジム・クロケット・ジュニアの団体、ノースカロライナ州シャーロットを本拠地としていたNWAクロケット・プロモーションが経営困難になって、テッド・

【サイバーファイト】
ＩＴ大手サイバーエージェント傘下でプロレスリング・ノア、DDTプロレスリング、東京女子プロレスなどを運営する会社。

ターナーに団体ごと買ってもらってスタートしたんです。

鹿島　ジム・クロケット・ジュニアというと、80年代半ば、漫画『プロレス・スターウォーズ』でアメリカンプロレスのボスとして登場しますけど、1988年にはもう身売りしていたんですね（笑）。

斎藤　だからWCWの前身はNWAクロケット・プロモーション。もともとの活動エリアはミッドアトランティック地区と呼ばれる南部の大西洋岸一帯で、そのルーツは1930年代からあった団体なんです。

――そんなに前から存在したんですか。当時はNWA加盟団体のひとつとして？

斎藤　いや、NWA発足は1948年なので、NWAさえ存在しない時代ですね。1930年代に先代のジム・クロケット・シニアが興行をやっていた頃は、ニューヨークにジャック・カーリーという大物プロモーターがいて、統一世界王者が〝黄金のギリシャ人〟ジム・ロンドスの時代。ジム・ロンドスは30年代のハルク・ホーガンみたいな人で、この人が出ればアメリカのどこの街でも1万人は動員しちゃうっていうくらいのスーパースターだった。

鹿島　まだテレビすらない〝戦前〟にそれは凄いですね。

斎藤　第2回でも詳しくお話ししましたが、アメリカのプロレス史でいうと、〝始祖〟であるフランク・ゴッチ、ジョージ・ハッケンシュミットの時代のあと、第一次世界大戦後の好景気の中、エド・ストラングラー・ルイス、ジョー・ステッカー、スタニスラウス・ズビスコらが活躍した狂乱の1920年代があって。その後、20年代の終わりから30年代にかけて、アメリカ中のプロモーターが世界統一王者として認めていたエド・ストラングラー・ルイス（ルイス自身とその仲間がプロモーターでもあった）ではなく、ジム・ロンドスを統一世界王者として担いだほうの別派の大きなプロモーターグループのひとりが、ジム・クロケット・シニアだったんです。

——世界史のような話ですね（笑）。

斎藤　その後、1948年にサム・マソニック一派が中西部でNWAを作るんですけど、それがだんだん同業者の組合みたいになっていって、ジム・クロケット・シニアも戦後になってからNWAに加盟するんです。

——80年代にNWAが全米のプロモーションをつなぐ連盟として機能しなくなり、NWAクロケット・プロモーションという〝団体〟に一本化されたのは、どういう経緯があったんですか？

斎藤　まず、1984年体制のWWF（現在のWWE）による全米侵攻作戦によって、NWA加盟のローカル団体や独立系団体がどんどん潰れていったんです。月に一度、NWAのオールスターが集まっていたセントルイスのキール・オーデトリアム定期戦がWWEにとって代わられた。ザ・シークのデトロイト、ディック・ザ・ブルーザーのインディアナポリス、ポール・ボーシュのヒューストンなどが次々と潰れた。

鹿島　〝NWAの総本山〟も陥落したと。

斎藤　そうやってNWA系の団体がどんどん潰れていく中、生き残っていたクロケット・プロが、立ちいかなくなった全米各地のNWA系団体を吸収という形で買っていったんです。

――コンビニが大きくなるみたいな感じですね。ローカルのコンビニをどんどん買収していって、すべてローソンに鞍替えするみたいな（笑）。

鹿島　コンビニにたとえるとわかりやすいですね（笑）。

斎藤　それからビル・ワットのMSWA（ミッドサウス・レスリング・アソシエーション）、のちにアメリカ版UWFと名前を変えた団体があるんですけど。

――スティーブ・ウィリアムスがいたところですね。

斎藤　そうです。ルイジアナやミシシッピ、オクラホマなどディープサウス4州（とテキサスの一部）にまたがっていた大きなテリトリーで、そこもクロケットがビル・ワットから買い上げた。それで気がついたら、1987年の時点で昔のNWAぐらいの大きさになっちゃっていたわけです。

鹿島　弱っていた団体を買い上げていったら、テリトリーの規模としては1団体でNWAぐらいになっちゃったんですね（笑）。

斎藤　NWA世界ヘビー級王者リック・フレアーはクロケット・プロと専属契約。現場のプロデューサーはダスティ・ローデス。クロケット・ジュニアが買い上げた団体には、ビル・ワットのところにまだルーキーだったスティングやリック・スタイナーらがいて、N

WAフロリダからレックス・ルーガーやマグナムTAらが加入。けっこうタレントも揃った大きな団体になったんです。

「クロケット・プロという団体としてなんとか残っていたNWAが、ターナーに買収されることでついに消滅したんですね」（鹿島）

――規模とタレントの数では、WWEに次ぐ〝メジャー〟になっていたわけですね。

斎藤　〝1984体制〟でWWEはNWAアトランタ〝ジョージア・チャンピオンシップ・レスリング〟に資本投下して、ジョージアの興行権とテレビ放送枠を買収しました。ターナー系のチャンネルで土曜の夕方に放送されていたプロレス番組が、ある日、突然、中身だけWWEに鞍替えされた〝ブラック・サタデー〟という事件があったんです。

鹿島　地元のプロレスを放送する枠だったはずが、全国区のWWEの番組に替わっちゃっていたわけですね。

斎藤　そのとき、アトランタが地元のテッド・ターナーがそれに怒って、「せめてアトランタでテレビ収録してくれないか」ってビンスに言ったんだけど、ビンスはそれを聞かなかった。ニューヨーカーのビンスからすると、アトランタは南部の地方都市って言いたいんだろうけど、アトランタの人たちにすればMLBもある、NFLもある、オリンピックもやったし、コカ・コーラ発祥の地でもあり、誇りと愛着があるわけです。それでターナーは「だったら買い戻す」ということで、事実上NWA本隊となったクロケット・プロがアトランタのプロレス番組を制作することとなった。その番組名が「ワールド・チャンピオンシップ・レスリング」、つまりWCWです。

鹿島　WCWはもともと番組名だったわけですね。

斎藤　それで伝統的な土曜夕方の時間帯にNWAクロケット・プロの番組がWCWとして放送されるようになったんだけど、その頃にはすでに会社の経営状態としてはパンク寸前だったんです。でもメンバー的には、リック・フレアー、ダスティ・ローデス、ロード・ウォリアーズ、レックス・ルーガー、バリー・ウィンダム、ロックンロール・エキスプレス、ミッドナイト・エキスプレス、ラシアンズなど、全米ツアーをやるだけの層の厚い陣容ではあったんです。

鹿島　素晴らしいメンバーでしたよね。

斎藤　だけど、ここがWWEの頭のいいところというかズルいところなんだけど、「眼中にない」と言いつつも1987年には経営が火の車のNWAクロケット・プロが放つ年間最大のPPV大会「スターケード」の同日同時刻に新企画のPPV大会をぶつけてきた。こうして生まれたのが「サバイバー・シリーズ」だった。

鹿島　「サバイバー・シリーズ」はもともと「スターケード」潰しのための特番だったんですね。

斎藤　そのとき、WWEはNWAクロケット・プロのPPVの放映契約をしている各州のケーブルカンパニーとプロバイダーに「もうWWEのPPVは取り扱えなくなりますよ」との通告を出したんです。そうしたら全米のケーブルカンパニーとプロバイダーが2社を残してすべてWWEについてしまった。もうNWAクロケット・プロは、やる前から負けちゃっていたんです。

――第1回レッスルマニア以降、PPVのドル箱になっていたWWEと、NWAクロケット・プロを比べたら、みんなWWEについちゃったわけですね。

斎藤　それでNWAクロケット・プロは、わずか1年間で何千万ドルという負債を抱えて、1988年11月にテッド・ターナーのTBSに身売りしたわけです。そして新法人としてワールド・チャンピオンシップ・レスリング、つまりWCWが新たに発足して、NWAは事実上なくなったわけですね。

鹿島　NWAという連盟はその前になくなっていたけど、クロケット・プロという団体としてなんとか残っていたNWAが、ターナーに買収されることでなくなったと。

斎藤　1984体制後、プロレスのビジネスモデルが変わってしまったんです。そして、WCW発足時のエグゼクティブ・プロデューサー、つまり現場のボスは、日本にも一度来たジム・ハード。この人がまたいっぱい食わせ者で。

鹿島　そうだったんですか⁉

斎藤　長髪だったリック・フレアーに髪を切らせて、「おまえの新しいリングネームはスパルタカスね」とか言い出したり。要するに何もわかっていなかった。もともとはセントルイス出身だっていうことで推薦を受けたんだけど、ピザハットのフランチャイズをやっていた人です。無理でしょ。

――〝NWAの総本山〟セントルイス出身だから、プロレスのことはわかるだろうっていう。雑ですね（笑）。

斎藤　それでジム・ハードとリック・フレアーは1990年に大喧嘩して、フレアーがベルトを腰に巻いたままWWEに移籍しちゃうという事件が起きた。

鹿島　フレアーのWWE移籍って、そういう理由だったんですか（笑）。

斎藤　そのジム・ハードのあと、キップ・フライという弁護士がボスになったんですけど、彼はプロレスファンではあったけれどプロレスのビジネスに関しては素人だったからやっぱりまたダメで。その後、オレイ・アンダーソン、ビル・ワットらが現場のボスになったんだけど、親会社のターナー側に「レスラー出身はダメ！」って言われて。そのときにすーっと横から入って行って「自分ができます」って手を挙げたのが、当時三番手の実況アナウンサーだったエリック・ビショフでした。

――ビショフってアナウンサーだったんですか。そもそものアナウンサー姿を観たことがないですよ（笑）。

斎藤　アナウンサーとしてはあまり有名ではなかった。もともと彼は崩壊しそうだった時期のAWAでアルバイトをしていたんです。

鹿島　吉野家でバイトしていたら社長になっちゃった、みたいな感じですね（笑）。

斎藤　会議とかでプレゼンテーションがうまい人っているでしょ。テッド・ターナーが会議で「なぜ私たちはWWEに勝てないのか？　資金でも人員でもテレビ番組でも負けていないのに」って言ったとき、エリック・ビショフが「WWEはプライムタイムに番組を持っています。しかしWCWにはない。そこの差です」と進言した。実際、1993年の時点ではもうWWEの『マンデー・ナイト・ロウ』が始まっていて、月曜夜のプライムタイムに毎週放送していた。一方、テッド・ターナーのTBSは、土曜夕方6時5分という、アトランタでは昔からプロレスを放送していた伝統の枠に番組をキープしていた。「だったら『ロウ』にぶつけてみよう」っていう話になって、1995年9月からターナー傘下の別チャンネルTNT（ターナー・ネットワーク・テレビジョン）で『ロウ』と同日同時刻の月曜夜9〜11時枠で『マンデー・ナイトロ』が始まったんです。

「ホーガンを筆頭に80年代後半にWWEで活躍した選手たちがみんなWCWに来た。そこでは選手の言い値で契約したという背景がある」（斎藤）

鹿島　あれは凄かったなー。「なんだこれ⁉」って思いましたよ。名前までほぼ同じじゃないう（笑）。あれは言語的に違いがあるんですか？

斎藤　ロウは〝生〟っていう意味だから、『マンデー・ナイト・ロウ』は、ニュアンス的に

「月曜夜の生放送プロレス」みたいな感じ。

鹿島　『朝まで生テレビ！』的な（笑）。

斎藤　それで『ナイトロ』のほうは、ターナー系の番組にはいろいろ〝ナイトロ〟って付く名称があったんですね。要するにニトロエンジンのニトロですね。

――つまり「月曜ダイナマイト！」みたいな意味合いなんですね。語呂だけ合わせて（笑）。

鹿島　いや〜、無理やり感が凄いですね（笑）。

斎藤　名前は語呂合わせで、ほぼ盗作ですもんね（笑）。ただ、それによって月曜夜のプライムタイムに両団体がぶつかり合うっていうことで、テレビ業界でも「いまアメリカではプロレスがブーム！」ってことになっちゃったわけです。

鹿島　まさに『8時だョ！全員集合』vs『オレたちひょうきん族』みたいなことですよね。

斎藤　そういうことですね。一般のテレビ視聴者が観たら同じようなテレビ番組なわけですよ。同じような入場ゲートがあって、花火がドッカンドッカン上がっていて。

鹿島　日本で2000年代の大晦日、どこのチャンネルを観ても格闘技をやっていて、一般の人にはPRIDEも『Dynamite!!』も『猪木ボンバイエ』も違いがわからない、みたいなものですね。

斎藤　一方、WWEを離脱したホーガンは、1994年6月にWCWと新しく契約を結ぶんだけど、その前の1年間はワンクッションとして新日本に来ていたんです。

鹿島　ああ、福岡ドームのグレート・ムタvsホーガンとかありましたよね。

斎藤　そのとき、ちょうど新日本がＷＣＷと業務提携していたので、ホーガンは新日本に上がりながらＷＣＷ側と交渉していた。それでターナー側から見ると「エリック・ビショフがホーガンを獲得してくれた」となったわけです。でも本当はビショフに特別な交渉能力があったかどうかは定かではなく、当時、ホーガンはいちおうＷＷＥのベルトは保持していたけど、ビンスとの関係が微妙な時期で、立場的にはフリーエージェントで、ＷＷＥとも新日本ともＷＣＷとも対等に契約交渉ができた。その中で最終的にいちばん高いギャラを提示したのがＷＣＷだったということなのでしょう。

鹿島　でも、そのときにたまたまＷＣＷの現場責任者だったビショフが「大仕事を成し遂げた」ということになって、より力を持ったわけですね。

斎藤　そしてホーガンがＷＣＷ移籍後、80年代後半にＷＷＥで活躍した同世代の選手たちもどんどんＷＣＷに来ちゃったんです。ランディ・サベージやロディ・パイパー、テッド・デビアスとかカート・ヘニングとか。選手だけでなく名物アナウンサーのジーン・オーカランド、悪党マネジャーのボビー・ヒーナン、ホーガンと一緒にもれなく付いてくるブルータス・ビーフケーキなど。エリック・ビショフも自分のお金じゃないもんだから、どんどん言い値で契約しちゃったという背景もあった。

――まさにＳＷＳですね。「天龍を獲得できたから、とりあえず獲れる人はみんな獲れ」みたいな（笑）。

斎藤　本当にそんな感じで。でも黄色いタイツのままＷＣＷに移籍したホーガンは、じつは人気が下降していたんです。サベージやアースクエイクと試合をしても、80年代のWWEの再放送に見えて。

鹿島 90年代に、ものまね四天王のコロッケがフジテレビから日テレに行くみたいな感じですね。80年代にドル箱だったフジの『ものまね王座決定戦』のメンバーを引き抜いたけど、ちょっと古いみたいな（笑）。

――たしかにそうですね。コロッケがホーガンみたいな（笑）。

鹿島 コロッケ＝ホーガン説（笑）。

斎藤 でも番組プロデューサーからすると、既製品のほうが安心感があるんでしょう。WCWはTBSの一部門だから「ホーガンとそのグループでそのまんまの放送をすれば大丈夫だろう」というテレビ的な発想だったんです。

鹿島 また、お金があるからビッグネームに頼っちゃったんでしょうね。

斎藤 そしてSWSがそうだったように、レスラーたちは〝プロレスのいちばん重要なこと〟をエグゼクティブには教えなかった。そうすることでビジネスを守ったという見方も成立しますが。そういう状況の中でWCWの選手たちのモチベーションはどういうわけか凄く低かったんです。ギャラは高いのに、選手を大量に獲得したため、試合は月に1～2回とかになって。TVテーピングに来ても「あー、今週も俺は試合ねえわ」ってつぶやきつつ、毎週小切手をもらうだけというくり返しが続いていった。

――なんだかWCWの選手たちが、みんな高野俊二に見えてきますね（笑）。

鹿島　体格と才能に恵まれているのにラクを覚えてしまって（笑）。

斎藤　そういう上の選手たちの姿を見て、日本的な表現を用いるならば〝冷や飯を食わされていた〟若手のエディ・ゲレロ、クリス・ベンワー、レイ・ミステリオ、クリス・ジェリコたちは「ああいうふうにはなりたくないね」って、みんなで話し合っていたんです。――のちに大ブレイクする当時WCWクルーザー級にいた選手たちは、そう思っていたんですね。

斎藤　空気がよどんだWCWのバックステージを見ちゃったこともあって、やがて彼らは一本釣りのネゴシエーションでWWEに移籍していくんです。結局、黄色いタイツのまま80年代の再放送みたいなことをやっていたホーガンはあまり人気がなくて、大逆転が起きたのは翌1996年7月のnWoからなんです。

「WCWとnWoの抗争の元ネタが新日本vsUインターって、あの対抗戦はアメリカにも大きな影響を与えていたんですね」（鹿島）

鹿島　けっこう、あとになってからなんですね。

斎藤　じつは「月曜のテレビ戦争」が始まってから1年、ホーガンのWCW移籍から2年が経っているんです。そしてnWoの何が凄かったかと言うと、ホーガンがスーパースターになってから初めて、黒いコスチュームでヒールをやったことなんですね。

鹿島　絶対的なベビーフェースのホーガンがあれをやるのというのは、インパクトがありましたね。

斎藤　PPV〝バッシュ・アット・ザ・ビーチ〟のタッグマッチで、〝マッチョマン〟ランディ・サベージがケビン・ナッシュ&スコット・ホールにやられているところでホーガンが出てきて、ファンは「マッチョマンを助けに来た」と思ったんだけど、ホーガンはナッシュ&ホールに加勢して3人でマッチョマンを袋叩きにしたんです。それで「俺たちがnWo（ニュー・ワールド・オーダー＝新世界秩序）だ！」と初めてヒールに転向して、それが大ブームになったんです。ナッシュとホールはWWEからWCWを侵略しにやって来たアウトサイダーズという設定でした。

――nWoがそこまで一大ムーブメントになったのは、やはりホーガンのヒール転向という斬新さとインパクトからだったんですか？

斎藤　もちろん、それも大きな理由のひとつなんですけど、nWoは単なるヒールのユニットではなく、WCWという会社自体と敵対する〝新団体〟というストーリーラインにしたんですね。そしてWCW本体から選手をどんどん引き抜いていって、巨大化していった。

鹿島　単なるヒール軍vsベビーフェース軍ではなく、リアリティを生んだわけですね。

――新日本に維新軍（革命軍）が誕生したとき、長州力とアニマル浜口がアングル上で新日本を退団して、フリー契約として参戦するようになったのに似てますね。

斎藤　まさにそういう感じです。そしてWCWとnWoの抗争には元ネタがあって、それが新日本vsUインターなんです。

鹿島　え〜っ！　そうなんですか⁉　そのあたり、詳しく聞かせてください。

斎藤　新日本とWCWが提携していた頃、エリック・ビショフが新日本vsUインターの武藤敬司vs高田延彦を目撃して、「なんでこれがそんなに凄い話なの？」って不思議に思ったらしいんですね。そのとき、「これは違うカンパニー同士によるシリアスな闘いで、負けたほうのカンパニーが本当になくなる。ファンもそれを信じているから、これだけ本気になっているんだ」という説明を受けて、「これだ！」と思ったんでしょうね。だからnWoをWCW内のヒールユニットではなく「新団体」ということにしたんです。

鹿島　なるほど〜。新日本vsUインターは、日本だけでなくアメリカマットにも大きな影響を与えていたんですね。

——そのnWoの大ブレイクにより、一時はWCWが天下を獲りそうになりながら、どうして急激に落ちていってしまったんですか？

斎藤　nWo人気もあって、WCWの『ナイトロ』は1996年6月10日オンエア分から1998年4月13日オンエア分まで83週連続で『ロウ』の視聴率を上回っていたんですけど、落ちるのも早かったんです。それでWCWは起死回生の策として、今度はレスラーではなく『ロウ』の放送作家だったビンス・ルッソーを引き抜いたんです。

——タレントだけでなく、放送作家も引き抜くっていうのが、いかにもテレビの発想ですね。

斎藤　1997年の有名な「モントリオール事件」により、いわゆるプロレスの裏側が明らかになっていったとき、一部で「ビンス・マクマホンの最大の秘密」と言われていたのが、じつはビンス・ルッソーだったんです。当時、『ロウ』が視聴率で盛り返していたんですけど、「ビンス・マクマホンとストーンコールドの対立、ディーバのお色気路線やおもしろい企画は、全部ビンス・ルッソーが考えているらしいよ」ということになって。

鹿島　ビンスはビンスでも、WWEの本当の頭脳はビンス・ルッソーなんだと。

斎藤　これは以前も『ギブアップまで待てない――』の回でもふれましたが、ボクもテレビ番組の制作チームにいたことがあるからわかりますけど、番組付きの放送作家、構成作家ってわりと身分が低いんですね。どんなにたくさんのネタを書いていっても、会議の席や番組収録の現場でディレクターがさっと読んで「なんだこれ、つまんない」って5秒でボツにされるみたいな立場。その上にはプロデューサー、局P、制作のクリエイティブP、制作費を動かせるマネージメントPとかえらい人が何人もいたりして。

――『8時だョ！全員集合』でも、作家が書いたコント台本はいかりや長介がほとんどボツにしたって言われていますもんね（笑）。

斎藤　ビンス・ルッソーは『ロウ』の放送作家チームの中では凄く活躍したほうかもしれないけれど、彼が全部プロデュースしていたわけじゃない。でもWCWは「ルッソーさえ連れてくれば、番組ごともらったも同然」と思ってしまった。でもそれは全然違ったんですね。

鹿島　それもおもしろいですね。さっきのエリック・ビショフが成り上がる様とちょっと似ていて。

斎藤　ビンス・ルッソーが個人的に仲のよかったジェフ・ジャレットの仲介でＷＣＷに来たとき、エリック・ビショフは「これで俺たちが天下を獲った！」って手を取り合ったんだけど、すぐに仲間割れを始めた。ビンス・ルッソーはエリック・ビショフの悪口を言い始めるし、エリック・ビショフは「アイツ、呼んでみたら全然ダメじゃん」ってコキおろすようになって。

鹿島　お互いにかなり吹いて成り上がったというか。吹いた者同士、ちょっと盛った者同士、「アイツは使えねえ」って言い合っていたわけですね（笑）。

斎藤　ビショフとルッソーにはひとつの共通点があって、それはふたりとも少年時代からプロレスファンだったわけではなくて、80年代のホーガン、つまりレッスルマニア以降のプロレスを観て、このジャンルに興味を持ったことです。そして、子どものころからファンだったという人をすごく見下したようなところがあった。ＷＣＷから高額年俸でヘッドハンティングされたルッソーもかなり増長して、「これからは俺が仕切るんだから、ホーガンにだって何も言わせねえよ」って感じでホーガンにも平気で物申し始めたんです。でもホーガンからしたら、「誰だ、おまえ？」ってことで。

鹿島　顔じゃないですよね。

斎藤　はい、プロレスのスラングで言えば、顔じゃねえ、です。作家ではあるけど、プロレスの中身に関しては当事者ではないわけだから。それでホーガンやフレアーとも大喧嘩して、スティングらも含めて、ビッグネームがほとんどボイコット状態になって『ナイトロ』の番組収録に来なくなっちゃった。

鹿島　士気がどんどん下がっていったわけですね。

斎藤　2000年にグレート・ムタが1年間だけWCWに行ったとき、参戦して半年後の夏にアメリカで武藤さんに話を聞いたら、「このカンパニーはどう見ても潰れるしかねえよ」って言っていましたね。

「プロレスの場合、どんなに豊富な資金があっても、それがかならずしも勝利を意味するものではない」（斎藤）

鹿島　落ちるには落ちるなりの理由があるってことですね。

斎藤　1999年から2000年にかけて、WCWは月に100万ドル以上の赤字を出すようになっていたんですね。そういう状況が1年以上続いちゃって、映画俳優のデビッド・アークェットをWCW世界王者にしたりして、でも番組視聴率は落ちる一方だった。結局、『ナイトロ』の番組を切ろうって言い出したのはテッド・ターナーでなく、新しく編成で異動してきていた新しいプロデューサーだったんです。彼が「局のイメージに合わない」っていうことで打ち切りを決めて、2001年の春をもってプロレス番組を全部切っちゃったんです。

——編成が変わったことで長寿番組が終わるっていうのは、日本のテレビ局でもよくあることですよね。

斎藤　それで番組がなくなることが決まったことで、ＴＢＳのプロレス事業部でもあったＷＣＷそのものが自動的に消滅してしまったんです。

鹿島　最後は結局、ＷＷＥに買収されたんですよね？

斎藤　そうですね。エリック・ビショフが２０００年2月の時点で新しいスポンサーを連れてきて、ターナーに「ＷＣＷだけ売ってください」って言ったんだけど、「おまえには売らない」って断られて。それでビンス・マクマホンが急きょＷＣＷをたった１００万ドルちょっとで買いたたいたわけです。

——ＷＣＷ末期の1カ月の赤字とほぼ同額（笑）。

斎藤　しかも契約が残っている年俸の高い所属選手たちの契約は買わないで、アーカイブと知的所有権を保有できるネーミングやＴＭ（トレードマーク）っていうものだけを押さえてしまった。

鹿島　必要なものだけを買ったわけですね。

斎藤　それからフレアー、ホーガン、ナッシュ、ホールらはビンスと個別に交渉して、それぞれ別々のタイミングでＷＷＥに戻ったわけです。ＷＣＷって結局、ゴールドバーグくらいしか新しいスターを作っていないんです。旧ＮＷＡの流れを汲むフレアーやスティング、あとはＷＷＥから高いカネで獲ってきた移籍組がほとんどでしたから。

鹿島　大物を高いカネで獲ってくるだけで、自前の選手を育てないって。プロ野球とか他のスポーツのチーム編成で考えても、いちばんダメなパターンですよね（笑）。

斎藤　エリック・ビショフは、ＷＣＷ時代のクリス・ベンワー、エディ・ゲレロ、レイ・ミステリオ、クリス・ジェリコあたりを理不尽なくらい過小評価していました。つまり彼は既製品には鼻が利くんだけど、これからブレイクする新しい才能を見抜く力がなかったということなのでしょう。

鹿島　本来、いちばん必要な要素が抜け落ちていたわけですね。

斎藤　それこそ、プロレスのセンスに関する根本的な議論がもっとあってよかったと思うんですね。しかも、ソフトウェア（選手、試合）とハードウェア（興行、営業）の真ん中に立つプロデューサーとして、大物選手獲得のための予算を湯水のように使ってしまって、結局、ＷＣＷはＴＢＳの赤字部門になってしまったわけです。だから、これが今回の対談のいちばん大切なテーマなのかもしれないけれど、プロレスの場合、「どんなに豊富な資金があっても、それがかならずしも勝利を意味するものではない。幸せになれるわけではない」ということではないでしょうか。

鹿島　プロレスファンは、ＳＷＳやＷＣＷを通じて、それを実感として勉強できましたね。

斎藤　資金で言えば、〝テレビ王〟テッド・ターナーのカンパニーのほうがＷＷＥよりも豊富にあったでしょう。ビンスがいくら凄いといっても、それは「プロレス業界の中では」

というカッコ付き。業界内で〝帝国〟と呼ばれるようなところでも、馬場さん夫妻の全日本にしても、バーン・ガニアのAWAにしても、フリッツ・フォン・エリック、ザ・シークにしても、みんな家族経営。マクマホン一家は、そんなファミリービジネスの中でいちばん大きい何百億円企業というだけで、単純に会社の規模や資金力で言えば、ターナー傘下のグループ企業とさえ比べものにならないわけです。

鹿島　WWEのライバル、WCWはグループの一部門なわけですもんね。

斎藤　エリック・ビショフがみんなにおだてられて、親会社の経費をじゃんじゃん使うことができたWCWよりも、ビンスが真剣に考えて身銭を切ってプロデュースし続けたWWEのほうが、最後は圧倒的にファンの支持を得たんです。実際、新しいスターをプロデュースし、新しいドラマがどんどん生まれた。

鹿島　ボクらの知るかぎり、プロレスの歴史って日米ともにそうですよね。

――SWSが出てきたときも、資金力で言ったらメガネスーパーに全日本が勝てるわけがないですもんね。全日本はカブキさんがいまでもネタにするくらい、所属日本人選手に対してシブ賃だったのに（笑）。

斎藤　かといって、お金をこれまでより多く出してくれることがわかりきっているSWSに、凄くいい選手たちが移籍したかというと、かならずしもそうでなかった。

鹿島　そうなんですよね。お金も選手も、どう使うかが重要という話になるんですけど。

斎藤　もし天龍さんが少数精鋭で新団体を始めて、時間はかかるけどSWS育ちのスターが育っていったら、ああいう形にならず、UWF的な信者を生んだかもしれない。逆に、もし天龍さんの全日本離脱がなければ、三沢タイガーがマスクを脱ぐタイミングも遅れて、全日本のトップグループが一気に若返ることもなかったかもしれない。

鹿島　全日本は選手大量離脱があったからこそ、若い選手たちに期待が集まったし。超世代軍の選手たち自身、責任感が増して一気に化けましたからね。スター選手が抜けると、団体も変わらざるをえないし、それがチャンスだったりするわけですよね。

──もしSWSがなかったら、90年代の全日本人気はなかったでしょうからね。だからプロレスが難しいのは、トップが抜けないと本当の意味で新しいスターってなかなか生まれないという。

斎藤　新日本の闘魂三銃士も、猪木さんが参議院議員になって、藤波さんが腰のケガで長期欠場して、前田日明、高田延彦が新生UWFに行ったから、若くしてトップになれたことは事実だと思う。WWEもそうなんです。ホーガンがいなくなって、マッチョマン、ロディ・パイパーもいなくなったから、ショーン・マイケルズとブレット・ハートのニュージェネレーション路線が成立したわけです。

鹿島　たしかにそうですね。

斎藤　そして「モントリオール事件」でブレット・ハートがいなくなったあと、ストーンコールド、ザ・ロック、トリプルHの3人の時代がやってくる。結局、上が抜けないと、なかなかトップは変わらないんですね。

鹿島　かつて全日本女子プロレスが「25歳定年制」を敷いていたのは、スターの新陳代謝という意味合いが強かったわけですよね。

斎藤　まさにそういうことでしょう。だから事実上、25歳定年が撤廃されたあとは、長らく「対抗戦世代」が上にいて、90年代後半から２０００年以降に世代交代が進まないというまったく別の問題もありましたからね。

鹿島　いや〜、なんか今回はＷＣＷを知ることで、日本のプロレス界で起きていたことが、よりよくわかりました！（笑）

第15回

ヘイトクライムとプロレス社会

1950年代から1980年代半ばまで、アメリカのプロレス界における日本人レスラーの役割は田吾作タイツを履いたヒールだった。それがいまや、ありのままの日本のプロレススタイルが世界中で多くの人気と注目を集めている。

実社会では2021年、アメリカでアジア系住民に対するヘイトクライムが多発し、いまだ悪しき歴史を繰り返している。

なぜ、プロレス社会から人種差別的なストーリーラインは姿を消したのか？ どうやってプロレスファンは偏見や差別的な視点から解放されたのだろうか？

今回はアメリカにおける日系レスラーの歴史と変遷から、それらの疑問を紐解いてみたい。

（『KAMINOGE115』2021・7）

「プロレスそのものとプロレス的手法を一緒にしたらダメ。政治的思惑で犬笛を吹き、犯罪的行為に向かわせるというのはプロレスのリングでは絶対にない」（鹿島）

――2021年に入って問題となった大きなトピックとして、アメリカでのアジア系住民に対するヘイトがありましたよね。

斎藤　アジア人に対するヘイトと、それに派生して起きるヘイトクライム（憎悪犯罪）ですね。

鹿島　アジア人というだけで、差別的に扱われたり、突然暴力をふるわれるということが実際に起こっているという。

斎藤　それが日本ではあまり報道されていないっていうことが現実としてあるんですけど、そもそもなぜ起こっているかの原因をキャッチしなければいけない。

鹿島　そうですね。

斎藤　まず、アジア人が暴力をふるわれるようになったきっかけのひとつとして、日本ではとっくに使われなくなった差別的な表現である「武漢ウイルス」がありました。ドナルド・トランプが議事録に残る公式コメントとして新型コロナウイルスを「チャイナフル」とか「チャイナウイルス」といった言い方をして、それがある種の煽動(せんどう)になって、いわゆるトランプ支持層を中心にアジア系の人たちに憎悪を向ける人たちが出てきてしまった。いい言葉じゃないけど彼らは典型的なホワイトトラッシュ層、略しちゃうと〝白人のクズ層〟っていう凄く日本語として使いにくい新語の類なんですが。

――直訳するとダイレクトに伝わりすぎる（笑）。

斎藤 そういった層が「コロナウイルスは、武漢の化学兵器ラボで秘密裏に作られ、漏れ出たもの」という真偽が定かではない陰謀説を元に、〝アメリカにコロナ戦争を仕掛けてきた中国〟という意味で、そのヘイトの矛先をアジア系の人たちに向けたわけですね。

鹿島 どこがウイルスの発祥かっていうのはこれから検証が必要ですけど、ことさらに粒だてて言うことによって、それに感化された人たちが、アジア系の一般市民に対して憎悪と暴力を向ける。それはあきらかに一線を超えてますよね。

斎藤 中国人も日本人も韓国人も、アメリカ人から見たらルックス的にはまったく見分けがつかないから、アジア人みんなが標的にされてしまったわけです。

――だから一部の日本人が勘違いしているのは、「俺は中国人が嫌い、アメリカ人も中国人が嫌い、だから俺はアメリカ人と仲間」ってタッグを組んでいると思い込んでいることですよね。そのアメリカ人は日本も含めたアジア人を攻撃している。ヘイトを向けられている側なのに、アジア人へのヘイトクライムを支持しちゃっている。

鹿島 日本の謎の論理で、自分たちを〝西側諸国〟みたいに言うんですけど、向こうから見ると、当たり前ですけど中国や韓国と同じアジアの国ですよね。それなのに、なぜか「アメリカは友達」っていう。

斎藤　中国人と同格じゃ嫌だっていう〝フツーの日本人〟層が一定数いますね。

鹿島　その日本のねじれた感情ってボクも子どもの頃に記憶があって。猪木さんが**国際軍団**にやられているところに、ハルク・ホーガンが助けに入って蹴散らしたとき、ボク自身は何も強くなっていないのに「ほーら、見ろ！　国際軍団コノヤロー。こっちにはアメリカがついてるんだぞ！」みたいな気持ちになったんですよね。プロレスって無思想だからこそ、世の中の空気がリングに反映されている。

斎藤　いい意味でも悪い意味でもステレオタイプですね。あのときは、新日本プロレスファンが国際プロレスファンを差別するみたいなところもあって。

――国際軍団は同じ日本人ですけど、国際プロレスという新日本の〝外〟から来た人たちじゃないですか。そうすると、昨今の「〝純粋な日本人〟じゃないヤツは日本から出ていけ！」とか言い出す人たちのメタファーに結果的になっていたんじゃないかと、考えすぎちゃったりもしますね。

斎藤　実際、当時ラッシャー木村さんが憎いからって、木村さんの家の塀に生卵を投げつけたりという嫌がらせをするファンが少なからずいたんですよね。

――あれはボクらプロレスファンが実体験で知る、まさにヘイトクライムですよ。

鹿島　考えてみれば、あのときは〝国際はぐれ軍団〟って言われるぐらいですから少数派ですよね。マイノリティ。

――国際プロレスという〝母国〟を失った難民とも言えますよね。その人たちを迫害して

【国際軍団】
1981年8月に国際プロレスが崩壊し、同年10月から新日本プロレスに参戦したラッシャー木村、アニマル浜口、寺西勇による軍団。新国際軍団、はぐれ国際軍団とも呼ばれた。

いたという（笑）。

鹿島　しかも最終的にマイノリティ3人と猪木さんひとりで**3対1の闘い**をやって、新日本の圧倒的な権力者である猪木さんがマイノリティを装うっていう。凄い構図ですよね。

斎藤　まあ、新日本側からすると「国際プロレスが侵略してきた」っていう大義名分はあったのかもしれないけど。

鹿島　だから当時の猪木さんや新日本が悪いっていうんじゃなくて、プロレスは人の心の中になんとなくあるものを映し出す側面があるんだと思います。自分の深層心理の中にも、そういった感情が少なからずあるんだよ、ということを教えてくれたというか。

――国際はぐれ軍団への自分の態度を振り返ることで、自省することができる（笑）。

鹿島　だからプロレスは無思想でそれを映し出しているだけだから、逆にいいと思うんですよ。でもトランプさんとかにギョッとするのは、完全に思想であり、自分の政治的思惑じゃないですか。

斎藤　もの凄く幼稚なロジックなんですけどね。

鹿島　以前、ボクはフミさんに「トランプはいかにプロレス的な手法を取り入れてきたか」という話をうかがわせていただいたことがありますけど。やはりプロレスそのものと、プロレス的手法を一緒にしたらダメですよね。だって自分の政治的思惑でもって犬笛を吹いて、犯罪的行為に向かわせるというのは、プロレスのリングでは絶対にないじゃないですか。そこは綺麗に分けないと。

【3対1の闘い】
打倒・猪木のために試合への乱入や控室への拉致監禁など、悪の限りをつくす国際軍団に対し、怒った猪木は「3人まとめてかかってこい！」と宣言。これにより1982年11月4日蔵前国技館で、猪木ひとり対、ラッシャー木村、アニマル浜口、寺西勇の3人という変則タッグマッチが行われた。結果は猪木が浜口、寺西を倒すも、木村にリングアウト負けを喫し、国際の勝利。しかし国際は、3人がかりでもリングアウトでしか勝てなかったという結果が残った。

斎藤　はい、ごっちゃにしてはいけません。先のアメリカ大統領選では、結果がすでに出たあとの1月6日になってからトランプに煽動されたサポーターたちが暴徒と化して、議事堂の中まで突入していってしまった。あれはアメリカの歴史上でも一度もなかったクーデターでした。

鹿島　プロレスのいいところって、対立構造を作るけれど、それはプロレスの枠内の中で見ているほうも消化できた。逆に、どこかガス抜きにはなっていた部分もあると思うんですよ。でも、いまはそれをリング外というか、政治の世界で使うじゃないですか。それはやっぱり全然違いますよね。

斎藤　だからいま政治と向かい合っているアメリカのオーディエンスの思考回路が単純に幼稚になっているとも言える。

「最初にアメリカに渡った日本人プロレスラーはソラキチ・マツダで、時代でいうと1880年代終わりから1890年代のこと」（斎藤）

鹿島　先日も防衛省の新型コロナワクチン大規模予約システムの不備を、毎日新聞と毎日新聞出版、それから朝日新聞出版『AERA』の記者が検証したじゃないですか。ボクはマスコミとして当然のことであり、スクープでもなんでもないと思ったんですけど、岸信夫防衛大臣とか安倍（晋三）さんとかがツイートで「悪質行為」「愉快犯だ」って書くと、特に「毎日」とか「朝日」に反応する人たちがリアルに攻撃に向かいましたよね。

斎藤　それこそ犬笛で合図されたかのように、一斉に書き込んでました。

鹿島　これがプロレスのリングの中だったら、「ああ、こういう対立を煽るためのアピールか」と思うんですけど、それを政治家、しかも防衛大臣、前総理大臣という立場の人がやっているという。これはポピュリズムがさらに一段階上がった、シン・ゴジラ的な意味の「シン・ポピュリズム」みたいな状況になったなと。ボクらはこの手の手法をプロレスでさんざん学んできたから、「これは違うな」って思っちゃうわけですよ。

――一線を超えたというか、底が抜けた感じがありましたよね。そこまで下衆なことはやらないだろうということを平気で超えてしまうという。

鹿島　けっこうビックリしたのが、ある漫画家が「こういうのは、気づいた記者が社の幹部に頼んで総理や防衛大臣に連絡してもらい、不正な予約ができてしまうことをまず政府側に教えて、対処法などを聞いた上で、記事もゲラも事前確認してもらい、報じるべきだったね」ってツイートしていたことですよ。「それ、本気で言ってるのか？」って思いましたね。

斎藤　いつの間にか検閲意識が刷り込まれているんじゃないですかね。あれが大多数じゃないことをボクは願いますよ。それとも組織的なツイートのアルバイト？

鹿島　でも、力の強い人が大声を出すと、そういうことを言い出す人が一定数いる。あれもトランプ式ですよね。

――こんなのプロレス界のような、団体とマスコミが持ちつ持たれつの関係の世界でもおかしいですよね。週プロ編集長時代のターザン山本が、表紙と巻頭原稿を事前に新日本現場監督の長州力に見せて許可を得てから出すとか、そんなわけないでしょっていう（笑）。あの時代の長州力すらやらないことを、一般紙にやらせろって言っているわけですからね。

鹿島　ジャンルもスケールも全然違うんですけど、雛形をボクらは90年代のプロレスで見ていたんですよね。「あっ、そういうことをやっちゃうんだ」っていう。

斎藤　あくまでもマスコミは、取材対象あるいは権力のある場所から独立して存在していなければいけないっていう大前提が絶対にあります。ネット社会がオーディエンスというか一般大衆を〝情報〟に対してとことん従順にしてしまった結果なのかもしれないけれど、その認識が抜け落ちている人がいきなり多くなった気がします。

鹿島　当時の長州さんが、「マスコミは東スポだけあればいい」って言っていましたけど、時代を経ても権力者というのは、だいたいああいう考え方だということがボクは学べましたね。

――ちょっと話を当初の他民族やマイノリティへのヘイトというテーマに戻しますけど。ある意味でプロレスは、そういった大衆の深層心理を煽ってビジネスにしてきた側面があったわけですよね。そして戦後のアメリカにおいて、日本人へのヘイトの感情を逆手に取って成功してきたのが、日系ヒール、日本人ヒールの存在だったと思うんですよ。

鹿島　自ら反日感情を煽っていたわけですもんね。ズルい奇襲攻撃を仕掛けて、〝パールハーバー・アタック〟と言ったりして（笑）。

――なので今回は、そんなアメリカにおける日本人、日系レスラーの歴史もフミさんにうかがっていきたいなと。

斎藤　いまガンツくんが話した、いわゆる日系人ヒールというキャラクターが誕生したのは、やはり第二次世界大戦前後の流れからなんですね。でも最初に日本からアメリカに渡った日本人プロレスラーは、それよりずっと前にいて、元序二段力士のソラキチ・マツダですよね。１８８４年（明治17年）にデビューして１８９０年代まで活躍した。

――明治時代の前半ですね。

斎藤　まだ20世紀にもなっていない19世紀末ですから、もちろんアメリカに反日感情なんかなかった。でも、〝ジャップ〟と呼ばれていたのは、ジャパニーズの最初の3文字（ＪＡＰ）だったからという、ただそれだけの理由だった。

――略称、あだ名みたいなものだったと。

斎藤　ソラキチ・マツダは、アメリカのプロレスラーと異種格闘技戦みたいな感じで、相撲のままのスタイルで闘っていたようなんです。そして20世紀に入ると、日本人で初めてプロレスの世界チャンピオンになったマティ・マツダさんという人が現れます。

鹿島　そんな前から日本人の世界王者っていたんですね。

斎藤　マティ・マツダは、日露戦争の徴兵を逃れるためにアメリカに渡ったと言われている人なんです。そして１９２０年代にテキサス州エルパソで、世界ジュニアウェルター級チャンピオンとなり、アメリカ人女性と結婚して、日本には二度と帰ってこなかった。アメリカ人になったということでしょうね。

鹿島　移民として暮らしていくっていう意味でレスリングをやっていたっていうことでしょうね。

斎藤　本名・松田萬次郎という熊本県生まれの日本人が、マティ・マツダというアメリカナイズされた名前になって、英語を身につけてアメリカ人女性と結婚して永住した。アメリカン・ドリームと言ってもいいでしょう。でも当時、マティ・マツダの試合を報じる新聞には、ステレオタイプの日本人的なコスチュームを着ていたという記述はないんです。

――着物を着て登場したり、ちょんまげを結っていたり、ことさらに〝日本人〟を強調してはいなかったと。

斎藤　それから日本ではあまり活字化されていない日本人レスラーとして、1930年代にカリフォルニアで凄く人気を博したカイモン・クドー（これまでのカタカナ表記ではキマン工藤となっている場合が多かった）という日系アメリカ人がいるんですけど、その人も人種差別的なヒールではなく、普通にアスリートとしてのイメージで活躍した人だった。だから悪い意味でのステレオタイプの日本人レスラー像、つまり塩を撒いたり、四股（しこ）を踏んだり、地獄突きをしたり、うしろから奇襲の〝パールハーバー・アタック〟を仕掛けたりするのは、やっぱり第二次世界大戦後の話。**ミスター・モト**、**グレート東郷**らの世代あるいはその時代のプロモーターが生み出したものですよね。

【ミスター・モト】
米国ハワイ州生まれの日系アメリカ人レスラー。戦後アメリカマットの「悪い日本人」キャラクターの先駆け。引退後は日本プロレスの在米ブッカーを務めた。本名チャーリー・イワモト。1991年7月死去。享年75。

【グレート東郷】
「血はリングに咲く花」という名言を残した日系悪役レスラーの大御所。レスラーとして、また日本プロレス創成期のアメリカ側代理人として富を築いた。ジャイアント馬場のアメリカでのマネジャーも務めた。本名ジョージ・オカムラ。1973年12月、胃がんで死去。享年62。

――当時の一般的なアメリカ人が想像する、敵国の日本人像を思いっきりデフォルメした姿を演じたわけですね。

斎藤　実際にグレート東郷やミスター・モト、ふたりのご両親（アメリカ国籍を取った日系一世のアメリカ人）は、戦時中は収容所行きになっているんです。要するに見た目が日本人だから、日系アメリカ人なのか、侵略してきた日本人のスパイなのかわからないから「隔離せよ」っていうことで。ひどい話ですけど、ある意味ではナチスによるユダヤ人虐待と似たような扱いを受けた過去があるんです。

「かつてのプロレスにあった無意識の大衆の声がまだUFCの会場では反映されていて、はけ口になっちゃっているわけですね」（鹿島）

――戦後はそれを逆手にとって、ヒールとして大成功。巨万の富を築くわけですから、たくましいですね。

斎藤　当時、彼ら日系レスラーのヒールとしての商品価値はとても高かったんです。〝ズルい日本人〟というキャラクターが大ヒットして、トーゴーやトージョー、オオヤマ・カトー、グレート・ヤマトといった、〝日本人〟を名乗るヒールがアメリカ中に登場した。そういった日系レスラーを描いた小説が村松友視さんの『七人のトーゴー』で、その〝ブーム〟は、ミツ・アラカワ、デューク・ケオムカ、キンジ・シブヤあたりまで続くんです。

鹿島　いわゆる〝戦後〟が色濃く残っていた時代まで続いたわけですね。

斎藤　みんな角刈りか坊主頭で、下駄、着物姿。お相撲さんじゃないのに塩をまいて土俵入りみたいなことをしたり、四股を踏んだりする。「ジュードー・チョップ」なんていう柔道にない技を使ったり。要は当時のアメリカ人は、柔道も空手も日本人も中国人も区別がつかないから、いろんなイメージが混ざり合っていた。いってみれば、いまの大雑把なアジア人に対するヘイトに近かったんです。

鹿島　その曖昧なヘイト感情を、グレート東郷らはまんまと利用していたと。

斎藤　きっとヘイトってシンプルな入り口を好むんですね。黒人だから悪いヤツに決まってるとか、ジャップは奇襲攻撃を仕掛けてくるとか。だからグレート東郷も、アメリカ人が思い浮かべるわかりやすい悪のイメージということで、デビュー当時は「グレート・トージョー」を名乗っていたんですけど、東條英機そのままの「トージョー」はまずいだろってことで「東郷」にマイナーチェンジしたというエピソードもある。

――「トージョー」だと、さすがにシャレにならないわけですね。

斎藤　同じような理由で変更されたリングネームでいうと、近年では鈴木健想がＷＷＥに行ったとき、最初に用意されていたリングネームが「ヒロヒト」だったんですね。

鹿島　そのまんまですね（笑）。

斎藤　向こうは「なんでダメなの？」って感じだったらしいんですよ。健想選手が「ヒロヒトは絶対にまずいです。問題になります！」って言っても、向こうはまだキョトンとしていたっていう状況だったらしい。わからないんでしょうね。

——ミスター・ヒトさんの「ヒト」はヒロヒトの「ヒト」なんですよね。

斎藤　そうです。でも「ヒロヒト」そのままじゃまずいから「ヒト」にしたわけです。

——だから、かつてアメリカのプロレス界は、大衆の潜在的な差別心のようなものを、どこかカジュアルに興行に使っていたようなところがありましたけど、いまはそうしたものがほぼなくなりましたよね。ＷＷＥに「悪い中国人」みたいなキャラクターは出てこないですもんね。

斎藤　80年代までのＷＷＥはわりとステレオタイプな誇張があったりしましたけど、差別的なアプローチだったり、性別や国籍や肌の色で優劣をつけたりすることは、いまはまずないですね。ＷＷＥはパブリックトレードカンパニー、つまり株式を公開している上場企業なので、現実問題として差別的な単語やコンプライアンス的に問題になるもの、倫理的にきわどいストーリーラインは一切ないんです。

鹿島　だからこそ人権的な部分で進んでいるわけですね。

斎藤　そういう面でも**ポリティカル・コレクトネス**の会社になっているわけです。

鹿島　冒頭で、あの頃は無思想だからこそ、ヘイト的な感情のはけ口としてのエンターテインメントになっていたという話をしましたけど。いまはそこはちゃんと管理されているわけですね。

——ＷＷＥは民族差別的なアプローチをエンターテインメントに落とし込むことを一切し

【ポリティカル・コレクトネス】
社会的に公正、公平、中立的で、なおかつ差別や偏見が含まれていない言葉や用語のこと。職業、性別、人種、宗教、ハンディキャップなどがそこに含まれる。

なくなりましたけど、逆にそういう規制がまだゆるいUFCなんかでは観客側にそういったものが残っていたりするんですよ。

鹿島　スポーツであるがゆえに、主催者が意図していない部分でそういうことが起こってしまうわけですか。

――そうなんです。UFCはこの春から有観客での大会を再開しているんですけど、ジャン・ウェイリーという中国人女性チャンピオンに対して、あきらかに「アメリカ人vs外国人」という意味を超えたブーイングが飛んでいたんですね。UFCっていまやメジャーなスポーツで、一般のスポーツ観戦する人たちがアリーナを埋め尽くしているからこそ、日常生活では大っぴらに口にすることはない、深層心理の差別心みたいなものが、スポーツの応援で出ちゃっているなと感じたんですよ。

鹿島　かつてのプロレスにあった無意識の大衆の声が反映されて、はけ口になっちゃっているわけですね。

斎藤　そのとき、実況や解説者はどういうふうにまとめていたんですか?

――アメリカの実況、解説者がそのときになんと言っていたかはわからないんですけど、たとえば試合前の記者会見で舌戦になったとき、相手選手に対して民族差別的なことを言ったら、もの凄く批判されるんですよ。でも観客の声みたいなものはコントロールできないので、どうしても「アイツをやっつけろ!」みたいな空気になることがある。

斎藤　それはシュート競技、あるいは暴力をルール内に封じ込めたスポーツの宿命なのかもしれないですね。誰かがやられているところを観たいという欲求もあるだろうし。

――凄くカジュアルに自国の選手に声援、他国の選手にブーイングという観戦スタイルがあるので、ヘイトな罵声やブーイングが入り込む余地がある。そういう面ではWWEのほうがずっと進んでいるなって思いますね。

斎藤　WWEはファミリー・エンターテインメントですから基本的なスタンスは凄くリベラルです。「この国の人だからヒール」という偏見を助長するようなストーリーは完全になくなりました。アメリカでは、肌の色や宗教的、民族的なバックグラウンド、しゃべる言語、そしていまいちばん重要なテーマとしてLGBTQ（性的マイノリティ）を理由に差別してはいけませんということを、小学校からしっかり習いますしね。日本はそういう教育が遅れているというか、そういう授業自体が存在しないのが現実だけど。

鹿島　トランプが大統領に就任したとき、ボクはラジオ番組でフミさんに取材をさせてもらったんですけど。そのとき、「ビンス・マクマホンはトランプと仲がいいから、今回大統領になったことで鼻高々ですか？」って聞いたら「いや、じつはそうでもない」と言われていましたよね。「WWEは全世界に発信しているエンターテインメントだから、むしろ黙っている」みたいな。これが昔だったら、トランプが中国、ロシアなんかに対して言うことをリングで使う可能性もあったけれど、30年前とは違う、という。

「武藤敬司は身体能力が凄すぎて、ヒールでありながらその動きでアメリカの観客の目を釘づけにしてしまった」(斎藤)

――イラク戦争や湾岸戦争に乗じて、アイアン・シークやサージャント・スローターをヒールで使った時代とは違うってことですよね。

斎藤　東西冷戦時には、イワン・コロフとかニコライ・ボルコフとかロシア人をヒールとして使ったりした時代がありました。そういうことも、現在はもうないです。いまは家族愛やファミリーの名誉を論じるローマン・レインズがヒールの親分で、セス・ロリンズは人類を救済してくれるメシアで、どっちがベビーフェースでどっちがヒールかもわからないようなディスプレイになりつつあります。

鹿島　その選手個人のキャラクターの闘いになっているわけですね。

斎藤　第二次世界大戦後までは日本人のずるいヒール、ドイツ人のナチスの亡霊ヒールがいてっていうのがあったけど、その後、冷戦時代のストーリーラインとしてロシア人ヒール、あとはイラン人ヒールにシフトしていった。そのへんまではわかりやすかったけど、いまたとえばイスラエルやアフガニスタンから来たヒールというのはありえない。

鹿島　問題が単純じゃないわけですよね。

斎藤　しかも、そういう国際問題を出発点にしたヒールが成功しすぎると、それこそテレビで繰り返し流される偏った映像と情報がヘイトクライムの土壌になったりする危険性もある。だから9・11のあとにちょっとだけ、イラク人キャラのヒールっていうのが出てきたんだけど、「これはまずいな」ということで、すぐに引っ込めましたからね。

――シャレにならないから、すでにそういう国際問題系ヒールは禁じ手になっているわけですね。

斎藤　まさにポリティカル・コレクトネスの時代ですね。ごくまれにこれはグレーゾーンではないかと思われるネタがウケたりする場合もあるけれど、根本はポリティカル・コレクトネスは守らなければならないのが現代のルールですから、「それは差別的な表現だから絶対にダメ」っていうところが日本のSNSと比較するとアメリカのソーシャルメディアのほうがはるかに徹底されていますよね。

鹿島　皮肉ですよね。プロレスが進化して「差別心を利用するようなことはやめよう」と言ってるのが、政治の場ではどんどん利用されているっていう。

斎藤　イロハのイで、人々を分断することで権力を維持しようとする。

鹿島　仮想敵を作ってね。でも、いまやプロレス界ではそういう手法は使わず、「いろんな価値観があっていい」という進歩的な考えを実践している。そこがおもしろいですよ。

――いま、WWEには日本人選手が何人も上がっていて、ヒールをやっている人もいますけど、「日本人だから」という理由でヒールなのは、ひとりもいませんからね。

鹿島　昔は日本人レスラーの海外武者修行といったら、例外をのぞいて、ほとんど「日本人だから」という理由でヒールでしたけど。大きく変わりましたよね。

斎藤　かつてのアメリカのプロレス界では、1950年代からずっと続いて1980年代半ばまで、田吾作タイツを履いたヒールでしたからね。蝶野正洋あたりまで、それが残っていた。

――闘魂三銃士のときの白のニータイツは、その名残りですよね。

斎藤　太ももの部分に「JAPAN」って文字を入れてましたもんね。あれはマサ（斎藤）さんのトレードマークだったニータイツのオマージュだったのかもしれないけど。それ以前にアメリカにいた、ザ・グレート・カブキになる前の高千穂明久とか、ケンドー・ナガサキに変身する前のミスター・サクラダ、アメリカ武者修行時代のグレート小鹿や上田馬之助、みんな田吾作タイツに素足で闘っていた。それで塩を撒いて、ずるい反則をする。「日本人」というのは、それをやらなければいけないキャラクターだったんでしょう。

鹿島　そういう意味で言うと、武藤（敬司）さんっていうのは画期的だったんじゃないですか？

斎藤　そうですね。身体能力が凄すぎて、ヒールでありながらその動きで観客の目を釘づけにしてしまった。アメリカに最初に行ったときはブラック・ニンジャだかホワイト・ニンジャだかという、いわゆる忍者キャラから始まって。

鹿島　「ずるい日本兵」のイメージより、「忍者」のほうが時代的に受け入れられるようになったんでしょうね。

斎藤　映画の影響もある新しいキャラクターでしたね。**ショー・コスギ**が出てきたあとで

【ショー・コスギ】
1948年、東京生まれ。本名・小杉正一。80年代前半に数多くの忍者映画に出演し、アメリカにニンジャブームを巻き起こしたアクション映画俳優。代表作に『ニンジャ』シリーズ、『ブラック・イーグル』などがある。息子のケイン・コスギ、シェイン・コスギも俳優。

すから。

――『**ベスト・キッド**』とかそういう世界の延長でもありますよね。

斎藤　それもまた一種のステレオタイプなのかもしれないけれど、ナラティブとしてはそれなりに進化していますね。

――80年代と60年代じゃ、世相がまったく違いますもんね。もはや戦後を引きずって見ている人は誰もいないという。だから武藤さんとマサさんでは、同じ全米トップヒールでも違う道を歩んできた。

斎藤　マサさんの場合、世代的に日系ヒール第一世代のベテランを助けて歩いていたんですね。最初に行ったサンフランシスコでは、歳が自分よりも15も上のキンジ・シブヤさんのタッグパートナーとして、リング上ではマサさんが9割くらいのバランスで試合をしていたらしいです（笑）。

――90年代の狼群団で、蝶野さんはいいところで出てくるだけで、天山広吉がほとんど出ずっぱりだったのと同じですね（笑）。

斎藤　フロリダに行けばヒロ・マツダさんがいて。マツダさんはベビーフェースだったから、マサさんはヒールに回って日本人対決をすることで助けたわけです。そしてニューヨークでは、日本語がしゃべれないミスター・フジとタッグを組んでました。

鹿島　マサさんは凄いですね。

斎藤　ベテランと組んでメインイベントに立てるから、若い頃からギャラもよかったみた

【ベスト・キッド】
1984年に第1作が公開されてアメリカで大ヒットした空手映画。多くの続編が作られ、2018年には第1作の34年後を描いた『コブラ会』という映画が配信された。

いなんですよ。マサさんは、キンジ・シブヤ、ミツ・アラカワなどいわゆるグレート東郷世代よりはひと世代若いので。

「日本のガラパゴス文化というのはマイナスの意味で使われることが多いけど、プロレスに関してはそれが大きなセールスポイントになっている」(鹿島)

鹿島 大御所MCが番組で重宝する若手芸人みたいですね。「おまえ、裏回しやってて」みたいな感じで一緒に売れていくという。ともすれば日本人レスラーは、修行で海外に行くとだいたい同じパターンかと思いきや、マサさん、武藤さんみたいな全然違うパターンもあったんですね。

斎藤 その時代に合ったプラスアルファがあるんだと思います。またボクら日本のファンから見れば、日本人の期待の若手が順番に海外遠征に出て行くっていうのは凄く夢がありましたよね。それで月刊のプロレス雑誌に海外で闘っている試合写真が掲載されて、「意外とアメリカで活躍してるな」ってうれしくなったり。

――それまで前座だった若手が、本場アメリカでチャンピオンシップをやっていたりするわけですもんね。

鹿島 80年代後半になって、馳浩さんがベトコンになったのもおもしろかったですよね。

斎藤 あの時代は、キャラクターとして日本人ヒールが必要なくなったというか。カルガリーには日本人選手が常に何人かいましたから、神秘性も薄れていたんだと思います。
――日本経済が絶好調で、世界中にトヨタのクルマが走っている時代ですもんね。田吾作タイツじゃリアリティがなさすぎるという（笑）。
鹿島　その馳浩は、のちに文部科学大臣になってからベトナムに訪問しているんですよね。あれは感慨深いものがありましたよ（笑）。馳さんの中ではどういう気持ちだったんだろうと。だってベトコンですよ？
――**元ベトコン**の凱旋（笑）。
鹿島　ベトナム国民は知ってるのかって思いましたけどね（笑）。
――日本人レスラーのアメリカでの活躍も、いまはだいぶ変わりましたよね。70年代までは戦争を引きずったヒールだったのが、いまは「日本のプロレス」そのものや「ストロングスタイル」がいちばんのセールスポイントになっているという。
斎藤　だからＳＡＲＲＡＹ（元Ｓａｒｅｅｅ）選手は、「日本と同じスタイルでやってください」と言われてＷＷＥに行ってますよね。ＮＸＴ ＵＫではコーチ兼任になる里村明衣子もちろんそういう路線です。
鹿島　情報の発達、映像の発達もあって、アメリカのコア層は「日本のあの選手を、日本のスタイルのまま見たい」というニーズになっているんでしょうね。また、日本がプロレス先進国で、海外の人たちが憧れるようになって。
斎藤　選手や関係者にとって、日本はまだまだプロレスの夢の国であり続ける。他国とは

【元ベトコン】

馳浩が先輩・新倉史祐と1986年にプエルトリコへ海外武者修行に出た際、現地で覆面コンビ、ベトコン・エクスプレスに変身。新倉が1号で馳が2号。日本人ではなく、ベトナム戦争でアメリカ軍と戦った、南ベトナム解放民族戦線の生き残りという設定だった。

違った形でガラパゴス進化したという歴史があるし。

鹿島　一般的に言うと、日本のガラパゴス文化っていうのは「そこでしか通用しない」「ワールドワイドじゃない」「グローバルじゃない」というマイナスの意味で使われることが多いですけど、プロレスに関しては、それが大きなセールスポイントになっているわけですね。

斎藤　日本はプロレスを輸入したときから、アメリカのまんまのフォーマットでやらなかったことがよかったんだと思います。真剣勝負としてのテイストを多分に含んだプロレスとして、またそれを真剣に論じるプロレスファンがガラパゴス的に生息して、それが70年続いたことでいまの型ができたわけですから。

——世界に類を見ないプロレスとして、価値が生まれたわけですよね。

斎藤　そのジャパニーズスタイルのプロレスをやってみたいと、海外の若者たちが新日本の道場でヤングライオンになるという流れもすでにできていますしね。

——かつて日本から、ゴッチ道場に修行に行くような感じの逆バージョンで、アメリカやイギリスから新日本の道場に入る人が何人もいるという。

斎藤　ケニー・オメガ、ジェイ・ホワイトのような〝日本製〟のトップレスラーも生まれてきていますからね。

——だから「猪木イズム」や「ストロングスタイル」は過去のものみたいな言われ方をした時期もありましたけど、日本が世界に誇る財産だったわけですよね。

斎藤　トリプルHのように影響力、発言力のある人物がそれを学習、研究して、猪木さんのことや日本の道場システムのことをなんでも知っているような状況になって、ＷＷＥにそのエッセンスを導入しているわけです。

――ＳＡＲＡＹや里村選手の試合を向こうの実況で観ると、「ジョシプロレス」っていうカタカナの言葉が凄く肯定的に使われていますよね。その「ジョシプロレス」というのは、つまり全女スタイルのハードなプロレスを意味する言葉になっているんですよね。

鹿島　世界に愛される日本のカルチャーはアニメだけじゃなく、プロレスもそうなんだぞと。

――リアル・クールジャパンですよ。政府の援助なんかはまったくないけど、世界に通用しているわけですから。

斎藤　新日本プロレスが２０１９年にマディソン・スクウェア・ガーデンでも興行にこぎつけたのは、提携先であるＲＯＨ（リング・オブ・オナー）の弁護士が「ＭＳＧをＷＷＥだけに使わせているのは独禁法違反ですよ」と訴えたことでそれが実現したというかにもアメリカ的な展開はありましたが、その前に2年間にわたって、毎週ケーブルテレビで『ワールドプロレスリング』の編集版を英語実況付きで全米放映していたから、アメリカ人の間で「生で観たい」という欲求が高まった結果でした。

鹿島　言葉をかならずしも必要としない、試合映像だけで海外の人たちにもわかるというのが、プロレスの強みですよね。

斎藤　そして新日本&ROHのマディソン・スクウェア・ガーデン大会に満員の観客が集まって、メインイベントで現地の人たちがオカダ・カズチカの試合に熱狂していた。これは凄いことだと感じました。

鹿島　かつてアメリカマット界では、「日本人」というだけで田吾作タイツを履いた悪役だったのが、MSGという殿堂でスーパースターとして主役を張るようになったわけですからね。

斎藤　プロレスは技術面だけでなく、そういったオーディエンスへのアプローチの面でも進歩しているし、オーディエンスのほうにも偏見、差別的な視点はまったくない。そこはプロレスに関わっているすべての人々がもっともっと誇りにしていい部分だと思います。いまPURORESUがついに英語化しています。

第16回

プロレスラーと引退

ほかのプロスポーツとは意味合いが大きく異なるプロレスラーの「引退」。

テリー・ファンクや大仁田厚は引退表明後に約1年間にわたって大々的に引退ツアーを行ったが、わずか1年数カ月後に復帰したことで大きな波紋を呼び、そして引退から復帰という流れはプロレス界の慣習ともなってしまった。

この「現役復帰」に嫌悪感を示すプロレスファンはけっして少なくないが、あらためてプロレスラーの引退について深く考察してみたい。

（『KAMINOGE116』2021・8）

「テリー・ファンクが1年後に引退を正式に宣言した頃、全日本は新日本に観客動員数もテレビ視聴率も大きく差をつけられていた」（斎藤）

――今回は「プロレスラーと引退」をテーマで話していこうと思うんですけど。以前、鹿島さんとは「プロレスラーの復帰とバンドの再結成が似ている」という話をしたことがありましたよね。

鹿島　**プロレスリング・マスターズ**を観に行ったときですよね。ボクはあの興行を初回から観ているんですけど、いわゆるベテランやOBが出るほかの興行とはちょっと違ってて、「これはなんだろう？」と思ったとき、ガンツさんに「バンドの再結成に似てる」と言われて凄く納得したんですよ。単なる懐メロではなく、いまを生きている姿をリング上で見せて、40代以上のファンが会場に詰めかけて熱狂しているというね。

――いまはミュージシャンも、20代で売れた人が60代以上になっても現役バリバリだったりする人も多いので、そこも似ていますよね。

斎藤　猪木さんがいま78歳で、ミュージシャンでは吉田拓郎、井上陽水がそのあたり？

――そのちょっと前くらいですね。拓郎が75歳、陽水が72歳ですから。

斎藤　浜田省吾や甲斐バンドの甲斐よしひろは？

――60代後半ですね（ともに68歳）。桑田佳祐と佐野元春が65歳で。

斎藤　音楽に引退はないですからね。アルバムを作り、ライブを続けていくこと。だから

【プロレスリング・マスターズ】
武藤敬司がプロデュースし、2017年から年に2回のペースで後楽園ホール大会を行っていた興行。プロレスの「達人」集結をコンセプトとし、主に80年代、90年代に活躍したレジェンドレスラーが数多く出場し、オールドファンを中心に毎回、超満員の観衆を集め好評を博した。2020年2月以降、コロナ禍での開催は自粛中。

プロレスは音楽に近いですよね。

鹿島　ファンが一緒に歳をとって、それなりにお金を使えるというのは、ホントに豊かなジャンルだなって思いますよ。

――若い頃、夢中になったスーパースターがいまでもがんばっている姿は見ていてうれしいものですけど、プロレスラーの場合、引退していながらあっさり復帰しちゃうので、いろいろ言われるわけですよね（笑）。

斎藤　それは悪い伝統だと思いますか？

――ボクは復帰は悪いと思わないんですけど、ファンの喪失感を煽って大々的に引退をビジネスにしていながら、いともあっさり復帰する例があるから「騙された」っていう怒りにもつながってしまうんだろうなと。

斎藤　大仁田厚のようにですか。

――また、それを最初にやってしまったのが、日本プロレス史上最大のアイドル人気を誇った外国人レスラーである**テリー・ファンク**ですよね。

鹿島　あの引退フィーバーは凄かった。たしかテリーの引退で1年くらいシリーズを回りましたよね？

斎藤　そうでしたね。「来年の夏に引退」と謳って日本列島縦断ツアーをやった。

――さらに言うと、1980年（昭和55年）の時点で「3年後の誕生日に引退する」っていう発言もあったので、3年引っ張ったとも言えるんですよね（笑）。

【テリー・ファンク】
元NWA世界ヘビー級王者で、兄ドリー・ファンク・ジュニアとのコンビ、ザ・ファンクスとしても活躍。若い女性ファンが親衛隊を結成するなど、日本のプロレス史上、もっともベビーフェース人気を集めた外国人レスラーでもある。その人気は1983年8月31日、蔵前国技館で行った引退試合でピークを迎えたが、わずか1年で復帰を宣言したことで、一時その人気は急落。しかし、90年代に入ると日米のインディー団体で、ハードコアレジェンドとして再び大活躍した。2009年には兄ドリーとともにWWE殿堂入りを果たしている。

斎藤　雑誌のインタビューで、テリー本人としては「ヒザのケガもあるし、あと3年くらいやって、あとは牧場でのんびりしたいな」ぐらいの漠然とした願望を語っただけだったようなんですけど、その発言がことあるごとに使われるようになったんですね。

——本人の意図とは違う形でアングル化していってしまったという。

鹿島　テリーの発言に全日本が乗っかっていった感じですかね。

斎藤　全日本と、おそらくそれをテレビ的に加工したのは日本テレビでしょうね。

鹿島　なるほど。引退試合も特番で生放送でしたもんね。

——で、なぜ全日本と日テレが「テリー引退」ということを仕掛けたかというと、当時の日本のポップカルチャーシーンは「引退」「解散」がトレンドだったんですよ。

鹿島　ああ、たしかにそうですね。

——１９７８年（昭和53年）のキャンディーズ解散が社会現象になったことを皮切りに、70年代末から80年代半ばにかけて、ある種の「さよなら」ブームが起こるという。

鹿島　キャンディーズ解散に続いて、山口百恵の引退ですよね。

——あれが１９８０年ですね。それ以外にも１９８１年（昭和56年）のアリス解散とか、１９８３年（昭和58年）のＹＭＯ解散（「散開」という表現をした）とか、後楽園球場、日本武道館でさよならコンサートをやるのがトレンドになって。しかもその引退、解散に向けて、大スターの人気がさらに爆発するという現象が起こっていた。それをプロレス界で初めてやったのがテリー・ファンクだったわけですよ。

鹿島　もちろんテリー本人はそんなムーブメントは知らず、「3年後に引退したい」的なことを口にしたら、まわりが「じゃあ、それをやっちゃおう」となったわけですよね。

斎藤　ボクはテリー本人からそのへんの話を聞いたことがあるんですけど、テリーが「1年後に引退」を正式に宣言した頃、全日本は初代タイガーマスクの出現で大ブームになった新日本に観客動員数でもテレビ視聴率でも大きく差をつけられていたんですね。蔵前国技館で創立10周年記念興行（1981年10月9日）をやっても、その前日に同じ蔵前でやった新日本に差をつけられてしまって。

鹿島　馬場&ブルーノ・サンマルチノ組がメインのやつですね。

斎藤　そうでした。サンマルチノと上田馬之助が絡んだっていう異次元カードがありました（笑）。でも興行的には新日本の完勝で、馬場さんも相当頭を抱えていたらしいんです。だからテリーは、自分の引退宣言は全日本の人気挽回のためのカンフル剤だったことを暗に語っていましたね。

鹿島　ということは、全日本が「テリー引退」というコンテンツ、切り札を作ったということなんですね。

斎藤　その切り札を全日本が切ったんですね。「このままじゃ、差が開く一方だ」ということでね。テリーが「1年後の引退」を宣言した1982年（昭和57年）、新日本はタイガーマスクが人気絶頂で、第1回IWGP開催に向かって盛り上がって、藤波vs長州の名勝負数え唄がスタートした時期でした。

「日本のプロレス史で考えると、力道山も引退しないでこの世から去ってしまって、大スターの引退ということに対してファンも慣れていなかった」（鹿島）

鹿島　それに対抗するには「テリー引退」しかなかったと。

斎藤　そしてトップシークレットで、引退から1年後の復帰もすでに決まっていた。

鹿島　引退前から復帰の時期まで決まっていた！（笑）

斎藤　引退後もテリーの来日スケジュールは決まっていて、試合はしないけれど、兄ドリーのマネジャーとしてシリーズに帯同したり、タキシードを着てジャンボ鶴田とニック・ボックウィンクルのＡＷＡ世界戦のレフェリーをやったりしていましたね。

――来日の頻度は引退前と変わってないんですよね（笑）。

斎藤　そうなんです。もちろんギャランティも保証されていたんでしょう。

鹿島　引退した１９８３年の時点でテリーはいくつだったんですか？

――38歳ですね（笑）。

鹿島　バリバリじゃないですか！（笑）

――いまの飯伏幸太、内藤哲也の1歳下ですから（笑）。冷静に考えれば、本当に引退するわけないっていう。でも山口百恵は21歳で引退して、その後一切表舞台に出て来ませんでしたからね。

鹿島　そのおかげで「引退＝二度と観ることができない」という印象がより強まって、プロレス界も影響を受けてしまったという（笑）。

斎藤　あそこまで表舞台に出ないことを徹底しているのは山口百恵だけですよね。たいていの人は結局顔を出しちゃいますよね。

――キャンディーズも解散後にそれぞれ芸能界復帰はしましたけど、メンバー同士が公の場で顔を揃えるのは、スーちゃん（田中好子）のお葬式まで結局なかったんですよ。

鹿島　だからこそ、山口百恵もキャンディーズも伝説になりえたんでしょうね。

――それなのに同じくらい感動的な引退を行ったテリーは、たった1年で復帰しちゃったから、よけいに「なんでだよ！」ってなったという（笑）。

鹿島　ライト層というか一般の人たちはそうだったと思いますけど、当時のプロレスファンはどう思っていたんですかね？

斎藤　信じていたと思いますよ。

鹿島　日本のプロレス史で考えると、力道山も引退しないでこの世から去ってしまったし、大スターの引退ということに対してファンも慣れていないわけですよね。

――女子プロレスは別として、本当のトップレスラーの引退って当時はまだ一度もなかったんですよね。吉村道明、山本小鉄とか、バイプレイヤー的な選手の引退ならありましたけど。

鹿島　プロレス界では大スターの引退という先例がないからこそ、「さよならテリー・ファ

【オープンタッグ選手権】
全日本プロレス創立5周年を記念して、1977年の年末に開催したタッグリーグ戦。「他団体にも門戸を開き、世界最強のタッグチームを決める」というコンセプトから「オープン」という名称が付けられ、国際プロレス代表としてラッシャー木村&グレート草津も参戦している。それまで「タッグリーグ戦、年末興行は当たらない」というジンクスがあったが、豪華メンバーを揃えたこの大会はファンに大好評。とくに優勝決定戦となったザ・ファンクスvsアブドーラ・ザ・ブッチャー&ザ・シークは、今も語り草になる激闘となり、この試合がきっかけでテリー・ファンクの人気が爆発。年末のタッグリーグ戦も翌年から「世界最強タッグ決定リーグ戦」

ンク」とか、完全にキャンディーズ解散みたいなノリで大々的にやっちゃったんですね。

斎藤 引退を〝信じ込ませるため〟というわけじゃないんだろうけど、「このままだとテリーのヒザが破壊されて、歩けなくなってしまう」ということをことさら強調していたような気がします。

鹿島 ヒザが悪いのは本当だけど、ちょっと盛りすぎちゃったという（笑）。

——また当時のテリーは、女子高生とか若い女のコのファンがもの凄く多かったから、熱狂もエスカレートしてしまって。

鹿島 引退試合なんか蔵前国技館に女のコの親衛隊が多数詰めかけて、みんな号泣でしたもんね。

斎藤 ホテルでの出待ちが凄く多かった時代でした。ファンクスの場合は少年少女のファンが特に多くて、テリーは最後のひとりまでサインと写真撮影をしてくれるので、そのやさしさでよけいに好きになってしまうんですね。だから、たとえばサブゥーの元奥さんのミブゥーさんは10代の頃、ポンポンを持ったテリーの親衛隊でした。

——ライガーの奥さんもテリーの追っかけで、ボクは以前インタビューしたことがあるんですけど、「あのときは『テリーが死んだら、私も死ぬ』っていうくらいの気持ちだった」と言ってました（笑）。

斎藤 「テリーが死んじゃう！」ってファンが泣き叫ぶシーンは、**オープンタッグ選手権**でブッチャーがテリーの左腕にフォークを突き刺したことに始まり、ハンセンがブルロープ

と名称を変え、現在まで続く全日本プロレスの看板シリーズとなっている。

で絞首刑のようにする場面に引き継がれるわけですけど、いまになってみると、そもそもあれがテリーの大きな見せ場でもあったわけですよね。でもカムバックしたあとに同じようなことをしたら、ファンからブーイングされちゃったんです。

――要は魔法が解けちゃったという。

鹿島　「まさか、1年で復帰なんてありえない！」って感じで、みんなギョッとしちゃったわけですよね。

――引退後、ドリーのマネジャーとして来るぶんには、ファンも継続してテリーに歓声を送っていたんですよ。でも引退からちょうど1年後の田園コロシアム大会での馬場&ドリーvsハンセン&ブロディに乱入して血だるまにされて、「もう許せない！　復帰してアイツらとやってやる！」と宣言したんですけど、ファンは全然乗ってこなかったという。

鹿島　だから、そこが「引退」に対する日本人の潔癖なところですよね。「だっておまえ、辞めたよね？」っていう。しかも、キャンディーズ、山口百恵、王貞治の潔い姿を見ているだけになおさら反発が強まって。

斎藤　そのあたりはさすがの馬場さんでさえ目論みを誤ったんでしょうね。だから、あれだけみんなに愛されたテリーが戻ってくるというのに、歓迎ムードよりも明らかに裏切られた感が強かった。テリー自身、ファンの反応の鈍さには気づいていて「なんでこんなに？」と思っていたようです。

――そしてテリーは1984年（昭和59年）の最強タッグで復帰が決定。『全日本プロレス中継』でも、復活へのカウントダウンということで、アマリロまで特訓映像を撮りに行って、毎週「テリー復活」を煽ったんですけど、ファンの機運は一向に高まらなかった。

鹿島　だって引退して1年しか経っていないわけですからね。

斎藤　そこはテレビ的な発想の傲慢さのようなものを感じますよね。

「タイガーマスクの引退は完全に新日本の御家騒動で、テリー引退は興行そのものは盛り上がったがその後の復帰でミソをつけた」(斎藤)

——しかもその最強タッグ期間中に、長州力率いるジャパンプロレス軍団が参戦してきて。テリーとハンセンの因縁なんかどっかにいっちゃったんですよね。

斎藤　テリーの引退と復帰もそうですが、ジャパンプロレスとの提携にしても、ダイナマイト・キッド&デイビーボーイ・スミスの引き抜きにしても、事実上、日本テレビ主導でしたよね。日テレから「いまのこのメンバーだと視聴率が取れない」と言われたから、全日本はテレビ局の意向で動いたわけで。

鹿島　結局はテレビ局同士の戦争ですよね。それもまだお金があった頃の。

——だからテレ朝『ワールドプロレスリング』に出ていた〝数字が取れる〟人気選手を引っ張ってくるという。

斎藤　〝数字が取れる選手〟っていう発想自体が凄くテレビ的で、純粋にプロレスと接しているファンからすれば、なんとなくいかがわしい。だけど、日テレとしては、それだけ当時の日本人エースであるジャンボ鶴田、天龍源一郎に対する評価が低かったんでしょうね。

――正直、80年代前半においては、新日本の猪木、藤波、長州、タイガーマスクに対して、全日本の馬場、鶴田、天龍は、人気の面で大きな差がついていましたからね。

鹿島　その新日本人気に唯一対抗できたのがテリー・ファンクだったから、引退フィーバーや1年で現役復帰みたいなことを半ばやらされてしまったわけですよね。

――そして日テレからすると、当時大人気だった長州力もほしいし、タイガーマスクもほしい。なんだったら、中身は本人じゃなくてもいいってことで**2代目タイガーマスク**にもGOサインが出たんでしょうしね（笑）。

鹿島　あれはビックリしましたよね。大人の世界が垣間見えた瞬間というか。「なんで全日本に違うタイガーマスクができてしまうんだ？」っていう。

――1984年7月の蔵前で2代目タイガーマスクの初お披露目があったとき、徳光和夫さんがリング上で前口上をやって「タイガーマスクが日本テレビに帰ってまいりました！」って言ったんですよ。つまり、アニメの『タイガーマスク』はもともと日テレなんですよね。

斎藤　元祖は昭和40年代の日テレのアニメで、佐山タイガーのデビューに合わせてテレ朝で放送されたのは『タイガーマスク二世』でしたね。

――だから、徳光さんは「『タイガーマスク』は、もともとウチのコンテンツだよ」ってい

【2代目タイガーマスク】
1983年8月に佐山サトル扮する初代タイガーマスクが引退（新日本プロレス退団）した1年後、全日本プロレス期待の若手レスラーとしてメキシコ修行中だった三沢光晴がマスクを被り、全日本マットに登場した2人目のタイガーマスク。「初代より大型のダイナミックなタイガーマスク」として期待されたが、どうしても初代の動きと比べられてしまい、人気爆発には至らなかった。

う。プロレスファンからすればそんなの関係ねえよっていう話なんですが（笑）。

斎藤　そこでそのロジックを持ってくるっていうのはとても政治的ですからね。

――で、話を「引退」に戻すと、80年代ってじつは馬場、猪木も「引退間近か？」と言われていたんですよね。試合に負けたりすると「馬場、引退か？」みたいなことが毎回のように言われていたじゃないですか。

鹿島　『週刊プロレス』の創刊号は表紙がタイガーマスクでしたけど、その半年後くらいに週刊化した『ゴング』の創刊号表紙は、馬場、猪木を交差させて「年内揃って引退説」という表紙でしたもんね。あいかわらず価値観は月刊時代のままで、よく語られるエピソードですけど、あれはおもしろかったですよね。

――なぜ、馬場、猪木の二大巨頭に引退説がやたら出たかというと、その前にプロ野球のONがグランドを去っているんですよね。王貞治引退と長嶋茂雄監督解任が同時に来て。だからONが辞めたあと、同じ大衆人気スポーツ選手として、馬場、猪木が40代になってまだやっているのはおかしいっていう空気が世の中にあったんですよ。

鹿島　当時のプロレスは、よくも悪くもプロレスファン以外の人にも広く観られるコンテンツだったから、プロ野球と同じ俎上（そじょう）に乗せられてしまったわけですね。

――実際、馬場さんは全日本の親会社である日テレから引退勧告をされて。それもあって、鶴田、天龍にエースを譲った流れもあって。

斎藤　そして新日本のほうは、猪木さんの体調問題があったんでしょうね。実際、198

1年に猪木さんはアンドレ・ザ・ジャイアントとのMSGシリーズ決勝戦を棄権していますけれど、あのときの猪木さんのボロボロぶりは当時すでに身体的な衰えを指摘されていた馬場さんよりもひどかった。

鹿島　そんな中で1983年8月にテリーの引退試合があり、その数週間前にはタイガーマスクが突然引退してしまうという。

斎藤　あれこそホントの引退というか、退団ですよね。新日本からの発表がまったくなくて、メディアでの発表だけでした。

鹿島　だから、リアルな引退っていうのはシャレにならないんだっていうことを気づかされましたよね（笑）。

斎藤　プロレスにはリアルな引退と、リアルじゃない引退があるっていうことがわかってしまった。

鹿島　1983年8月は、テリー・ファンクとタイガーマスクという、全日本、新日本それぞれの一番人気選手が同時に、しかも対照的な引退をしたっていうのが面白いですよ。

斎藤　タイガーマスクの引退は完全に新日本の御家騒動で、テリー引退のほうは興行そのものは盛り上がったんですが、その後の復帰でミソをつけてしまった。

鹿島　引退試合が感動的だったことで、あっさりと復帰したときの反動も凄かったですよね。

斎藤　引退したのに来日だけはし続けて、ファンの前から消えたことが一度もなかった。

——その年の最強タッグではマネジャーとしてフル参戦していますからね（笑）。

鹿島 百恵ちゃんが引退したあとも、『ザ・ベストテン』や『夜のヒットスタジオ』に司会者としてずっと出ているみたいな状態ですよね（笑）。

斎藤 ただ、それはテリーひとりでやったことではないんですね。日本テレビの局Pや馬場さんたち、みんなで考えた路線だった。

鹿島 つまりテリーは、その〝役〟を引き受けたわけですよね。全日本と日テレの視聴率のために。毎週番組で煽って、最後に特番で引退興行っていうのもまさにテレビマンの発想ですよ。

——だからテリーは当時のテレビ局同士の戦争に巻き込まれた被害者とも言えるんですよね。

斎藤 そのテリーの引退ロードを大仁田厚は全日本のジュニアヘビー級選手として間近で見ていたので、いつか自分もこういうふうにやろうと決心したんだと思います。だって心の師ですから。

——ベビーフェースとしてのファイトスタイルも、テリー・ファンクそのままですもんね。

斎藤 大仁田厚は若い頃、試合の遠征じゃなくても、テリーが暮らすアマリロの家に泊まりに行ったりしていたんですね。だからテリーのことをそれぐらい大好きなんでしょう。

「大仁田厚の物語だって、最初に全日本で引退してから始まっていますもんね。引退から始まるっていうのも凄いけど（笑）」（鹿島）

——つまりＦＭＷ時代の大仁田厚は、テリーを完コピしたっていうことですよね。

鹿島　引退ツアーも１年かけてやっていましたからね。

——そして引退後、１年ちょっとで復帰して、ファンのブーイングを浴びるところまで一緒で（笑）。

鹿島　大仁田さんの引退試合のとき、週プロが「これだけの引退試合を行ったからには、もう二度と復帰は許されない」みたいな感じで、ガチの牽制球を投げてましたよね？（笑）

——ああ、ありましたね（笑）。

鹿島　ボクは当時、もちろん業界の事情なんか知りませんけど、「もう復帰の噂があるんだろうな」と思いながら読みましたけどね（笑）。

斎藤　マスコミの中でも、たとえば『週刊プロレス』編集次長だった宍倉（清則）さんみたいにシュートで怒る人たちもいたんです。「いやいや、大仁田なんだから、そりゃいつかは復帰するでしょ」って多くの記者は思っていたんですけど。

鹿島　だからボクもあのときの週プロの記事が記憶に残っているんですよ。「なんでこんなに怒ってるんだろ？」って。

斎藤　女子プロレスラーの米山（香織）選手が引退の10カウントゴングが鳴らされている

途中に「やめてー！」って言って、本当に引退するのをやめたことがあったんですけど、あのときも宍倉さんは異常なくらい厳しい書き方をしていました。辞める辞めないの決断は、あくまで本人の問題であるはずですけど。

鹿島　よっぽど百恵ちゃん信者なのか、妙に潔癖なんですね（笑）。

斎藤　世の中のズルさ、オトナのズルさみたいなことが許せなかったんでしょうね。これと同様に、大仁田厚が引退－復帰するたびに本気で怒っていた人が一定数いたんです。

――大仁田厚もテリーと同じで、引退ロードがあまりにも盛り上がりすぎたんですよね。

斎藤　実際、引退試合でハヤブサにバトンタッチして本当に去っていったように見えましたから。それがあんなにもアッサリと帰ってくるとは思わないから。それで大仁田が帰ってこようとしたとき、新生ＦＭＷの選手たちもシュートでそれを阻止しようとした。

――大仁田厚は、創業者であり圧倒的な権力者だった自分は、引退してからもＦＭＷの絶対的な権力者のままだと思っていたんでしょうけど、そうではなかったわけですよね。ボクは馬場、猪木がなかなか引退しなかったのも、それがわかっていたからだと思うんですよ。ましてや80年代まではテレビ局の力が強かったから、自分が一線から退いたが最後、排除されかねないという。

斎藤　そうかもしれないですね。実際、80年代初頭に全日本は本当に傾きそうになっていた時期があって、日本テレビから出向してきた松根（光雄）さんが１９８２年から１９８９年（平成元年）まで社長に就いていた。だからタイガー・ジェット・シン、スタン・ハンセン、維新軍らの引き抜きや、テリーの引退も含めて、すべてテレビ的なテコ入れの一貫だった。

――だから馬場さんは会長職に棚上げされたあと、引退勧告してきた日テレに対する妥協案として、エースの座は鶴田と天龍に譲って、自分は前座に回ることで引退を回避したという。

鹿島　猪木さんも国会議員になるというのが、いい落とし所だったんでしょうね。

斎藤　もしも落選していたら新日本の現場を離れることはなかったでしょう。そうしたら闘魂三銃士のあれほどめざましい台頭もなかったかもしれない。

――そして大仁田の場合、FMWで復帰が歓迎されなかったことで、単身新日本に乗り込んで新たな邪道路線が生まれたわけだからたくましいですよね。そしてテリー・ファンクも全日本で復帰が歓迎されなかったことで、80年代後半はWWEと専属契約してヒールになり、その後、90年代はアメリカのインディーシーンでハードコアの第一人者になるという。

斎藤　90年代のアメリカのインディーシーンではトップ中のトップでしたからね。テリーvsサブゥーで全米を回ったんです。

――テリーは50歳近くになってから、インディーのリビング・レジェンドとして狂い咲きしたわけですよね。

鹿島　大仁田厚の物語だって、そもそも全日本で最初に引退して、そこから始まっていますもんね。引退から始まるっていうのも凄いですけど（笑）。

――『キッズ・リターン』じゃないですけど、1回目の引退では本当の意味で「まだ始まってもいねえ」状態だったわけですもんね（笑）。

斎藤　まさか大仁田厚が主役の団体があそこまでブレイクするなんて、FMW旗揚げ当初は誰も思わなかったでしょう。

鹿島　だからプロレスはおもしろいですよね。

斎藤　おそらく大仁田自身の感覚では「自分はずっと主役だ」っていうのがあるんでしょうね。ヒザを怪我して全日本を辞めたことも、一時期、肉体労働で生計を立てていたことも、自分が主役の大河ドラマのワンシーンだったのでしょう。

――そして1993年に川崎球場でやった大仁田vsテリーの時限爆破マッチが、いまになってAEWでケニー・オメガvsジョン・モクスリーという形でオマージュされるという。

斎藤　そうですね。大仁田vsテリーは、ケニー・オメガがファン時代にコレクションしていたビデオの中でいちばんお気に入りの試合なんだそうです。ジョン・モクスリーも同じく根っからのマニアだから、少年時代に日本の試合のビデオを観ていた。

鹿島　アメリカのスーパースターが、じつは少年時代、日本のプロレスに憧れていたという。

斎藤　だからモクスリーは永田裕志と試合する前、「俺、ナガタとやるのか。すげーな！」って興奮しまくった。ユージ・ナガタと闘えるのは凄いことだという、そういう新しい世

【キッズ・リターン】
1996年に公開された北野武監督のボクシングを舞台にした青春映画。ラストシーンで挫折した主人公の若者ふたりが「俺たちもう終わっちゃったのかな」「まだ始まっちゃいねえよ」と語り合うセリフが有名。

代の新しい価値観がいよいよ出てきたんです。

――モクスリーは、蝶野正洋戦での大仁田の入場シーンがあまりにもカッコいいってことで、テーマ曲を『**ワイルドシング**』にしちゃったほどですもんね（笑）。

斎藤　凄い話ですよ。

鹿島　いまになって大仁田がアメリカで再評価されていると。しぶといな〜（笑）。

斎藤　アメリカの人たちは、大仁田厚をオルタナティブ・ロックの感覚で観ているんでしょうね。

「これからの時代は一般の人たちも『引退』というものがなくなってくるわけだから、プロレスラーの生き方はひとつの指標、指針になると思う」（斎藤）

――そうしたら大仁田自身も、アメリカでの自分の再評価の波に乗っかって、ＦＭＷ－Ｅという電流爆破専用の新団体も旗揚げしちゃって（笑）。

斎藤　コロナのパンデミックがある程度収まったら、ＡＥＷは大仁田本人を一度呼んで、本家電流爆破をアメリカでやると思いますよ。ＡＥＷはケニーvsモクスリーで電流爆破をやってはみたものの、最後の時限爆弾が子どもだましの花火みたいな感じで失笑を買っちゃったんですね。

【ワイルドシング】
大仁田厚の入場テーマ曲。映画『メジャーリーグ』の主題歌であり、同映画を鑑賞した大仁田が、弱小団体が快進撃を続ける様を自身の団体ＦＭＷに重ね合わせ、入場テーマ曲に選んだ。

――室内でやったこともあって、爆破がショボかったんですよね。最後なんか本当に子どもの頃にやったドラゴン花火みたいで。

斎藤 向こうの特効（特殊効果）さんもどれくらい火薬の量を使えばいいのか、どれだけ音を出せばいいのか、わからなかったんでしょう。FMWには電流爆破のときのための特効のスペシャリストのおじいさんがいたんです。

鹿島 爆破演出のプロがいたんですね。

――またFMWは何度も失敗を経験して、試行錯誤した上で電流爆破、地雷爆破が完成したわけですもんね。

斎藤 有刺鉄線ロープなんかもその人が張らないとピンとならなかったりするんです。

鹿島 職人芸なんだなあ。

斎藤 有刺鉄線を張ったときにサードロープの下のところにスペースを作って、レスラーがスルッと滑り込んでリングに入れるようにしてたでしょ。あのスペースを作ったのもそのおじいさんなんです。

――『8時だョ!全員集合』のセットを作っていた美術スタッフとか、『仮面ライダー』の爆破演出をしていた人がいたのと同様に、そういうプロが大仁田厚の爆破マッチにはいたわけですね。

斎藤 その後、IWAジャパンも川崎球場で電流爆破をやりましたけど、やっぱり大仁田vsテリー・ファンクの爆破のほうがはるかに凄かったんです。そして爆破の集大成が川崎球場でやった大仁田2度目の引退試合で、最後の最後に時限爆弾が爆発したあと、リングが煙に包まれて、その煙が消えると大仁田とハヤブサがリング中央で重なり合って倒れているという名シーンになるんです。

鹿島　その技術革新はなんなんですかね。ＮＨＫの『プロフェッショナル仕事の流儀』で取り上げたほうがいいですよ（笑）。

――だから大仁田もテリーも、復帰したときはファンに反発されましたけど、時が経っていまだにファンに愛されているし、現役のトップ選手たちに尊敬されているわけだから、素晴らしいと思いますね。

斎藤　プロレスラーは一生プロレスラーだし、たとえ引退試合をやったとしても、それは「いっときの別れ」という感じで捉えればいいんだと思う。また会えるかもしれないし、会えないかもしれない。でもプロレスラーはリングに上がっていなくても、そのレガシーはみんなの心の中に生き続ける。

――ボクはプロレスラーの引退って、宴会の「中締め」だと思っているんですよ（笑）。「ここでいちおう本編は終わりですよ」って一度締めておいて、「お時間が許す方は、このあとも楽しんでいってくださいね」っていう感じで。

鹿島　「そうすると、またいいことがあるかもしれないよ」っていうことですよね。だからいちおう締めておくってことで。

――それでいいんじゃないかって。「中締めしたのに、まだ続けてるじゃないか！」って怒る人はいないので（笑）。

鹿島　映画『**ノマドランド**』みたいなものですよね。あの作品の中で、Ａｍａｚｏｎの倉庫に季節労働者が集まるじゃないですか。そこで働いたあと、また三々五々で別れてそれぞれが生活をして、そしてまたどこかで会う。ノマド生活者があの中で言われているのは、さよならがないんですよね。「また会えるかもね」みたいな。もちろん会えなくなる人もいるけど、またどこかで会えるっていう。だからシビアな作品のようでいて、どこか気が休まる感じがあるんですよ。

斎藤　ロードムービー的な感じですね。ボクにはひとつ夢があって、中古のバンを1台買ってインディーのコたちを乗せてボクが運転して、地方のインディー団体を回りたいんですよ。新幹線移動とかは高いじゃないですか。だから5人くらいで同乗して、みんなで高速代とかワリカンして、サービスエリアでメシを食ったりとか、そういうのをやりたい。それでたとえば北海道まで陸路で移動して、**北都プロレス**のクレイン中條さんのところに行きたいんですよ（笑）。

――北海道をバンで旅しながら、各地でプロレスを見せていくって、ちょっとおとぎ話感があっていいですね（笑）。

斎藤　東京でリッキー・フジとかミス・モンゴルとかを「行きますよ？」って誘って、北海道の現場でふらりとどこかから現れる大矢剛功と合流したりして。みんなでリング作りをして、売店を手伝って、リングを撤収して、試合後はみんなでご飯を食べに行って、安

【ノマドランド】
２０２１年公開のアメリカ映画。２０１７年にジャーナリストのジェシカ・ブルーダーが発表したノンフィクション『ノマド：漂流する高齢労働者たち』を原作としており、季節毎に仕事を求めてアメリカ中を旅する生活をする高齢者の姿が描かれている。第93回アカデミー賞では計6部門にノミネートされ、作品賞、監督賞、主演女優賞を受賞した。

【北都プロレス（ほくとプロレス）】
北海道で活動しているローカル団体。２００４年、クレイン中條が設立。北海道在住の選手、日本全国から集まってくるフリー選手の混成メンバーで興行を開催している。２０１４年、ＮＨＫ『ドキュメント72時間』にその

い宿に泊まってね。それがボクの夢なんです。

鹿島　いいですね～。プロレス版『ノマドランド』をぜひ（笑）。

――それこそまさにプロレスの原点という感じもありますしね。

鹿島　それを考えると、テリーの引退はテレビ局の事情で決められてしまった側面が強かったわけですけど、いまは「自分たちが自活できればいいじゃん」という価値観が出てきて、そっちのほうがもっと自由な発想でいいですよね。

斎藤　きっと力道山時代から馬場、猪木がトップに君臨していた80年代までは、地上波のテレビ局が予算をすべて持ってくれるプロレス中継番組の世界観があって、だからこそ〝テレビの事情〟が最優先されてきたわけですよね。でも90年代以降はそうじゃなくなったからこそ、自由を得たという面もあった。

鹿島　芸能界もそうでしたけど、昔は「引退」という私事（わたくしごと）が、自分ひとりの一存ではけっして決められなかったのが、いまは本当に自分の道は自分で決められるようになりましたもんね。

斎藤　大仁田厚という人は、FMW全盛期、どんなに人気があっても地上波ネット局で定期番組が放送されていたわけではない。だからこそ、一座の座長として引退も復帰も、それから試合カードから何からすべて自分ひとりで決めることができたんですね。そういう意味では、大仁田厚はプロデューサーとして時代の最先端をいってたのかもしれない。

鹿島　いまはレスラーそれぞれ、違う生き方があっていいっていう感じになりましたから

活動が取り上げられた。

ね。昔、会津にプロレス団体が巡業に来たときだけ、団体関係なく出場する**米村天心**さんというプロレスラーがいたじゃないですか。

――元・国際プロレスのレスラーで、普段は会津でちゃんこ屋をやっていて、全日本か新日本が会津に来たときだけ復帰するんですよね（笑）。

鹿島 あれなんか、いまの世の中の生き方を先取りしていましたよ（笑）。

斎藤 栗栖正伸が関西の興行に突然出たり。

――いま、そういうレスラーが増えているんですよ。越中詩郎や仲野信市がいま長野県に住んでいて、信州プロレスのビッグマッチや、大きめの団体の長野の大会だけ、たまにゲスト出場したり。

斎藤 あの人たちは長野に住んでいるんですね。ケロさん（リングアナウンサーの田中ケロ）も地方在住ですね。

――ケロさんは仙台ですね。

斎藤 いまの時代、東京を捨てて、地方で自分のペースでプロレスと関わっていくチョイスもちゃんとあるんですね。

鹿島 まさに『ノマドランド』ですね。いいじゃないですか。

斎藤 みちのくプロレスは30年も存続しているし、大阪にも広島にも北海道にも九州にもプロレス団体があるし、べつに東京じゃなくてもいいっていうのがいまの時代の生き方らしくていいですよね。

【米村天心（よねむら・てんしん）】
大相撲出身のプロレスラーで、1970年代から1980年代初頭にかけて国際プロレスで活躍。1981年に国際プロレスが崩壊後、妻の郷里である福島県会津若松市でちゃんこ料理屋「やぐら太鼓」をオープン。普段はお店を経営しながら、会津若松でプロレス興行が行われると、団体問わずスポット参戦していた。故人。

鹿島　プロレス界の引退って特殊ですけど、その一方で新しい生き方みたいなのが反映していますよね。

斎藤　これからの時代は、一般の人たちも本当の意味での「引退」「リタイア」、つまり定年というものがなくなってくるわけですよね。それが本当にいいことかどうかは議論の余地を残すところではあるけれど、定年後も働くのが当たり前の世の中になっていることはどうやらたしかです。だから一線を退いたあとも、自分のペースで仕事を続けていくという意味でも、そういうプロレスラーの生き方はひとつの指標、指針になると思う。プロレスラーは、リングを離れてもやっぱりプロレスラーだから、人生に「引退」というのはないということですよね。

第17回

東京五輪とは何だったのか？

2021年7月23日から8月8日までの17日間、開催された『東京2020オリンピック』。205の国と地域から約1万1000人の各競技選手が参加し、健闘をしたが、深刻な新型コロナ感染拡大の中での開催強行に、多くの疑問と批判、論争が繰り広げられた大会でもあった。
果たして、東京オリンピックは国威発揚のための開催だったのか？ 力道山ブームの真実と照らし合わせながら検証してみたい。

（『KAMINOGE117』2021・9）

「パンデミック下での五輪開幕にしっかりと反対しなかったのは日本のメディアだけです」（斎藤）

——今回、この対談を収録しているのは8月4日、東京五輪の真っ只中ということで、やっぱりその話題は避けられないですよね。

鹿島　ここ数年間の日本の社会を考える上で「東京五輪とは何だったのか？」というのは絶対に総括しなければならない、大きなテーマですからね。この夏、何を見たか、体験したかというのは、残しておいたほうがいいと思います。

斎藤　テレビをつければコロナ関連のニュースよりも、ＮＨＫも民放も朝から晩までお祭り騒ぎでオリンピックを放送している状況でしたね。ここまで五輪一色になったのは、これまで記憶にないくらいです。

鹿島　ＮＨＫと民放が共同で放映権料を交渉・購入しているんですよね。朝日新聞のオピニオンでおもしろい記事があったんですけど、「１９８８年のソウル五輪のときは放映権料77億円だったのが、今回の東京五輪は２０１８年の平昌（ピョンチャン）冬季五輪とセットで６６０億円だった」と（7月28日）。つまりそれだけ高騰しているわけですよ。

——すさまじい高騰ぶりですね。しかも１９８８年といえば、バブル真っ只中で日本がすさまじく好景気だったときの77億円と、いまのお金のない時代の６６０億円ですから、数字以上の格差がありますよね。

鹿島　で、実際に２０３２年夏季大会まではオリンピックの放映権を購入済みらしいんですけど、来年のサッカーワールドカップ、カタール大会の放映権はまだ話が見えていないらしいんですね。どういうことかと言うと、たとえばＤＡＺＮのようなお金を持っているネット媒体が放映権を独占で購入したら、サッカーが無料で観られなくなる可能性がある。そういう時代が来るんじゃないか、という。

――なるほど。国内相手のテレビ局じゃ、全世界を相手にする媒体に太刀打ちできなくなるかもしれないわけですね。

斎藤　スポーツの映像ビジネス、版権ビジネスは、どんどんそういう方向に行くんだと思います。

鹿島　ボクが驚いたのは、東京五輪の盛り上がりとは別に「東京の感染者数が月曜で過去最多」と騒がれた日があったじゃないですか（7月26日、１４２９人）。

斎藤　東京都の新規感染者数ですね。

鹿島　あとは広島の黒い雨訴訟で政府が上告を断念するという大きなニュースもあって。ボクはその背景を知りたいと思って夜のニュース番組を観たんですけど、『報道ステーション』と『ニュース23』はオープニングから40分間ずっとオリンピック。翌火曜日に至っては『報道ステーション』がオリンピック中継のためお休みっていう。知りたいことが報道されていない、〝報道されてないステーション〟になっていたんですよ（笑）。

――報道の無人駅って感じで（笑）。

【ＤＡＺＮ】
デジタルメディア企業ＤＡＺＮ（ダゾーン）グループが運営するスポーツ専門の動画配信サービス。サッカーをはじめ、モータースポーツ、格闘技など、世界中のスポーツコンテンツを２００以上の国と地域に配信している。

鹿島　あれを観たとき、「なんだよ、この番組スタッフは！」って一瞬思っちゃうんだけど、もっと上の問題で、局で放映権を買っちゃっているから使わないと損なんでしょうね。だから朝から晩までやっているし、報道番組もお休みってことになっちゃう。そうやって1日中テレビがお祭り気分を流していたら、みんな開放感を感じて、そりゃ出歩きもするでしょうっていう。

斎藤　その一方では、緊急事態宣言下という現実があります。本来、オリンピックという「祭典」と「緊急事態宣言」は、どういう大義名分をもってしても到底並び立たないはずです。これは矛盾したメッセージになりますよね。

――「自粛」と言われても、祭り囃子が聞こえてきたら、そりゃ外にも出ますよ（笑）。

鹿島　だから五輪開会前に言われていたのは、菅（義偉）さんは「オリンピックが始まったら、国民の気分が高揚して感動したまま選挙に行くので、与党にとってはプラスになる」と本気で思っていたらしいんですね。

斎藤　秋にあると言われている解散総選挙の話ですね。

――メダリストの手柄を自分の手柄にしようという、じつに厚かましいですね（笑）。

鹿島　で、蓋を開けてみたら、たしかに高揚感はあるんだけど、それが菅さんの人気にはつながってないっていう。元も子もない。しかもお祭りムードだけは高まっているから人出は増えてしまって。

斎藤　それでいま、新規感染者が急激に増えて、本来入院すべき人が自宅療養という名の放置状態にされてしまう医療崩壊が、現実的に起こってしまったわけです。

鹿島　だから結局は、論理的な説明をずっとしてこなかったツケがいま回ってきていますよね。安倍（晋三）さんが首相のときからそうですけど、菅さんもイベント事によって〝ムード〟を利用してきたんですよ。

――〝令和おじさん〟なんて最たるものですよね。元号が変わることをなぜか自分の手柄みたいにして（笑）。

鹿島　それがいまやムードにやられているっていう、皮肉な事態だなと思いますよ。

斎藤　東京五輪をめぐるメディア環境で言うと、外国のメディアは開会前から「本当にオリンピックをやるわけ？」って、おしなべて懐疑的だったんです。日本のメディアだけですよ、パンデミック下での五輪開幕にしっかりと反対しなかったのは。ボクはスカパー！でCNNをわりとよく観るんですけど、東京五輪に関してはなかなか盛り上がらなくて、開会直前になってようやく花形キャスターたちが来日して「どうやら本当にコロナの中で開かれるらしいです」というスタンスの報道で、しっかり大会自体とコロナ関連の最新情報との二本立てで放送していました。そして「これはある意味でこれまでの大会史上、いちばん注目されるオリンピックだ」みたいな批判的な感じで。

鹿島　コロナ禍での五輪に対して皮肉を込めた表現があったわけですね。

――オリンピックって本来、もっともインターナショナルなイベントのはずなのに、今回の東京五輪は凄くドメスティックな盛り上がりに感じるんですよね。日本国内は、開催国

【CNN】ワーナー・メディア・ニュース&スポーツが所有するアメリカのケーブルテレビおよび衛星放送向けのニュースチャンネル。1980年にテッド・ターナーによって、世界初の24時間放送ニュース専門チャンネルとして設立された。現在、アメリカでは1億世帯以上が視聴可能。世界では200以上の国と地域で視聴可能となっている。

アドバンテージもあってかメダル獲得の連続で盛り上がっていますけど、その一方でアメリカでは過去最低視聴率だったりして。おそらく他国も似たり寄ったりじゃないかなって。

斎藤　そもそもオリンピック憲章では「オリンピックを国威発揚に使ってはいけない」「国別対抗戦ではありません。これはアスリート個人の競技です」ということをハッキリと謳っているんです。その両方をいとも簡単に破っちゃっているわけです。

——毎日毎日、「今日で日本のメダルは何個目」っていう「日本凄い！」報道がされてますからね（笑）。

鹿島　新聞も東京五輪のスポンサーになっちゃっているから、競技の報道じゃなくて〝応援報道〟になっちゃっているんですよね。ボクの記憶では1988年のソウル五輪でNHKがテーマソングをつけて連日ハイライト特番を放送し成功して以来、民放もそれぞれテーマソングをかならずつけて「感動をありがとう」的なものとセットで報じるようになってしまった。しかも同時進行で90年代以降は、サッカーのワールドカップに日本も出られるようになって、「負けられない闘い」っていうのがいつの間にかオリンピックとゴチャゴチャになっちゃっている感もあって。

「単純に反対派、賛成派で二分する話じゃないと思うんです。そこでボクは〝心配派〟と呼んでいます」（鹿島）

――たしかにサッカーワールドカップが盛り上がってから、やたらとナショナリズムの高揚を求めるような空気になった気はしますね。その流れで野球のワールド・ベースボール・クラシック（ＷＢＣ）も、予想以上に盛り上がっちゃったりして。

鹿島　ＷＢＣは第１回、第２回で日本が優勝したこともあってえらい盛り上がりましたよね。でも、特に第１回ってめちゃくちゃ運営がズサンだったじゃないですか。だけど皮肉なことに、ズサンすぎて日本と韓国が何度も当たるから「なんでこんなルールなんだよ!?」って思いつつ、日本と韓国が当たれば当たるほど盛り上がるんですよ。

――因縁の対決を連戦でやっているわけですからね（笑）。

鹿島　それこそアメリカの塁審があきらかに誤審なのにトボけているから、あの温厚な王（貞治）監督が怒るという。

――あのボブ・デービッドソン審判の**阿部四郎**ぶりは凄かった（笑）。

鹿島　あれによって、それまでなんとなく冷ややかに観ていた日本人も「俺たちの王監督に何を！」って感じになったり。それで途中で負けても敗者復活でまた勝ち上がったり、あのズサンさや曖昧さが逆に興行として大爆発したという。

斎藤　あのときはメジャーリーグに行って、ちょっと〝遠い存在〟になっていたイチロー

【阿部四郎（あべ・しろう）】
全日本女子プロレスで主に１９８０年代に活躍したレフェリー。ダンプ松本率いる極悪同盟などヒールに加担する悪役レフェリーの第一人者。ヒールの反則を見てみぬふりして、ベビーフェースの反則は厳しく取締り、フォールカウントのスピードも極端に違うなど、不公平なレフェリングでファンのヒートを買った。故人。

さんが、本腰を入れて日本のチームで闘ったっていうドラマ性も大きかったですよね。

鹿島　それもありますね。ズサンな世界大戦に救世主イチローが現れる、『プロレス・スターウォーズ』的な展開。

――ハルク・ホーガンがアメリカンプロレス軍を裏切って、日本陣営に加わる感じで（笑）。

鹿島　しかもWBCって、アメリカの大リーグ機構と選手会が主催する野球の国別対抗戦であって、言ってみれば越中詩郎の**反選手会同盟**の興行と表裏一体ですよ（笑）。

――シーズンオフに行われた選手会主催興行（笑）。

鹿島　選手会が潤うためのものが「野球の世界一決定戦」という大風呂敷を広げたことで、特に日本人は力道山的、猪木的な心をくすぐられたんでしょうね。

――だから今回の東京五輪もそうですけど、なんか第1回IWGPっぽいですよね。「世界中で予選を行い、真の世界一を決める空前のイベント」という謳い文句だけど、結局、日本だけで盛り上がっている感じで（笑）。東京五輪の野球なんて「これ、本当にアメリカ代表!?」っていうメンバーじゃないですか。

斎藤　メジャーリーグの球団は、シーズン中にトッププレイヤーを、しかもコロナ禍で送り出さないですよ。

――しかも間が悪いことに、五輪野球の2週間前に大谷翔平選手が出場した大リーグオールスターゲームを、日本人はみんな観ちゃっているわけですよね。だから五輪のアメリカ代表チームを見ると「これ、ずいぶん違うな」って（笑）。

【反選手会同盟】
1992年に新日本プロレス選手会を離脱した越中詩郎と小林邦昭が、空手道場・誠心会館の青柳政司館長、齋藤彰俊と結成したユニット。1993年から平成維震軍と改名し、新日本のシリーズオフには、平成維震軍自主興行のシリーズも開催された。

斎藤　でも日本が金メダルを獲ったら、そういうことは一切言われなくなるんです。
——「日本凄い」のほうが優先されちゃうわけですね。
斎藤　だからこれは国威発揚です。でも何度も言いますけど、オリンピック憲章にはちゃんと「オリンピックを国威発揚に使ってはいけない」って書いてあるんです。
——だからやっていることはかつてのソ連や東ドイツと一緒ですよね。ソ連や東ドイツは社会主義の優位性を示すために、五輪のメダル獲得を国策としてやっていましたけど。
鹿島　メダル獲得があたかも国の政策のようになるのであれば、ソ連的なものになるしかないわけですよね。ここ数年の動きを見ていても、JOCだったり競技団体だったりが強権的な体制で誰かひとりが権力を握っているとかっていうのは、理想のソ連になったたってことですもんね（笑）。
——なぜか日本に〝ソ連〟がよみがえっちゃっているという、いびつな**レッドブル軍団**ですね（笑）。
斎藤　JOCの会議だって、本来はすべてガラス張りで公開されなきゃいけないのにクローズドにされていました。
鹿島　そして、ついこないだまで森喜朗さんみたいな人が組織委員会のトップにいたわけですからね。
斎藤　国際的なスタンダードに照らし合わせると、あの女性差別、女性蔑視の発言はその日のうちにクビになりますよ。だけど本人やまわりの人たちは何が悪いのかもわかってい

【レッドブル軍団】

1989年、旧ソビエト連邦のペレストロイカ政策により、新日本プロレスに参戦したソ連人レスラーの総称。この前年公開された、アーノルド・シュワルツェネッガー主演でソ連を舞台にした映画『レッドブル』にちなんで、レッドブル軍団と呼ばれた。

ないし、東京五輪が始まったら、みんなが知らない間にしれっとまた最高顧問にしようとしたではないですか。

鹿島　「始まったんだからゴチャゴチャ言うな」っていうのが権力者側のやり方ですよね。竹中平蔵もそれをツイートしてましたよね。「政治的に姑息に目くじらを立てて批判するのは寛容・平和の五輪精神に反する。心から五輪を応援しよう、それが心ある国民の声だ」って。でも「あんたは利害当事者だろ！」っていう。だから「始まったらゴチャゴチャ言うな」っていうのは、利害当事者、権力者がかならず仕掛けてくることなわけですよ。でも、その一方で不思議だったのは、権力者でもなんでもない人たちがSNSで「おまえらはオリンピック開催に反対していたのに、なんで観てるんだ！」っていう謎のいちゃもんをつけてくるっていうこと。

斎藤　そういう人たちが確実に一定数いますよね。

――なぜかオリンピック警察になって、批判していた人が東京五輪を観ていないかどうか見張るという（笑）。

鹿島　これは単純に反対派、賛成派で二分する話じゃないと思うんですよ。ボクは「心配派」と呼んでいます。心配派というのは「開催するのであれば、感染状況がステージ3の場合とか4の場合とか、基準の目安はあるんですか？」とか「実際に始まってから感染爆発したらどうなるんですか？」とか、心配な点を問い合わせていたわけですよね。でも政府はそれに一切答えぬまま五輪開会になだれ込んでいったじゃないですか。べつに心配派は五輪を嫌悪していたり、邪魔しようとしていたわけじゃなく、心配だから問い合わせているだけなのに、それをオリンピックが始まったら「おまえら、なんで観てるんだ!」って言うのはおかしいですよね。

斎藤　いろんな問題を抱えているのに「始まったんだから黙れ」というのは、「戦争が始まったんだから黙れ」とまったく同じロジックです。

鹿島　とにかく今回の東京五輪については、〝興行主〟や五輪という興行を利用しようとしている政治家、東京都のトップたちが何も説明しないから、〝心配派〟というのはそこらへんをずっと問うてるだけなんですよね。ガワのほうを。

「力道山が敗戦国である日本を高揚させたという定説は、じつは1983年(昭和58年)くらいに作られたものなんです」(斎藤)

――「選手はがんばっているんだから五輪開催に反対するな」っていう声もありますけど、運営側のあまりのズサンさを指摘しているだけですもんね。

鹿島　そう。たとえば巨人ファンでも、選手を応援しているからこそ「**ナベツネ**おかしいじゃねーか!」っていうのが成り立ったわけですよ。今回の東京五輪は、なんだったら運営側がしっかりしないから選手が矢面に立たされるわけで。「選手のためにももっとしっかりやるべきだ」っていう意見が出て当たり前だと思います。あまりにもズサンすぎるし、

【ナベツネ】
読売新聞グループ本社代表取締役主筆で、読売ジャイアンツの元オーナーの渡邉恒雄。プロ野球界への影響力の大きさから「球界の独裁者」とも呼ばれた。

なんだったらボクらは都民ですから利害当事者なんですよ。

——運営に充てられている莫大なお金は税金ですもんね。いわば都民は事実上、強制的に小口スポンサーにさせられている状態という。

鹿島 チケットを買う以前に、買わされているような状態なわけですから「だったらちゃんとやれよ！」っていうね。

斎藤 猪瀬都知事のときに「コンパクトでいちばんお金がかからないオリンピックだ」と言っていたのに、蓋を開けてみたらついに総経費4兆円にまで膨らむことがわかっちゃったわけでしょ。

鹿島 だから招致時の立候補ファイルの時点でおかしいんですよ。「この時期の東京は温暖でアスリートにとって最高の気候」とか言って（笑）。

——実際はテニス界のスーパースター、ジョコビッチがマジギレするほどの猛暑で、海外メディアに「日本はひどいウソをついた」と報じられる始末ですからね（笑）。

鹿島 だから最初から大ウソをついてるし、それをしれっと受けて認めたのがＩＯＣだから、どうしようもないんですよ。これがクラウドファンディングでやるようなイベントなら、「ひでえ大会だなあ」って笑っていられるけど、ボクらは当事者じゃないですか。税金が使われ、場所を使われ、交通規制もあり、首都高も１０００円ぐらい値上げされたわけでしょ。

斎藤 ボクはいま絶対に高速に乗らないです。

――ボクも含め多くの都民が通っていた東京体育館のプールも、五輪のおかげで何年も使えない状態ですからね。

鹿島　だから多かれ少なかれ生活に関わることなわけだから、「おかしいじゃないか！」「説明して！」って言うのは当たり前なのに、「始まったらもうゴチャゴチャ言うな！」みたいに言われる。変な話、それを竹中平蔵が言うんだったらわかるんですよ。

――なぜか政府のネット志願兵みたいなのが湧いてくるんですよね（笑）。

鹿島　気持ちよく権威側に乗っちゃって、選手がメダルを獲ったら自分の手柄のようによろこぶという。そういう人は多かれ少なかれ昔からいたんでしょうけど、いまはＳＮＳがあるからもの凄く顕在化してますよね。

――「多様性」が大きなテーマになっている現代の五輪において、これだけあからさまなナショナリズムを見せられると「これ、本当に２０２１年⁉」って思うんですよ。プロレスで言えば、力道山時代じゃないんだからっていう。

斎藤　力道山時代のナショナリズムで言えば、「力道山が憎きアメリカ人を倒すことで、敗戦国である日本を高揚させた」っていう定説がありますけど、その定説自体がじつは１９８３年（昭和58年）くらいに作られたものなんですね。

鹿島　えっ、そうなんですか⁉

斎藤　〝犯人〟と言うとちょっと変ですが、それを定説化した方々がいるんです。

――誰ですか？

斎藤　まず、村松友視先生です。戦後、力道山の空手チョップでアメリカ人をバッタバッタとなぎ倒して、ナショナリズムを高揚させたっていうのは、たしかに村松先生の少年時代の記憶なんだろうけど、それが定説として一気に広まったのは力道山の没後20年の活字と映像による力道山の〝回顧ブーム〟からなんです。

――つまり『私、プロレスの味方です』が出たころだと。

斎藤　本当に当時の観客がアメリカ人レスラーを心から憎んでいたとしたら、日本プロレス黎明期の力道山&木村政彦vsシャープ兄弟のときに鬼畜米英の続きみたいに「アメリカ人を殺せ！」ってなるはずでしょ？　でも、そんなことは誰も言っていないんです。

鹿島　街頭テレビにもの凄い数の群衆が集まっていたのは写真で見て知っていますけど、どうやって盛り上がっていたかっていうのは、たしかに言われてみればドラマの再現だったり、映画でしか知らないですよね。あとは本やエッセイとかでしか。

斎藤　実際はみんなニコニコしながら新しいカルチャーとしてのテレビジョンを楽しんでいて、「アメリカ人を殺せ！」みたいなシーンは映像には残されていないんです。

――勧善懲悪な、新しいスポーツ、エンターテインメントを観ている感じだったんですかね。

斎藤　実際、戦後にアメリカから輸入された最初のスポーツカルチャーがプロレスであることはたしかなんです。これは陰謀論と言ってしまえばそういうことにもなるのかもしれないけれど、トルーマン大統領の「3S」政策ってありましたよね。国民をコントロールするための「スポーツ、スクリーン、セックス」です。だから成り立ちとしては、アメリカ側が指名した日本国内におけるプロレスの〝総理大臣〟が力道山で、コンプライアンスの時代じゃないから読売新聞も〝裏社会〟も一緒になって力道山を応援して、ＮＨＫも日本テレビもプロレスを中継したでしょ。

鹿島　日本テレビ初代社長の正力松太郎さんは、その後、政界にも行くわけじゃないですか。そして日本テレビでは、力道山のプロレス中継とディズニーのアニメを隔週でやっていたというのは、いわゆる３Ｓ的な狙いがあるんだという説もありますよね。

斎藤　そういう説はあります。ブルーカラーはプロレス、ホワイトカラーはディズニーを楽しみなさいっていう。

鹿島　そこにはアメリカ文化のよさを注入する意向も働いているわけですよね。

斎藤　この対談の第8回と第12回でもお話ししましたが、そういった思惑の中で、日本に持ち込まれたプロレスのヒーローとしてプロデュースされたのが力道山だった。これまでのプロレス研究では「力道山ひとりが凄いイマジネーションで、アメリカからひとりの力でプロレスを輸入してきた」ということになっていましたけど、本当はそうじゃないのではないか。アメリカによる日本の〝プロレス植民地化〟っていうのは、サンフランシスコ講和条約が締結されたわずか3週間後の１９５１年（昭和26年）９月に始まっているわけです。ボビー・ブランズ一行がＧＨＱの慰問興行として来日して、当時メモリアルホールと呼ばれていた旧両国国技館（のちの日大講堂）で、ハロルド坂田らが試合をした。それを仕切っていたのが力道山が建設現場監督をやっていた『新田建設』『明治座』の**新田新作**社長です。

鹿島　よく名前が出てきますね。東京アンダーワールド的な。でも昔の興行と言えばかならずそういう関わり合いはありましたよね。日本の芸能史でもそうでしたけど。

斎藤　その昭和26年の時点で、力道山は自ら髷(まげ)を切って相撲を廃業してからすでに1年が経過していた。

——大相撲からすぐプロレスに転向したわけじゃなく、その前に建設業への転身があったわけですね。

斎藤　それで新田建設の現場監督をやっていたら、GHQ慰問興行に「おまえも出場せよ」的な話があって、ほんの2週間だけ力道山と遠藤幸吉がプロレスの練習をしてそのままリングに上がっちゃった。そのときの対戦相手がコーチをしてくれたボビー・ブランズで、それが本当のデビュー戦ですね。

「日本人がオリンピックにこれだけ熱狂的になるというのは、ロス五輪でのインパクトがデカかったですよね」(鹿島)

——その後、アメリカ修行に出るわけですよね？

斎藤　そこもまたミステリアスなんだけど、どう考えても日本のパスポートを持ってアメ

【新田新作(にった・しんさく)】
戦後、建設会社の新田建設を興した実業家。1950年には明治座を復興して社長となった。力道山のタニマチ(スポンサー)であり、大相撲を廃業した後の力道山を新田建設の資材部長として雇い、のちにプロレスラーへの転向を支援した。

リカ修行に行っているんですね。力道山の出身地は朝鮮半島の咸鏡南道浜京郡龍源面というところです。「いつ帰化したの？」っていう素朴な疑問は残るわけですが、帰化はしていない。これとは別に長崎県大村市にも謎の戸籍があったりする。となると、なんらかの超法規的措置がなされたと解釈したほうが自然なんです。

鹿島 政治のトップに近い人たちが関わってたっていうことですよね。ということは、黎明期のプロレスというのは「政治案件」だったってことでしょうね。

斎藤 だから傀儡と言えば傀儡かもしれないし、力道山がもの凄いカリスマ性を持ったスーパースターであったこともまぎれもない事実ではあるけれど、「力道山ひとりのイマジネーションと行動力でアメリカからプロレスを持ってきた」というのは、あとから作られたストーリーですね。ボビー・ブランズ一行が来日した昭和26年の時点ですでに入植は始まっていた。そして、翌年から力道山は1年半、サンフランシスコに行ってプロレス修行、プロモーター修行をしてきて、プロレスのビジネスのノウハウを完全に身につけて帰国して、日本プロレス協会が発足する。自民党の議員だ、日本テレビだ、三菱電機だと、そうそうたる支援グループがついて、その支援グループの中には山口組の田岡一雄の名も入っていた。コンプライアンスもへったくれもない時代だったんですね。

鹿島 当時の日本の構造が、そこにわかりやすく象徴的に出ていたってことですよね。

——当時、誰が日本を動かしていたのかが、力道山の支援者一覧を見ればだいたいわかるという。

斎藤　表社会と裏社会も含めて、プロレスは戦後の復興文化のひとつの象徴ということになるのかもしれない。そして、そこにはアメリカの思惑が多分に絡んでいるわけだから、リング上で提示されたコンテンツが日本人vsアメリカ人であったとしても、政治的なステートメントとしては「アメリカ人を殺せ！」にはならないんです。

鹿島　たしかにそうですね。

斎藤　つまり力道山のプロレスは、アメリカとの講和条約と復興の時代の証(あかし)なのです。

鹿島　アメリカからもたらされたエンターテインメントですもんね。

斎藤　それがテレビという、これもアメリカからもたらされたニューメディアと合体して大ブームになったわけです。

――勧善懲悪だし、わかりやすいわけですよね。

斎藤　〝憎き鬼畜米英〟という役どころでシャープ兄弟が来たわけではないんです。力道山がナショナリズムを高揚させたというのは、もちろんそういう面もなかったことはないかもしれないけど、だいたいは村松友視さんをはじめとする80年代の言論人があとから言い出して、それがリアルタイムで力道山を観ていない世代からののちのメディアにバトンタッチされていく過程でもう疑う余地のない定説になっちゃったんです。

鹿島　要はテレビコンテンツを楽しんでいたわけですよね。それを考えると、オリンピックに日本人がこれだけ熱狂的になるというのは、１９６４年（昭和39年）の東京五輪をのぞけば、比較的最近のような気がするんですよ。１９８０年（昭和55年）のモスクワ五輪は日本はボイコットだし。だから１９８４年（昭和59年）のロス五輪でピーター・ユベロスがオリンピックを商業化させた、あのインパクトがデカかったですよね。そして１９８８年（昭和63年）のソウル五輪からＮＨＫが毎日お祭りみたいにハイライトを放送してそれがハマって。そこからは日本でもテレビエンタメとして化けていった感じがします。

斎藤　オリンピックというのはもちろん映像化されるスポーツだから、メディアとの相性は抜群ですよ。そして１９８８年といえば、久米宏の『ニュースステーション』、というよりも電通プロダクトとしてのニュース・エンターテインメントが、もうすでに放送開始しているんです。

鹿島　やってますね。そして次の１９９２年バルセロナ五輪では、民放でタレントが総合ＭＣみたいなことをやるようになって、さらに応援報道になっていく。わかりやすく言えば『24時間テレビ』を毎日やっているみたいな感じですよ。そして金メダル獲得へのこだわりがどんどん上がっていった。

斎藤　システマチックに国威発揚のためにオリンピックを利用しようとした自民党ブレーンっていうのは、もちろんいたと思いますよ。

鹿島　電通とかが入ってイベントとしてね。

斎藤　オリンピック選手の政界転向が続いたのはそのあとですよね。橋本聖子もそうだし。

鹿島　あとは冬季ですが、１９９４年の長野五輪が盛り上がったっていうのもありますよね。ただ、そのあとの長野はひどい状態ですけどね。

斎藤　経済破綻したような状態になりましたよね。

鹿島　そうすると今回のオリンピックに関しても言い続けていかないと、誰か影響力のある人が歴史改ざん的なことを言い出したら、それが定説になりかねない。

斎藤　「コロナに打ち勝った日本！」ってあとから言い始めますよ。

鹿島　そうですよね。ブルーインパルスで国民が密になっている写真があるわけですからね（笑）。復興五輪とか、そういうのと一緒にできたのかなって後世の人たちがそれを見て間違えちゃうでしょうね。

「情報ソースが限られてしまうとニュースも不健全になっていくと思うし、政府からの公式発表一辺倒というのは危険なこと」（斎藤）

斎藤　力道山がナショナリズムを高揚させたという話もいまでは揺るぎない定説となっているけれど、それがかならずしも正確ではないことと同じです。もちろん、今日ボクらがしゃべったことが全部正しいと言っているわけではないけれど、しっかりと疑問を投げかけておかないと、大メディア言説みたいなものがあまりにも無自覚に、無防備に、単純に信じられすぎるようになっていく。

――「力道山が戦後の日本人に勇気を与えた」という話の収まりがよすぎるが故ですよね。

斎藤　でも実際はそこまでナショナリズム一辺倒じゃなかった。たとえばミスター・アトミック（原爆男）を名乗るマスクマンを登場させても、日本向けに付けられたそのカタカナのリングネーム自体はなんの問題にもならなかった。

鹿島　いまなら責任問題になりそうですけどねぇ。

斎藤　ザ・デストロイヤーは力道山と死闘を演じたライバルだけど、当初からリングを降りたらベビーフェース的なスターでした。

――そう考えると、当時からスポーツやエンターテインメントを観る上でプロレスは進んでいるんですよね。あらゆる外国人レスラーをみんな楽しんでいたんだから、今回の東京五輪よりよっぽど多様性が進んでいる（笑）。

斎藤　ボクはプロレスはリベラルでとても進んでいたジャンルだと思っています。

鹿島　それを考えると、プロレスファンってそもそも大人というか、最初からちゃんと外国人レスラーのことも受け入れて楽しんでいたわけですよね。定説では力道山がアメリカ人をなぎ倒すのに溜飲を下げ熱狂した人々ということで、ナショナリズムで観ていたように思われていましたけど、観客の態度としてはむしろ成熟していた。

斎藤　ボクはそんな気がするんです。実際に昭和30年代前半、力道山存命の時代からすでに「プロレス八百長説」っていうのはなかったわけではないんです。大人が「あれはね、すべてショーなんだ」って言うと、子どもが「えーっ、違わい！」っていう会話もありつつのスポーツであり、エンターテインメントであり、どこかでは手品っぽいものでもあり。「よくわからないけどおもしろい」という転がし方はすでにあったと思うんです。

鹿島　当時から嗜み方ができていた感じがしますよね。決して、言われるようにナショナリズム一辺倒ではなかった。だから今回の東京五輪なんかも、終わってから政治家になるような人らが記憶の改ざんをやり始めるかもしれないですよね。「これぐらい反対派が占めている中で、自分たちはがんばって大成功させたんだ！」みたいな感じで。

斎藤　この現代において、こんなにあけっぴろげに国威発揚をやっているオリンピックにはむしろびっくりですよ。それこそ日本中が日の丸を振ってもおかしくないくらいのムードが作られた。戦後もはるか遠くなった、２０２１年のオーディエンスが、ですよ？

——今回の東京五輪はちょっとびっくりするぐらいナショナリズム寄りでしたよね。これまでの五輪も、もちろん「がんばれニッポン！」が基本ですけど、それ以上にカール・ルイスとか世界の一流アスリートを楽しんでいたじゃないですか。こんなに日本人選手の「メダル、メダル」じゃなかったと思うんですよ。今回なんか、開幕前までは池江璃花子さんが東京五輪の象徴、女神みたいな感じであれだけ祭り上げられていたのに、メダル獲得とならなかったら驚くほどメディア露出がなくなったのも、なんだかなあと思いましたよ。白血病を克服して五輪出場を果たした池江さんをもってしても、メダルを獲らなければテレビ的な「感動」にはならないのかっていう。

斎藤　それだけメダル偏重の報道だったし、オーディエンスもまたそれを求めていたということなのかもしれない。

鹿島　あとはメディアでこれだけの情報があっても、変わらない人は変わらないってことですよね。

斎藤　ネット育ちと言われているゆとり世代よりも、それよりさらに若い世代のいまの20代の人たちのメディアに対する従順さにはビックリさせられますよ。

鹿島　メディアとの付き合い方は、やっぱり全盛期の週プロで学ぶべきですよね（笑）。

斎藤　プロレス週刊誌が元気だった時代は、読み分けられましたからね。週プロだけでなく、『ゴング』、『ファイト』、東スポなど、ひとつの事柄でも媒体ごとのバイアスが比較できたわけだし、実際そうしていた。

鹿島　それによって、ボクらも情報の捉え方を鍛えられましたからね。

斎藤　やっぱり情報ソースが限られてしまうとニュースも不健全になっていくと思うんです。政府からの公式発表一辺倒というのは、危険なことでもある。

鹿島　それに対してちょっとでも「あれ？」って思っている人たちが「凄くうるさい人たち」みたいに思われてしまう風潮がいまはありますからね。これはやはり、おかしなことは「おかしい」と言い続けなければいけないと、今回あらためて思いましたね。

おわりに

この対話がスタートしたのは2020年の春。新型コロナウイルスがまさに世界を席巻し始めたときだ。喫茶室ルノアールの個室（会議室）を借りたはいいが、本来の使用目的である「密談」はできなかった。ドアや窓を開け、席の間隔を空け、マスクをつけてしずしずと話し始める。一息ついてアイスコーヒーやクリームソーダを口にする。こういう異様な状況から対話は始まった。そしてこのスタイルは通常となり、異様ではなくなってしまった。

この本は「プロレス社会学のススメ」とおおきく振りかぶっているが、徹頭徹尾プロレスについてしか語っていない。プロレスを語っていたら社会（世の中の動きや時事問題）につながってしまっただけである。ちゃんと言っておくと〝プロレスを語ることは今の時代を語ることである〟というのは別に我々の発見ではなく長らくプロレスを観てきた人なら実感していたことだろう。

それでも私はこの対話に意味と意義を感じていた。コロナ禍という非日常をどう過ごしていたか、あのとき何を思っていたのかを残しておくのは貴重だと考えたからだ。なにしろ人と会うことがなかなかできない時である。人と会話をするのもはばかられる時期である。そんなときに雑誌の連載という大義を利用してしっかりと「会話」できたことはそれだけも価値があった。

結果的に「プロレス社会学のススメ」と名乗ったことはよかったのかもしれない。隙があれば大げさにしようというのはプロレスラーや団体の興行から学んだことの一つである。ただそれが当たってどんどん勢いがつき「化ける」例もプロレスで見てきた事例だ。この対話もそんな気配を途中から感じていた。こうしてまとまった一冊を読むとドライブがかかる様子が伝わってくる。コロナの時代についてだけかと思いきや、権威、男女平等、マイノリティ、陰謀論、ネットとの付き合い方などなど、この時代のお題にこれでもかとスイングしていく。

さてここらあたりで書いておくと、私は斎藤文彦さんとあたかも普通に対話しているように見えるかもしれないが、この状況はそれはそれは夢心地だった。10〜20代の頃にハマった活字プロレス。なかでも斎藤文彦さんは格別の存在だった。私と同世代の熱狂的プロレスファンで斎藤文彦コラムの影響を受けなかった人はいないはずだ。軽やかで洒落ていて、プロレスラーの人間的な部分をさらっと描いてくれるあの名コラム。憧れたなぁ、熟読したなぁ。プロレス誌の読者投稿でたまにどう見ても「ボーイズはボーイズ」の文体そのままの人を見かけたけど、あの気持ちはわかる。くすぐったいほどにわかる。それくらい熟読していた。

今でも忘れられない瞬間がある。90年代中盤、上京してきたはいいがとくにやることはなく高円寺をぶらぶらしていた春、私は道で斎藤文彦さんとすれ違った(間違いなくあれは本物だった)。自意識が邪魔をして声をかけずに素知らぬふりをしてすれ違ったが、

「あ、フミ・サイトーだ!」

と心の中で叫んだ。上京してからいちばん興奮した瞬間だった。あれから二十数年たち、こうして対話できる企画をいただいた。プロレスを長く見ているご褒美のひとつに無駄なことは何一つないと思えることがある。高円寺で無駄な時間を過ごしていたように思えた時間を今につなぐことができたのである。

無駄なことなんてないと言えば、80年代後半の新日本プロレスに、ホッケーマスクを被った謎の人物がちょいちょい乱入して試合をぶち壊した。「海賊男」である。最初の被害者は武藤敬司だった。

興行を盛り上げるための仕掛けだったのだろうが、遂には大阪城ホールでおこなわれた「アントニオ猪木vsマサ斎藤」戦（１９８７年3月26日）にも乱入し、納得できない観客たちは試合後に暴動を起こした。この日は古舘伊知郎アナのプロレス中継卒業でもあったのでテレビを観ていた私も心底腹が立った。古舘さんの最後の試合がこんな最低のプロレスだなんて、と。

あれから29年たった２０１６年12月2日。大阪でマサ斎藤を励ます興行がおこなわれた。当時のマサさんはパーキンソン病と闘っていて話すこともうまくできない。立っているのもやっとだったが気丈にもマサ斎藤はリングで挨拶をはじめた。ゆっくりと、ゆっくりと。現場で取材した人に教えてもらったのだが、リング下のセコンドにいるレスラーはみんな中腰だったという。「マサさんが転倒しそうになったらすぐに助けられるように」という配慮からだ。

このセレモニーの様子は動画で撮影ＯＫだったので私はアップされたものを見ていた。すると突然「マサ斎藤〜！」と叫びながら海賊男が乱入してきた。そして立っているのもやっとのマサさんに蹴りを入れた。驚いたのはこのあとだ。マサ斎藤は必死に自力で立ち上がる。反撃に転じようとする。本能で闘っていた。

海賊男がマスクをとると、武藤敬司だった。２人は抱き合った。最低のプロレスだと思っていた「海賊男とマサ斎藤」のエピソードが最高のプロレスに変わった瞬間である。タメが長い分、感動を生む。プロレスを長く見続けていると無駄なものに思えるものも決して無駄ではないとつくづく教えられる。

ちなみに、先ほど「現場で取材した人に教えてもらった」と書いたが、それは堀江ガンツさんのことだ。この対話を仕切ってまとめてくれた人でもある。本書は「対話」だが、ガンツさんがいてくれたのでずいぶんと考察がすすんだ、だから私は実質的に座談会だと思っている。生まれも環境も立場も違う３人が、プロレスという共通のお題でびっしりと語らえることができた。コロナ、何するものぞという気分になる。この状況下でも私たちは面白い「会話」をしてやったのだ。

本書でのテーマはいろいろあるが、じっくり見てきたプロレスでさえ、見れば見るほどわからないことだらけということが「わかった」ことは声を大にして伝えたい。当世の生き方にも通じる。これを自覚すれば現代人それぞれの傲慢な振る舞いが少しずつ改善できるかもしれない。

フミさんのような、現場を長く見てきた人の知識や体験は私は一つの図書館のようなものだと思っている。だからこそ皆で共有したほうがよい。からまった糸をほぐすには落ち着いて丁寧な作業が必要だが、英知がある方とじっくりと語ることでこの時代に生きる術を学ぶことができるはずだ。

そしてガンツさんがさらりと言った言葉で今も私に刺さっているものがある。世の中が「批評を求めてない気がしますね」というくだりだ。その理由としては論評を「批判」と捉えて嫌がるようなフシがあるのだという。欲しいのは情報だけで批評や論評はいらず、結局マスコミには「いい話」ばかり求められている空気があるのでは？　という。

重要な問いかけである。論評がいらないとすればプレイヤーからすれば御の字だろう。ある論評に対して当事者がＳＮＳで「それは自分の意図とは違う。ちゃんと取材してくれ」と言うとファンはそれがすべて正しいと思ってしまう。そうやって論評の芽を摘むとますますプレイヤーは楽になる。観客、もっと言えば部外者やアウトサイダーが見る、考える、語り合うというのはそのジャンルを健全に、豊かにするために必要なはずだ。私は今、プロレスを語っているようにみえ、社会で起きているあれこれについて語っているのかもしれない。現社会に通じる気づきをこの座組みでもらった。

本書を「プロレス社会学のススメ」とおおきく振りかぶっておいてやはり良かったのではないだろうか。対話はこれからも続く。『カメラを止めるな！』という映画があったが、さしずめ「批評を止めるな！」「論評を止めるな！」である。

プチ鹿島

本書は、『ＫＡＭＩＮＯＧＥ』（玄文社）１０１号から１１７号に掲載された連載「プロレス社会学のススメ」を一部加筆修正したものです。

斎藤文彦
（さいとう ふみひこ）

1962年、東京都杉並区生まれ。プロレスライター、コラムニスト、大学講師。オーガスバーグ大学教養学部卒業、早稲田大学大学院スポーツ科学学術院スポーツ科学研究科修了、筑波大学大学院人間総合科学研究科体育科学専攻博士後期課程満期。在米中の1981年より『プロレス』誌の海外特派員をつとめ、『週刊プロレス』創刊時より同誌記者として活動。海外リポート、インタビュー、巻頭特集などを担当した。著書は『プロレス入門』『昭和プロレス正史 上下巻』『忘れじの外国人レスラー伝』ほか多数。

プチ鹿島
（ぷち かしま）

1970年、長野県生まれ。大阪芸術大学放送学科卒。「時事芸人」として各メディアで活動中。新聞14紙を購読しての読み比べが趣味。2019年に「ニュース時事能力検定」1級に合格。2021年より「朝日新聞デジタル」コメントプラスのコメンテーターを務める。コラム連載は月間17本で「読売中高生新聞」など10代向けも多数。「KAMINOGE」は第2号から連載。著書は『教養としてのプロレス』『プロレスを見れば世の中がわかる』『芸人式新聞の読み方』『芸人「幸福論」−格差社会でゴキゲンに生きる!』ほか。ワタナベエンターテインメント所属。

プロレス社会学(しゃかいがく)のススメ
コロナ時代(じだい)を読(よ)み解(と)くヒント

2021年12月20日 第1刷発行

著　者 斎藤文彦(さいとうふみひこ)
プチ鹿島(かしま)

発行人 遅塚久美子

発行所 株式会社ホーム社
〒101-0051 東京都千代田区神田神保町 3-29 共同ビル
電話 編集部 03-5211-2966

発売元 株式会社集英社
〒101-8050 東京都千代田区一ツ橋2-5-10
電話 販売部 03-3230-6393(書店専用)
読者係 03-3230-6080

印刷所 凸版印刷株式会社

製本所 ナショナル製本協同組合

定価はカバーに表示してあります。

ISBN978-4-8342-5353-5 C0075　JASRAC 出 2108932-101